Feu de glace

Nicci French

Feu de glace

ÉDITIONS FRANCE LOISIRS

Titre original : *Killing Me Softly*
Éditeur original : Penguin Books
Traduit de l'anglais par Emmanuelle Delanoë-Brun

Édition du Club France Loisirs
avec l'autorisation des Éditions Flammarion
Éditions France Loisirs,
123, boulevard de Grenelle, Paris
www.franceloisirs.com

Prologue

Il savait qu'il allait mourir. Et il avait vaguement cons-cience, quelque part au plus profond de lui, qu'il n'aurait pas dû le vouloir. Il devait faire quelque chose pour se tirer d'affaire mais il ne voyait pas quoi. Peut-être que s'il parve-nait à expliquer ce qui s'était passé... Si seulement la bise et la neige pouvaient se calmer. Elles lui fouettaient les joues depuis si longtemps que le bruit, le froid et les picote-ments se confondaient presque en une même sensation. Sans cesse reprenait le combat, l'ultime lutte, à vrai dire, pour happer de l'oxygène dans cet air à huit mille mètres au-dessus du niveau de la mer, où les hommes n'étaient pas censés vivre. Ses cartouches d'oxygène étaient vides depuis longtemps, leurs valves avaient gelé, le masque n'était rien d'autre qu'un fardeau encombrant.

C'était peut-être une question de minutes, d'heures plus probablement. Mais il serait mort avant le lever du jour. La belle affaire. Il se sentait engourdi, calme. Sous les épaisses couches de nylon coupe-vent, de Gore-Tex, de laine, de polypropylène, il sentait son cœur battre deux fois plus vite que la normale, tel un prisonnier affolé acharné à tambou-riner contre sa poitrine. Pourtant son cerveau fonctionnait au ralenti, laissant place au rêve. Ce qui était une erreur, parce qu'ils devaient absolument rester éveillés, continuer à bouger, jusqu'à l'arrivée des secours. Il savait qu'il devait se relever, se remettre sur pied, se frapper dans les mains avec vigueur, réveiller ses compagnons. Mais il se sentait trop bien. Comme c'était agréable de s'allonger et de se reposer enfin. Cela faisait si longtemps qu'il était fatigué.

Quel soulagement de ne plus avoir froid ! Il baissa les

yeux pour regarder sa main, qui s'était échappée de sa moufle. Elle formait un angle bizarre. Il se pencha avec curiosité. Elle n'était plus pourpre comme tout à l'heure, mais d'un blanc cireux. Il s'étonnait d'avoir tellement soif. Il avait une bouteille dans son blouson, qui avait gelé et ne lui était plus à présent d'aucun secours. Pas plus que la neige qui le cernait. C'en était presque risible. Encore heureux qu'il ne soit pas médecin, comme Françoise.

Où était-elle à présent ? Une fois parvenus au bout de la rampe de corde, ils auraient dû se trouver au camp numéro trois. Elle était partie en reconnaissance et ils ne l'avaient plus revue. Les autres étaient restés ensemble, ils avaient cherché leur chemin à tâtons, perdu tout sens de l'orientation, toute idée de l'endroit de la montagne où ils se trouvaient, avant de se réfugier sans espoir dans cette misérable gouttière. Et pourtant il y avait quelque chose dont il devait se souvenir, un détail égaré dans son esprit. Pas seulement égaré d'ailleurs, vu qu'il ne se rappelait plus ce que c'était.

Il n'arrivait même plus à voir ses pieds. Ce matin, quand ils s'étaient mis en route, les montagnes luisaient dans l'air léger ; ils avaient gravi à pas mesurés la mer de glace inclinée qui devait les mener au sommet, ployant sous un soleil féroce qui se déversait par-dessus les crêtes, arrachait des étincelles au manteau d'acier blanc bleuté et transperçait leurs têtes douloureuses. Seuls s'approchaient quelques cumulus, et puis tout à coup avait surgi ce tourbillon de neige dure comme de la pierre.

Il sentit un mouvement à ses côtés. Quelqu'un d'autre était conscient. Il se retourna avec difficulté. Un anorak rouge. Ce devait être Peter. Une épaisse couche de givre gris lui recouvrait entièrement le visage. Il ne pouvait plus lui être d'aucun secours. Ils avaient formé une sorte d'équipe autrefois, mais à présent ils avaient tous rejoint des mondes séparés.

Il se demanda qui d'autre agonisait sur le flanc de la montagne. Tout avait déraillé. Pourtant il n'y avait rien à faire. À l'intérieur de sa combinaison de ski se trouvait une seringue remplie de dexaméthasone dans un étui à brosse à dents, mais il n'aurait plus la force de la tenir. Il ne pouvait même pas bouger les mains pour détacher son sac à dos. Et quand bien même il y parviendrait, que ferait-il alors ? Où irait-il ? Mieux valait attendre. Ils finiraient par les retrouver. Ils connaissaient leur position. Pourquoi n'étaient-ils pas encore là ?

Le monde au-dessous, ce qui avait été la vie, ces montagnes, tout cela avait sombré sous la surface de sa conscience amollie, jusqu'à ce qu'il n'en reste que des traces. Il savait que chaque minute supplémentaire, dans cette zone mortelle où l'oxygène était rare, détruisait des millions de cellules dans son cerveau. Une toute petite partie de son esprit le regardait mourir avec effroi, remplie de pitié et d'horreur. Il était impatient que cela se termine. Il voulait juste dormir.

Il connaissait les étapes de la mort. C'est presque avec curiosité qu'il avait observé son corps protester contre son environnement sur ces dernières crêtes sous le sommet du Chungawat : les maux de tête, la diarrhée, les halètements dus au manque de souffle, les mains et les chevilles enflées. Il savait qu'il ne parvenait plus à réfléchir clairement. Peut-être aurait-il des hallucinations avant de mourir. Il savait que ses mains et ses pieds étaient couverts d'engelures. Il ne sentait plus aucune partie de son corps, sauf ses poumons carbonisés. C'était comme si son esprit était la dernière chose qui lui restât, qui continuât à brûler d'une maigre flamme à l'intérieur de sa carcasse morte. Il attendait que sa conscience crépite une dernière fois puis s'éteigne.

Dommage qu'il ne soit jamais parvenu jusqu'au sommet. La neige pesait comme un oreiller contre sa joue. Tomas avait chaud. Il était en paix. Que s'était-il passé ? Tout aurait dû être tellement simple. Il y avait quelque chose dont il devait se souvenir, un élément discordant. Une fausse note. Un morceau du puzzle qui ne cadrait pas. Il ferma les yeux. L'obscurité était moins pesante. Il avait eu une vie si occupée. Tous ces efforts... Pour quoi ? Pour rien. Il fallait juste qu'il se souvienne. Une fois qu'il y serait arrivé, plus rien n'aurait d'importance. Si seulement les hurlements du vent pouvaient cesser. Si seulement il parvenait à réfléchir. Oui, c'était ça. C'était tout bête, tout simple, mais il comprit. Il sourit. Il sentit le froid l'envahir, le transporter dans l'obscurité accueillante.

Je restai assise, immobile, dans le fauteuil. J'avais la gorge nouée. Les tressautements des néons me donnaient le tournis. Je posai les mains sur le bureau qui nous séparait, en joignant doucement les doigts, pour tenter de calmer ma respiration. Quel endroit pour un dénouement !

Des téléphones sonnaient autour de nous, un murmure de conversation flottait dans l'air, comme un brouillage statique. Il y avait des gens à l'arrière-plan, des hommes et des femmes en uniforme qui passaient à côté de moi d'un air affairé. De temps à autre ils nous jetaient un regard, sans paraître intrigués pour autant. Et pourquoi l'auraient-ils été ? Ils voyaient tant de choses ici et je n'étais qu'une femme ordinaire, une femme aux joues en feu, dont le collant avait filé. Comment auraient-ils pu deviner ? J'avais mal aux pieds dans mes bottines ridicules. Je ne voulais pas mourir.

L'inspecteur principal Byrne attrapa un stylo. Je tentai de lui sourire avec tout ce qui me restait d'espoir. Il m'adressa un regard patient, les sourcils froncés, et j'aurais voulu me mettre à pleurer, lui demander de me sauver, oh, je vous en prie ! Il y avait tellement longtemps que je n'avais pas pleuré pour de bon. Si je m'y mettais maintenant, parviendrais-je jamais à m'arrêter ?

« Vous vous rappelez où nous en étions ? » me demanda-t-il.

Oh ça oui, je m'en souvenais ! Je n'avais rien oublié.

1

«A LICE ! Alice ! Tu es en retard. Allez ! »
J'entendis un petit grognement renfrogné avant de réaliser qu'il sortait de ma bouche. Dehors il faisait froid et encore nuit. Je m'enfouis plus profondément dans la couette tire-bouchonnée, plissant les yeux pour me protéger des lueurs sourdes des matins d'hiver.

« Debout, Alice ! »

Jake sentait la mousse à raser. Les deux pans d'une cravate pendaient autour de son col. Un jour de plus. Ce sont les petites habitudes plus que les grandes décisions qui construisent un vrai couple. Une routine s'installe, on investit des rôles domestiques complémentaires sans l'avoir décidé. Jake et moi étions imbattables sur nos sujets respectifs. Je savais qu'il aimait prendre son café avec plus de lait que dans son thé, et lui que je n'en mettais qu'une goutte dans le thé et pas dans le café. Il connaissait le nœud compact qui se formait à la naissance de mon omoplate gauche après une journée de travail difficile au bureau. C'était pour lui que je ne mettais pas de fruits dans les salades, il n'y ajoutait pas de fromage pour me faire plaisir. Que pouvait-on attendre de plus d'une relation amoureuse ? Petit à petit, nous étions en train de devenir un couple.

Je n'avais jamais vécu avec un homme auparavant, je veux dire un homme avec qui je sortais, et j'appréciais cette nouvelle expérience qui consiste à se partager les tâches. Jake était ingénieur, de sorte que les fils et les canalisations cachés derrière nos murs ou sous nos planchers n'avaient aucun secret pour lui. Je lui avais dit un jour que son seul véritable grief par rapport à l'appartement était de ne pas

11

l'avoir bâti de ses propres mains sur un terrain vierge, mais il ne l'avait pas pris comme une insulte. J'avais un diplôme en biochimie, ce qui signifiait que c'était moi qui changeais les draps du lit et qui vidais la poubelle de la cuisine. Il réparait l'aspirateur mais c'est moi qui le passais. Je lavais la baignoire, sauf quand il s'était rasé dans son bain. Il ne fallait pas exagérer.

En revanche, c'était Jake qui faisait tout le repassage. Il affirmait que les gens ne savent plus repasser les chemises aujourd'hui. À mon avis, c'était idiot. Je me serais bien fâchée mais c'est difficile à tenir sur le long terme quand on est là à siroter un verre devant la télévision pendant que l'autre manie le fer. Il achetait le journal, et je le lisais par-dessus son épaule, ce qui l'irritait. Nous faisions les courses ensemble, même si j'emportais toujours une liste en m'appliquant bien à barrer les provisions au fur et à mesure que je les déposais dans le Caddie, alors qu'il attrapait les produits au petit bonheur, se montrant beaucoup plus audacieux que moi dans ses choix. Il dégivrait le frigo. J'arrosais les plantes. Et il m'apportait une tasse de thé au lit tous les matins.

« Tu es en retard, me dit-il. Voilà ton thé. Je pars dans trois minutes pile.

— Je hais le mois de janvier, répondis-je.

— C'est déjà ce que tu avais dit pour décembre.

— Janvier c'est comme décembre, avec Noël en moins. »

Mais il avait déjà quitté la pièce. Je pris une douche à toute vitesse avant d'enfiler un tailleur-pantalon couleur avoine dont la veste me descendait jusqu'aux genoux. Je me brossai les cheveux que j'attachai en un chignon bas.

« Très chic, déclara Jake au moment où j'entrai dans la cuisine. C'est nouveau ?

— Pas du tout », mentis-je en me servant une deuxième tasse de thé, tiède cette fois.

Nous partîmes ensemble jusqu'au métro, recroquevillés sous le parapluie à essayer d'éviter les flaques. Il m'embrassa devant les portillons, le parapluie sous le bras, me serrant les épaules d'une main ferme.

« Au revoir, ma chérie. » À cet instant, je pris conscience qu'il envisageait le mariage. Il voulait officialiser notre couple. L'esprit tout occupé à cette idée effarante, j'oubliai

12

de répondre. Il ne s'en aperçut pas et se fondit dans la foule d'hommes en imperméable qui descendait l'escalier mécanique. Il ne se retourna pas. On aurait presque dit que nous étions déjà mariés.

Je n'avais pas envie d'aller à cette réunion. Je m'en sentais presque physiquement incapable. Jake et moi étions allés au restaurant la veille au soir et le dîner s'était prolongé tard dans la nuit. Nous n'étions rentrés qu'après minuit, ne nous étions pas couchés avant une heure, et ne nous étions pas endormis avant au moins deux heures et demie. C'était notre anniversaire, le premier. Enfin, pas vraiment, mais Jake et moi n'avions pas pléthore de dates à célébrer. Nous avions bien cherché à l'occasion, mais nous n'étions jamais parvenus à nous souvenir de notre première rencontre. Cela faisait si longtemps que nous nous retrouvions dans le même environnement, comme des abeilles affairées autour de la même ruche. Nous étions incapables de nous rappeler à quel moment nous étions devenus amis. Nous faisions partie d'un groupe fluctuant et après quelque temps nous en étions arrivés au stade où, si quelqu'un m'avait demandé de dresser la liste de mes trois ou quatre, voire quatre ou cinq amis les plus proches, Jake y aurait figuré. Mais personne ne l'avait jamais fait. Nous savions tout de nos parents, de nos études et de nos amours respectifs. Un jour, nous avions pris une cuite retentissante parce que sa petite copine l'avait quitté ; assis sous un arbre à Regent's Park nous avions éclusé une demi-bouteille de whisky à tous les deux, entre pleurnicheries et gloussements, laissant libre cours aux jérémiades larmoyantes. Je lui avais dit que c'était elle qui y perdait dans cette histoire, il avait eu un hoquet et m'avait caressé la joue. Nous riions de nos blagues, dansions ensemble dans les fêtes, sauf les slows. Nous nous taxions de l'argent, des conseils, ou des détours en voiture pour se faire ramener. Nous étions potes.

Nous nous souvenions tous les deux de la première fois où nous avions fait l'amour. C'était le 17 janvier de l'année précédente. Un mercredi. Nous avions prévu d'aller en groupe voir un film à la deuxième séance, mais plusieurs personnes s'étaient finalement défilées et quand nous nous étions retrouvés devant le cinéma nous n'étions plus que deux, Jake et moi. À un moment pendant le film nous nous étions regardés, nous avions échangé un sourire assez gêné. Sans doute nous était-il apparu que la situation ressemblait à une sortie en amoureux, et peut-être nous demandions-nous chacun dans notre coin si c'était une aussi bonne idée que cela.

Après le film il m'avait invitée à prendre un verre dans son appartement. Il était environ une heure du matin. Il avait du saumon fumé au frigo et, ce qui me fit rire, du pain qu'il avait fait lui-même. Du moins, cela me fit rire après coup, parce qu'il n'en a jamais refait depuis, pas plus qu'autre chose d'ailleurs. Nous sommes de fervents adeptes des plats tout préparés ou à emporter. Quoi qu'il en soit, j'étais à deux doigts de m'esclaffer ce soir-là quand je l'ai embrassé pour la première fois, parce que ça me paraissait bizarre, presque incestueux, dans la mesure où nous étions déjà de si bons copains. Je vis son visage se rapprocher du mien, ses traits familiers se brouiller, devenir soudain étranges, et j'eus envie de pouffer ou de m'écarter, de faire n'importe quoi pour rompre ce sérieux inattendu, ce silence d'un genre nouveau qui s'instaurait entre nous. Mais tout avait soudain semblé parfait, comme si je me retrouvais enfin chez moi. S'il y eut des moments où ce sentiment d'être installée me déplut (que devenaient mes projets d'aller travailler à l'étranger, de multiplier les aventures, d'être quelqu'un d'autre ?), ou s'il m'arrivait de me demander si, à presque trente ans, la vie ne me réservait rien d'autre, eh bien, j'envoyais promener mes doutes.

Je sais que les couples sont censés prendre la décision de vivre ensemble, que c'est le résultat d'un choix spécifique. Il s'agit d'une étape dans la vie de chacun, au même titre que l'échange d'alliances ou la mort. Mais ce n'est pas ainsi que les choses se sont passées pour nous. Pour commencer je suis restée une nuit chez Jake. Puis il m'a alloué un tiroir pour mes sous-vêtements et mes bas. Ensuite ce fut le tour de quelques robes. Je me suis mise à laisser des bouteilles d'après-shampooing et des flacons d'eye-liner dans la salle de bains. Après quelques semaines, j'ai remarqué que la moitié des cassettes vidéo portaient des étiquettes écrites de ma main. Juste parce que si on n'inscrit pas tout de suite sur la cassette les émissions qu'on a enregistrées, même en tout petit, on ne les retrouve jamais le jour où l'envie nous prend de les regarder.

Un jour Jake m'a demandé si cela valait vraiment la peine que je paye un loyer pour mon studio, vu que je n'y étais jamais. J'ai hésité, tergiversé, sans parvenir à me décider. Ma cousine Julie est descendue travailler à Londres pendant l'été avant d'entrer à l'université. Je lui ai suggéré de venir s'installer chez moi. J'ai dû déménager quelques affaires supplémentaires pour lui faire de la place. Puis à la fin août, un dimanche matin de grosse chaleur que nous étions assises dans un pub qui dominait la Tamise dans le quartier de Saint-Paul, Julie m'avait rebattu les oreilles avec son projet de trouver un logement permanent, et j'avais émis l'idée qu'elle garde mon studio pour de bon. C'est comme ça que Jake et moi nous retrouvâmes installés sous le même toit, avec pour tout anniversaire le jour où nous avions couché ensemble pour la première fois.

Mais après les soirs de fête il faut se réveiller. Quand on n'a pas envie d'aller à une réunion mais qu'on se préoccupe de faire bonne impression ou de ne pas se faire mal voir, il est impératif de porter une tenue bien repassée et d'arriver à l'heure. Non que cela figure dans les dix commandements du jeune cadre dynamique, mais par cette sombre matinée où il me semblait impossible de rien supporter d'autre qu'une tasse de thé, je pensais trouver là une stratégie de survie. Je tentai de rassembler mes esprits une fois dans le métro. J'aurais dû mieux me préparer, prendre des notes, je ne sais pas. Je restai debout dans l'espoir de ne pas froisser mon tailleur tout neuf. Quelques messieurs polis me proposèrent de prendre leur place et se retrouvèrent embarrassés quand je déclinai l'offre. Ils durent penser que c'était un parti pris idéologique de ma part.

Qu'allaient-ils faire de leur journée, tous mes compagnons de trajet ? Je pariai en mon for intérieur que cela ne pouvait pas être aussi bizarre que ce qui m'attendait. Je me rendais dans les locaux d'une succursale d'une très grosse entreprise pharmaceutique multinationale pour participer à une réunion ayant pour objet un bout de plastique et de cuivre qu'on aurait pu prendre pour une broche New-Age mais qui n'était autre que le prototype peu probant d'un nouveau stérilet.

J'avais vu mon nouveau patron, Mike, devenir perplexe puis furieux, frustré et enfin désarmé devant l'enlisement du projet Drakloop IV, le stérilet mis au point par Drakon, dont on attendait qu'il révolutionne le domaine de la contraception intra-utérine pour autant qu'il parvienne à sortir du laboratoire. J'avais été recrutée sur le projet six mois plus tôt, pour me retrouver progressivement aspirée dans le marécage bureaucratique des planifications budgétaires, études de marchés, pénuries de fonds, tests cliniques, recommandations spécifiques, réunions départementales, réunions régionales, réunions de préparation en vue d'autres réunions, ainsi que dans les méandres de cette impossible hiérarchie des responsables chargés de prendre les décisions. J'en avais presque oublié que j'étais une scientifique qui s'était consacrée jusque-là à l'étude de tout ce qui touche à la fertilité féminine. J'avais accepté ce poste parce que l'idée de créer un produit et de le commercialiser avait un parfum de vacances par rapport au reste de ma vie.

Ce jeudi matin, Mike semblait juste maussade, mais je reconnaissais cette humeur comme potentiellement dangereuse. Il ressemblait à un vieil obus rouillé datant de la seconde guerre mondiale qui se serait échoué sur une plage. Malgré son air inoffensif, il pouvait exploser à la figure du premier qui s'aventurerait à le prendre par le mauvais bout. Et je ne serais pas celui-là, pas aujourd'hui.

Les gens entraient un à un dans la salle de conférence. Je m'étais déjà assise dos à la porte de manière à pouvoir jeter un œil par la fenêtre. Les bureaux étaient installés dans un quartier au sud de la Tamise, dans un labyrinthe de rues étroites auxquelles on avait donné soit des noms d'épices soit ceux des pays lointains d'où celles-ci provenaient. À l'arrière du bâtiment se trouvait un centre de recyclage, dont on nous faisait miroiter tous les jours qu'il était sur le point d'être cédé à une entreprise pratiquant une tout autre activité. C'était un tas d'ordures. Dans un coin s'élevait une gigantesque montagne de bouteilles. Les jours de soleil elle étincelait, magique, mais même par temps épouvantable, comme c'était le cas aujourd'hui, j'avais peut-être une chance d'apercevoir le bulldozer s'avancer pour rehausser encore l'amoncellement. C'était plus intéressant que tout ce qui pourrait se passer dans la salle de conférence C. Je jetai un coup d'œil à l'assistance. Il y avait là trois types un rien mal à l'aise, venus du laboratoire de Northbridge rien que pour cette réunion, et qui à l'évidence regrettaient le temps perdu. Philip Ingalls, de l'étage supérieur, était là, ainsi que mon « assistante » en titre, Claudia, et Fiona, l'assistante de Mike. Il manquait encore pas mal de gens. Mike fronça davantage les sourcils et se mit à se tirer les lobes des oreilles d'une main rageuse. Je tournai la tête vers la fenêtre. Bien. Le bulldozer s'approchait de la montagne de bouteilles. Je me sentis mieux.

« Giovanna vient ? demanda Mike.

— Non, répondit un des chercheurs, un type qui s'appelait Neil, je crois. Elle m'a demandé de la représenter. »

Mike haussa les épaules en signe d'acquiescement peu engageant. Je me redressai sur ma chaise, modelai une expression alerte sur mon visage et saisis mon stylo dans un geste plein d'optimisme. La réunion s'ouvrit sur le rappel de réunions précédentes et une litanie de remarques routinières. Je gribouillai sur mon bloc-notes, puis j'entrepris de croquer le portrait de Neil, mais le résultat faisait plutôt penser à une trogne de chien de chasse aux yeux tristes. Après quoi je revins au bulldozer, qui était à présent bien avancé dans sa tâche. Malheureusement les vitres étouffaient le fracas du verre brisé mais le spectacle n'en était pas moins réjouissant pour autant. Je dus faire un effort pour reprendre le fil des débats quand Mike s'inquiéta de savoir quels étaient les projets pour février. Neil se mit à disserter au sujet de saignements anovulatoires, ce qui tout à coup fit monter chez moi un sentiment d'irritation absurde à l'idée d'entendre un scientifique masculin discuter avec un directeur masculin d'une technologie destinée à l'anatomie féminine. Je pris une profonde inspiration pour me lancer, mais je changeai d'avis et retournai au centre de recyclage. Le bulldozer reculait à présent, son travail achevé. Je me demandai quelle était la formation requise pour conduire un engin pareil.

« Quant à toi... » Je pris soudain conscience de ce qui m'entourait, comme si on venait de me tirer d'un profond sommeil. Mike avait dirigé son attention sur moi et tout le monde s'était tourné pour ne rien perdre de la catastrophe

17

imminente. « Il faut que tu prennes ça en main, Alice. Il y a un malaise dans ce département. »

Allais-je me fatiguer à relever ? Non.

« Oui, Mike », répondis-je d'une voix douce. Je lui adressai cependant un clin d'œil, histoire de lui faire comprendre que je n'allais pas me laisser bousculer, et je le vis virer au rouge.

« Est-ce que quelqu'un ne pourrait pas réparer cette saloperie d'ampoule ? » explosa-t-il.

Je levai les yeux. Un des néons était pris de sursauts presque subliminaux. Mais une fois qu'on s'en rendait compte, c'était comme si quelqu'un vous grattait l'intérieur du cerveau. Scratch, scratch, scratch.

« Je m'en occupe, dis-je. Enfin, je trouverai quelqu'un pour le faire. »

J'étais chargée de rédiger un rapport que Mike pourrait envoyer à Pittsburgh à la fin du mois, ce qui me laissait amplement le temps, de sorte qu'il me fut possible de passer le reste de la journée à ne pas faire grand-chose. Je me complus une bonne demi-heure à feuilleter deux catalogues de vêtements par correspondance qu'on m'avait envoyés. Je revins en arrière pour examiner à nouveau une paire de bottines sympa, une longue chemise en velours « indispensable » à en croire la description, et une minijupe de satin gris tourterelle. Le total augmenterait mon découvert de cent trente-sept livres. Après un repas en compagnie d'une collègue du service de presse, une femme sympathique dont le petit visage pâle s'effaçait derrière une paire de demi-lunes rectangulaires à la monture noire, je m'enfermai dans mon bureau et j'enfilai mes écouteurs.

« *Je suis dans la salle de bains*[1], dit une voix, trop stridente, à mon oreille.

— *Je suis dans la salle de bains*, répétai-je, obéissante.

— *Je suis en haut !* »

Que signifiait « *en haut* » ? Impossible de m'en souvenir. Je ne me rappelais même plus pourquoi j'avais commencé à apprendre le français, sauf peut-être à évoquer de vagues rêves, celui d'acheter une masure blanche près de Nice, de

---

1. En français dans le texte.

flâner au marché dans la douceur d'une matinée méridionale, d'y discuter la rougeur d'une tomate, la fraîcheur d'un poisson. « *Je suis en haut* », repris-je.

Quand le téléphone se mit à sonner, j'enlevai mes écouteurs. Quittant un monde de soleil, de champs de lavande, de cafés en terrasse, je me retrouvai plongée dans l'univers des docks en plein mois de janvier. C'était Julie, qui m'appelait pour un problème à propos de l'appartement. Je suggérai d'en parler autour d'un verre après le boulot. Elle retrouvait déjà quelques amis ; du coup j'appelai Jake sur son portable pour lui proposer de se joindre à nous au Vine. Il était en rendez-vous à l'extérieur. Il était parti surveiller l'avancée des travaux sur le chantier d'un tunnel creusé dans un site non seulement beau mais aussi sacré aux yeux de plusieurs religions. J'avais presque fini ma journée.

Julie et Sylvie étaient déjà là, assises à une table d'angle en compagnie de Clive, au moment où j'entrai dans le pub. Derrière eux s'élevaient quelques plantes. Le Vine avait une préférence pour les motifs végétaux.

« Quelle sale tête ! s'exclama Sylvie avec commisération. La soirée a été trop arrosée ?

— Je n'en suis pas sûre, répondis-je sans trop me mouiller. Mais je n'aurais rien contre un remède pour la gueule de bois. J'en prends aussi un pour toi. »

Clive parlait d'une femme qu'il avait rencontrée à une soirée la veille au soir.

« C'est une fille très intéressante. Elle est kinésithérapeute. Je lui ai parlé de mon coude, celui qui déconne...

— Ouais, ouais, on sait.

— Et elle l'a manipulé d'une façon spéciale, j'ai tout de suite senti que ça allait mieux. C'est pas incroyable ?

— À quoi elle ressemble ?

— Comment ça ?

— Comment elle est physiquement ? » répétai-je.

Les boissons arrivèrent. Il but une gorgée. « Elle est assez grande. Plus que toi. Elle a les cheveux bruns, mi-longs. Elle est mignonne, bronzée, avec de magnifiques yeux bleus.

— Pas étonnant que ton coude aille mieux. Tu l'as invitée à dîner ? »

19

Clive prit l'air offusqué, mais aussi un rien fuyant. Il desserra son nœud de cravate. « Bien sûr que non.

— Tu en avais manifestement envie.

— On ne peut pas inviter une fille comme ça de but en blanc.

— Bien sûr que si, intervint Sylvie. Après tout elle t'a bien tripatouillé le coude.

— Et alors ? Je n'en crois pas mes oreilles. Elle m'a manipulé le coude parce qu'elle est kiné, et je dois prendre ça pour une ouverture, c'est ça ?

— Pas tout à fait, répondit Sylvie avec un petit air prude. Mais invite-la. Appelle-la. À t'entendre, elle en vaut la peine.

— Elle est... attirante, c'est sûr, mais il y a deux hic. Primo, comme vous savez, je ne suis pas sûr de m'être tout à fait remis de Christine. Secundo, je suis incapable de faire un truc pareil. J'ai besoin d'une excuse.

— Tu sais comment elle s'appelle ? demandai-je.

— Gail. Gail Stevenson. »

Je bus une gorgée de bloody mary d'un air songeur.

« Appelle-la. »

Une lueur d'inquiétude comique traversa le visage de Clive. « Et qu'est-ce que je lui dirai ?

— Qu'est-ce que ça peut faire ? Si elle t'a trouvé sympa, ce que laisserait supposer le fait qu'elle t'ait pris le coude à cette soirée, alors elle acceptera de sortir avec toi quoi que tu dises. Si tu ne lui as pas tapé dans l'œil, elle refusera, quoi que tu racontes. » Clive eut l'air troublé. « Appelle-la, tu verras bien. Dis-lui : "C'est moi le type à qui vous avez trituré le coude l'autre soir chez Duchmol, est-ce que ça vous dirait de dîner avec moi ?" Elle sera peut-être charmée. »

Clive était bouche bée. « C'est aussi simple que ça ?

— Absolument.

— Et qu'est-ce que je dois lui demander ? »

J'ai ri. « Qu'est-ce qu'il te faut de plus ? Tu veux aussi que je prépare la chambre ? »

Je partis chercher une deuxième tournée. Quand je revins à la table, Sylvie fumait en déblatérant d'une voix théâtrale. J'étais fatiguée et ne lui prêtai qu'une oreille distraite. En face de moi, mais je n'en suis pas sûre parce que la conversation me parvenait par bribes, il me semble que Clive révélait à Julie le message secret caché dans le dessin du paquet de Marlboro. Je me suis demandé s'il était pompette ou cinglé. Je m'attardai sur la fin de mon verre, gagnée par l'impression d'un léger flou. C'était une partie de l'Équipe, un groupe de gens qui s'étaient pour la plupart rencontrés à l'université pour ne plus se quitter, toujours prompts à s'occuper les uns des autres, à passer du temps ensemble. Ils constituaient certainement plus ma famille que mes propres parents.

Une fois à l'appartement, Jake ouvrit la porte au moment où je glissais la clé dans la serrure. Il avait déjà quitté son costume pour un jean et une chemise à carreaux.

« Je croyais que tu serais en retard, remarquai-je.

— Le problème s'est envolé. Je vais te mitonner le dîner. »

J'ai regardé sur la table. Elle était jonchée de plats emballés. Du poulet épicé. Du tarama. De la pita. Un pudding miniature. Une briquette de crème. Une bouteille de vin. Plus une cassette vidéo. Je l'ai embrassé. « Un micro-ondes, une télé et toi, ai-je murmuré. Le paradis.

— Et après ça je vais te faire l'amour toute la nuit.

— Quoi, encore ? Espèce de tunnelier, va ! »

2

Le lendemain matin, le métro était encore plus bondé que d'habitude. J'avais chaud sous mes épaisseurs superposées et tentais de me distraire en pensant à autre chose tandis que je frôlais d'autres corps et que le train s'avançait dans le noir en bringuebalant. Je me dis que j'avais sérieusement besoin de me faire couper les cheveux. Je n'avais qu'à prendre un rendez-vous à l'heure du déjeuner. Je tentai de me souvenir s'il y avait assez à manger à la maison pour ce soir. Mais peut-être que nous irions acheter un dîner à emporter. À moins que nous n'allions danser. Il me revint que j'avais oublié de prendre ma pilule ce matin et qu'il me faudrait le faire sans faute dès que j'arriverais au bureau. L'idée de la pilule me remit en tête le stérilet et la réunion de la veille, dont le souvenir m'avait donné encore plus de mal que d'habitude à sortir du lit ce matin.

Une jeune femme frêle qui portait serré contre elle un bébé au visage rubicond se faufila tant bien que mal dans le wagon. Personne ne se leva pour lui céder la place, ce qui fait qu'elle resta debout, l'enfant fiché sur sa hanche anguleuse, retenue par les corps qui l'entouraient. On n'apercevait que le visage échauffé et furibond du bébé. Comme on pouvait s'y attendre, il ne tarda pas à se mettre à crier et à émettre de longs vagissements rauques au point que ses joues virèrent au pourpre, mais la femme n'y prêta pas attention, comme si elle n'avait plus la force de remarquer quoi que ce soit. Son visage blafard présentait une expression figée. Le bébé était harnaché pour une expédition au pôle Sud, mais elle ne portait qu'une robe légère sous un anorak ouvert. Je cherchai en moi les signes d'un

22

instinct maternel émergeant. Rien. Puis je jetai un œil à tous ces hommes et femmes en costumes ou tailleurs. Je me penchai vers un homme vêtu d'un beau pardessus en cashmere, jusqu'à être suffisamment près pour distinguer ses points noirs, puis lui glissai à l'oreille : « Excusez-moi, pourriez-vous laisser la place à cette femme ? » Il prit un air étonné, peu conciliant. « Elle a besoin de s'asseoir. »

Il se leva. La mère se fraya un chemin au milieu des passagers et vint se coincer entre deux exemplaires du *Guardian*. Le bébé continua à pleurer mais elle garda le regard fixe. L'homme pouvait se sentir vertueux à présent.

C'est avec soulagement que j'arrivai à ma station, même si la journée qui m'attendait ne me disait rien qui vaille. Quand je songeais à mon travail, je me sentais envahie d'une profonde léthargie qui m'alourdissait les membres et m'asphyxiait les lobes cérébraux. L'air était glacé dans les rues, mon haleine formait des volutes. J'enroulai mon écharpe plus serré autour de mon cou. Peut-être pourrais-je filer pendant la pause-café m'acheter des bottines montantes. Tout autour de moi les gens s'empressaient de rejoindre leurs bureaux respectifs, tête baissée. Jake et moi devrions partir quelque part en février, dans un endroit chaud et désert. N'importe où qui ne soit pas Londres. Je m'imaginai une plage de sable blanc, un ciel bleu, moi menue et bronzée dans mon bikini. J'avais vu trop de publicités. Je portais toujours un une pièce. Oh, et puis quoi ! Jake m'avait tannée pour que je fasse des économies.

Je m'arrêtai devant le passage clouté. Un camion passa en rugissant. Un pigeon et moi reculâmes à l'unisson. J'aperçus le visage du chauffeur, tout là-haut dans sa cabine, aveugle à la foule au-dessous, à l'aube d'une dure journée de travail. La voiture suivante s'arrêta dans un crissement de pneus et je m'avançai sur la chaussée.

Un homme traversa en sens inverse. Je remarquai qu'il portait un jean et un blouson de cuir noirs, avant de lever les yeux vers son visage. Je ne sais de nous deux lequel s'est arrêté le premier. Toujours est-il que nous nous sommes retrouvés au milieu de la rue à nous regarder. Je crois avoir entendu un coup de klaxon. Il m'était impossible de bouger. Le temps me sembla s'arrêter, bien qu'il ne se soit sans doute pas écoulé plus d'une seconde. Une sensation de vide ou de faim m'envahit l'estomac ; je n'arrivais plus à respirer normalement. Quelqu'un a crié quelque chose. Il avait les yeux très bleus. Je me remis à avancer, lui aussi, et nous nous croisâmes, à quelques centimètres l'un de l'autre, les yeux dans les yeux. S'il avait levé la main pour me toucher, je crois que je me serais retournée et que je l'aurais suivi, mais il n'en fit rien et j'arrivai seule de l'autre côté de la rue.

Je m'avançai vers le bâtiment qui abritait les bureaux de Drakon, puis je m'arrêtai et tournai la tête. Il était encore là, à me regarder. Il ne sourit pas, ne fit pas le moindre geste. Je dus me faire violence pour me retourner à nouveau, alors qu'il me regardait comme pour m'attirer vers lui. Une fois devant les portes tournantes de chez Drakon, je m'y engouffrai et jetai un dernier regard derrière moi. L'homme aux yeux bleus était parti. C'était donc tout.

Je me rendis directement au vestiaire, m'enfermai dans les toilettes et m'appuyai contre la porte. Je me sentais prise de vertiges, j'avais les genoux qui tremblaient et une sensation lourde derrière les yeux, comme si un flot de larmes y était retenu. Peut-être étais-je en train de m'enrhumer. Ou alors c'étaient mes règles qui s'annonçaient. Je repensai à l'homme, à la façon dont il m'avait fixée. Je fermai les yeux, comme si cela pouvait le faire disparaître. Quelqu'un entra dans le vestiaire, ouvrit un robinet. Je restai absolument immobile. J'entendais mon cœur battre contre mon chemisier. Je posai la main contre ma joue brûlante, puis sur ma poitrine.

Quelques minutes plus tard je respirais à nouveau normalement. Je m'aspergeai le visage d'eau froide puis me passai un coup de peigne dans les cheveux. Je me souvins que je devais sortir une petite pilule de son calendrier d'aluminium et l'avaler. La douleur s'effaçait au creux de mon estomac. À présent je me sentais fragile, nerveuse. Dieu merci personne n'avait rien vu. Je pris un café au distributeur du deuxième, ainsi qu'une barre de chocolat. Soudain, je mourais de faim. Après quoi je me dirigeai vers mon bureau. Je défis l'emballage de la barre chocolatée puis j'en retirai le papier doré avec des doigts tremblants et gauches, avant de l'avaler par grosses bouchées. Ma journée de travail commençait. Je lus mon courrier, dont j'envoyai la plus

24

grosse partie à la poubelle, j'écrivis un mémo à l'attention de Mike, puis je passai un coup de téléphone à Jake au bureau.

« Comment se passe ta journée ? lui demandai-je.

— Je viens à peine de m'y mettre. »

Il me semblait que des heures s'étaient écoulées depuis que j'avais quitté la maison. Si je m'étais laissée aller contre le dossier de ma chaise en fermant les yeux, j'aurais pu dormir pendant des heures.

« J'ai bien aimé notre nuit », murmura-t-il. Peut-être y avait-il du monde autour de lui.

« Mouais. Mais je me sentais un peu drôle ce matin.

— Et maintenant, ça va mieux ? » Sa voix trahissait son inquiétude. Je ne suis jamais malade.

« Oui. Impeccable. Vraiment. Et toi, ça va ? »

Je n'avais plus rien à dire mais je n'avais pas envie de raccrocher pour autant. Tout à coup Jake eut l'air préoccupé. Je l'entendis dire à quelqu'un quelque chose que je ne compris pas.

« Oui, ma chérie. Écoute, je ferais mieux de raccrocher. Salut. »

La matinée passa. Je me rendis à une nouvelle réunion, cette fois-ci avec le département marketing. Je réussis à renverser une carafe d'eau sur la table et à ne pas ouvrir la bouche. Je lus les documents que Giovanna m'avait envoyés par e-mail. Elle venait me voir à quinze heures trente. Je téléphonai au coiffeur pour fixer un rendez-vous à treize heures. J'avalai des litres de café amer et tiède dans des gobelets en polystyrène. J'arrosai les plantes de mon bureau. J'appris à dire « *Je voudrais quatre petits pains* » et « *Ça fait combien ?* ».

Quelques minutes à peine avant treize heures, j'attrapai mon manteau, je laissai un message à mon assistante pour lui dire que je ne serais pas de retour avant au moins une heure, puis je dégringolai les escaliers pour atterrir dans la rue. Une pluie fine venait de se déclarer et je n'avais pas de parapluie. Je levai les yeux vers les nuages, haussai les épaules et me mis à avancer d'un pas vif sur Cardamom Street dans l'espoir d'arrêter un taxi qui m'emmènerait jusqu'au salon de coiffure. Tout à coup je m'arrêtai net et le monde, autour de moi, s'embrouilla. Mon estomac se noua. J'eus l'impression que j'allais me tordre de douleur.

Il était là, à quelques mètres de moi. Comme s'il n'avait pas bougé depuis ce matin. Toujours vêtu d'un blouson et d'un jean noirs, sans un sourire aux lèvres. Il était juste là à me fixer. Il me sembla que personne ne m'avait bien regardée auparavant. Je me sentis soudain très précisément consciente de ce que je ressentais, des battements de mon cœur, des mouvements de ma respiration, de la surface de mon corps qui me picotait sous l'effet conjugué de la panique et de l'excitation.

Il avait à peu près mon âge, une petite trentaine. J'imagine qu'il était beau, avec ses yeux bleu pâle, sa chevelure brune en bataille et ses pommettes hautes. Mais tout ce que je savais à cette minute c'est que ses yeux étaient rivés sur moi avec une telle intensité que j'avais l'impression de ne pas pouvoir sortir du champ de son regard. J'entendais ma respiration s'échapper par petits halètements rauques mais je ne bougeai pas, incapable de me détourner.

Je ne sais pas qui fit le premier mouvement. Peut-être me suis-je avancée d'un pas gauche dans sa direction, à moins que je ne me sois contentée de l'attendre. Quand nous nous sommes retrouvés face à face, sans nous toucher, les bras ballants, il a dit d'une voix basse : « Je vous attendais. »

J'aurais dû éclater de rire. Ce n'était pas moi, ça ne pouvait pas m'arriver à moi. Je n'étais qu'Alice Loudon, qui partait se faire couper les cheveux en ce jour pluvieux de janvier. Mais je ne pus rire, ni même sourire. Tout ce que j'arrivai à faire, ce fut le regarder, plonger mon regard dans ses yeux bleus écartés, examiner sa bouche, ses lèvres gercées, entrouvertes. Il avait les dents blanches, régulières, à part une, devant, à laquelle il manquait un petit bout. Il ne s'était pas rasé. Son cou portait une égratignure. Il avait les cheveux assez longs, en bataille. Oh oui, il était beau. J'avais envie de lever la main et de lui effleurer les lèvres, très doucement, du pouce. De sentir le piquant de sa barbe au creux de mon cou. Je tentai de dire quelque chose mais il ne sortit rien d'autre qu'un « Oh » étranglé et sec.

« S'il vous plaît, reprit-il alors, toujours sans me quitter des yeux. Vous voulez bien m'accompagner ? »

Il aurait pu s'agir d'un voleur, d'un violeur ou d'un

psychopathe. Je hochai bêtement la tête. Il s'avança sur la chaussée et arrêta un taxi. Il me tint la portière ouverte, sans poser la main sur moi. Une fois dans la voiture il indiqua une adresse au chauffeur puis se tourna vers moi. Je vis qu'il ne portait qu'un T-shirt vert bouteille sous son blouson. Il avait un lacet de cuir orné d'une petite spirale argentée autour du cou. Il ne portait pas de bagues. Je regardai ses doigts élancés, ses ongles propres et bien coupés. Une cicatrice blanche en zigzag lui barrait un pouce. Il avait les mains solides, fortes, dangereuses.

« Dites-moi votre nom.

— Alice. » Je ne reconnus pas ma voix.

« Alice, a-t-il répété. Alice. » Mon nom me parut étrange, ainsi prononcé. Il leva les mains et, d'un geste très doux, attentif à ne pas entrer en contact avec ma peau, desserra mon écharpe. Il sentait le savon et la sueur.

Le taxi s'arrêta. Par la fenêtre, je vis que nous nous trouvions à Soho. Il y avait là une papeterie, un traiteur, des restaurants. Je perçus une odeur de café et d'ail. Il sortit et me tint à nouveau la portière. Je sentais mon sang battre dans mes veines. Il poussa une porte miteuse à côté d'une boutique de vêtements et je montai l'escalier étroit derrière lui. Il prit un porte-clés dans sa poche, ouvrit deux serrures. À l'intérieur, il ne s'agissait pas d'une simple chambre. C'était un petit appartement. Je remarquai des étagères, des livres, des photos, un tapis. Je restai indécise sur le pas de la porte. C'était ma dernière chance. Le bruit de la rue s'infiltrait par les fenêtres, des voix qui s'élevaient et retombaient, le brouhaha de la circulation. Il ferma la porte et poussa le verrou de l'intérieur.

J'aurais dû avoir peur, ce qui était d'ailleurs le cas, mais ce n'était pas lui, cet inconnu, que je craignais. C'était de moi-même que j'avais peur. Je ne me reconnaissais plus. Je me dissolvais dans le désir que j'éprouvais, comme si les contours de mon corps perdaient de leur substance. Je commençai à enlever mon manteau, mes mains maladroites accrochant les boutons de velours, mais il m'arrêta.

« Attends. Laisse-moi faire. »

Il commença par ôter mon écharpe qu'il suspendit d'un geste délicat au portemanteau. Puis ce fut le tour de mon manteau. Il prenait son temps. Il s'agenouilla sur le sol et me retira mes chaussures. Je posai la main sur son épaule pour m'empêcher de vaciller. Il se releva, se mit à déboutonner mon gilet, et je vis que ses mains tremblaient un peu. Il défit ma jupe, qu'il fit glisser sur mes hanches. Elle râpait contre mes collants. Il tira mes collants puis les ramassa en une petite boule qu'il posa à côté de mes chaussures. Il ne m'avait toujours pas effleuré la peau, ou si peu. Il me débarrassa de ma combinaison, puis de ma culotte. J'étais nue dans une pièce qui m'était étrangère, agitée de légers frissons.

« Alice ! » dit-il dans une sorte de gémissement. Puis : « Oh, mon Dieu, tu es ravissante, Alice. »

Je lui retirai son blouson. Il avait les bras forts, la peau brune. La boursouflure d'une autre longue cicatrice lui courait du coude jusqu'au poignet. Comme lui je m'agenouillai pour lui ôter ses chaussures puis ses chaussettes. Au pied droit il n'avait que trois orteils, et je me penchai pour embrasser l'endroit où les deux autres auraient dû se trouver. Il étouffa un soupir. Je sortis son T-shirt de son pantalon et il leva les bras comme un petit garçon quand je le fis passer par-dessus sa tête. Il avait le ventre plat, souligné d'une fine ligne de poils. Je déboutonnai son jean et le fis doucement glisser sur ses fesses. Il avait les jambes noueuses, assez bronzées. Je retirai son caleçon, que je laissai tomber par terre. L'un de nous gémit, mais je ne sais pas qui. Il leva une main pour me glisser une mèche de cheveux derrière l'oreille. Puis il suivit le dessin de mes lèvres de son index, très lentement. Je fermai les yeux.

« Non, dit-il. Regarde-moi.

— S'il te plaît, je t'en prie. »

Il défit mes boucles d'oreilles et les laissa tomber. Je les entendis heurter le plancher.

« Embrasse-moi, Alice. »

Il ne m'était jamais rien arrivé de tel auparavant. Faire l'amour, pour moi, ça n'avait jamais été comme ça. J'avais connu des expériences sexuelles sans intérêt, embarrassantes, nulles, sympas, ou merveilleuses. Cette fois-ci, il s'agissait plutôt d'une tension vers l'oubli absolu. Nous nous empoignâmes, dans le désir de dépasser la barrière de notre peau et de notre chair. Nous nous tînmes comme deux naufragés en pleine mer. Nous nous goûtâmes comme deux affamés. Et pas une seconde il ne détourna les yeux de mon visage. Il me regardait comme si j'étais la chose la plus ravissante qu'il eût jamais vue et, allongée sur le plancher dur et poussiéreux, je me sentais belle, exempte de toute honte, épuisée.

Puis, après, il me releva et me conduisit sous la douche, où il me lava. Il me savonna les seins et entre les jambes. Il me lava les pieds et les cuisses. Il n'oublia pas mes cheveux, qu'il shampouina d'une main experte, m'inclinant la tête en arrière pour éviter que la mousse ne vienne me piquer les yeux. Puis il m'essuya, s'assurant que j'étais bien sèche sous les bras, entre les doigts de pied. Ce faisant, il m'examina attentivement. J'avais l'impression d'être une œuvre d'art, mais aussi une prostituée.

« Je dois retourner au bureau », finis-je par dire. Il m'habilla, ramassant mes vêtements sur le sol. Il enfila mes boucles d'oreilles dans mes lobes, m'écarta les cheveux mouillés du visage.

« Quand termines-tu ? » Je songeai à Jake qui allait m'attendre à la maison.

« À six heures.

— Je serai là. » À ce moment, j'aurais dû lui dire que j'avais un compagnon, un appartement, toute une autre vie. Au lieu de cela j'attirai son visage vers le mien pour embrasser ses lèvres meurtries. Il me fut presque impossible d'écarter mon corps du sien.

Dans le taxi, seule, je le redessinai, je me remémorai le contact de ses doigts, le goût de sa peau, son odeur. Je ne connaissais pas son nom.

3

J'ARRIVAI au bureau à bout de souffle. J'attrapai quelques messages rédigés de la grande écriture de Claudia puis m'enfermai dans mon bureau. Je les passai rapidement en revue. Rien d'urgent. Il faisait déjà presque nuit dehors et je tentai d'apercevoir mon reflet dans la vitre. J'avais une conscience aiguë de mes vêtements. Ils me paraissaient étranges sur moi parce qu'ils m'avaient été retirés puis remis par un inconnu. Je m'inquiétai de savoir si cela paraissait aussi flagrant aux autres qu'il me le semblait à moi. Avait-il attaché un bouton de travers ? À moins qu'un élément n'ait été mis par erreur par-dessus un autre. Rien ne semblait clocher, mais j'aurais voulu en être sûre. Je me précipitai dans les toilettes armée de ma trousse de maquillage. Sous l'éclairage cru, impitoyable, je m'examinai dans le miroir pour vérifier que je n'avais pas les lèvres gonflées ou toute autre marque visible. Je m'employai à réparer les dégâts d'une touche de rouge à lèvres et d'un trait d'eyeliner. Ma main tremblait. Je dus l'appuyer fermement contre un lavabo pour que cela cesse.

J'appelai Jake sur son portable. À sa voix il me sembla que je le dérangeais au milieu de quelque chose. Je lui annonçai que j'avais une réunion et que je rentrerais sans doute tard. Vers quelle heure ? Je n'en savais rien, c'était impossible à prévoir. Serais-je de retour pour le dîner ? Je lui dis de ne pas m'attendre. Je reposai le combiné en me disant que j'essayais simplement de clarifier la situation. Je serais sans doute de retour avant Jake. Puis je m'assis pour repenser à ce que j'avais fait. Je me souvins de son visage. J'humai mon poignet, je perçus l'odeur du savon. Son savon. Cette sensation me fit frissonner. Quand je fermai les yeux, je sentis à nouveau les carreaux sous mes pieds, j'entendis l'eau marteler le rideau de douche. Ses mains.

Il y avait une ou deux issues possibles à cette histoire, par quoi j'entendais une ou deux issues souhaitables. Je ne connaissais ni son nom ni son adresse. Je n'étais pas sûre d'être en mesure de retrouver son appartement même si je le voulais. De sorte que si quand je sortirais à six heures il n'était pas là, l'affaire serait terminée de toute façon. S'il était là, il me faudrait alors le lui dire clairement de vive voix, avec fermeté. Ni plus ni moins. C'était une folie d'avoir fait une chose pareille, et le mieux était de prétendre que ça ne s'était jamais produit. C'était la seule solution sensée.

Mon retour au bureau s'était effectué dans un état d'ébahissement complet, mais à présent j'avais l'esprit plus clair qu'il ne l'avait été depuis des semaines, je me sentais pleine d'une nouvelle énergie. L'heure qui suivit j'eus une courte discussion avec Giovanna, puis je passai quelques coups de fils purement professionnels. Je rappelai les gens qui avaient tenté de me joindre, j'arrangeai des rendez-vous, je m'enquis des derniers chiffres. Sylvie m'appela pour faire la causette mais je lui dis que je la verrais le lendemain ou le jour suivant. J'avais des projets pour ce soir ? Oui. Une réunion. J'envoyai quelques messages, je classai les papiers qui se trouvaient sur mon bureau. Un jour, je finirais par ne plus avoir de bureau à ce train, je serais deux fois plus efficace.

Je jetai un coup d'œil à la pendule. Il était six heures moins cinq. J'étais en train de chercher mon sac à main quand Mike entra dans la pièce. Il participait à une conférence téléphonique le lendemain matin avant le petit déjeuner et il avait besoin de faire le point.

« Je suis un peu pressée, Mike. J'ai un rendez-vous.

— Avec qui ? »

L'espace d'un instant je songeai à dire que je retrouvais quelqu'un du laboratoire mais un sursaut d'instinct de survie m'amena à ne pas le faire. « C'est privé. »

Il haussa le sourcil. « Ce ne serait pas un entretien d'embauche par hasard ?

— Dans cette tenue ?

31

« — En effet, tu es un peu fripée. » Il s'arrêta là. Il se dit sans doute qu'il s'agissait d'un truc féminin, une visite chez le gynécologue. Mais il ne quitta pas mon bureau pour autant. « Il y en a pour une seconde. » Il s'assit avec ses notes, que nous dûmes passer en revue point par point. Il me fallut vérifier une ou deux informations, appeler quelqu'un à propos d'une troisième. Je m'obligeai à ne pas regarder la pendule, ne serait-ce qu'une fois. Qu'est-ce que ça pouvait faire après tout ? Il y eut enfin une pause ; j'en profitai pour déclarer que je devais vraiment y aller. Mike acquiesça. Je regardai ma montre. Six heures vingt-quatre. Vingt-cinq. Je ne me pressai pas, même après le départ de Mike. Je me dirigeai vers l'ascenseur, soulagée que les événements se soient arrangés d'eux-mêmes. C'était mieux ainsi, il valait mieux oublier.

J'étais allongée en travers du lit, la tête posée sur le ventre d'Adam. C'était son nom. Il me l'avait dit dans le taxi qui nous amenait ici. C'était presque la seule chose qu'il avait dite. La sueur me dégoulinait le long du visage. J'en étais couverte, sur le dos, sur les jambes. J'avais les cheveux mouillés. Et je sentais la sueur sur sa peau. Il faisait si chaud dans cet appartement. Comment pouvait-il faire aussi chaud en janvier ? Je n'arrivais pas à me débarrasser du goût crayeux dans ma bouche. Je me soulevai pour le regarder. Il avait les yeux mi-clos.

« Y a-t-il quelque chose à boire ?

— Je ne sais pas, répondit-il d'une voix lourde de sommeil. Tu n'as qu'à aller voir. »

Je me levai, cherchant des yeux quelque chose à enfiler, puis je me ravisai. L'appartement ne contenait presque rien. Il y avait cette chambre, avec un lit et un plancher très dégagé, la salle de bains où j'avais pris ma douche quelques heures plus tôt, et une minuscule cuisine. J'ouvris le réfrigérateur. Quelques tubes à moitié pressés, des bocaux, une brique de lait. Rien à boire. Je sentais le froid à présent. Il y avait une bouteille contenant une espèce de jus d'orange sur une étagère. Je n'avais pas bu de sirop d'orange dilué depuis l'enfance. Après avoir mis la main sur un verre je préparai le mélange que je bus à grandes gorgées, puis je renouvelai l'opération et portai le verre dans la chambre, à moins que ce ne fût le salon, qu'importe. Adam était assis, adossé à la tête du lit. L'espace d'un instant, je m'autorisai à évoquer la silhouette plus osseuse et plus blanche de Jake, sa pomme d'Adam proéminente, son épine dorsale saillante. Adam me regarda au moment où j'entrai dans la pièce. Il avait dû fixer l'encadrement de la porte en attendant mon retour. Il ne sourit pas, se contentant d'examiner d'un regard intense mon corps nu, comme pour l'imprimer dans sa mémoire. Je lui adressai un sourire — qu'il ne me rendit pas. Un sentiment de joie intense s'éleva en moi.

Je traversai la pièce et lui tendis le verre. Il y but une petite gorgée avant de me le rendre. Je fis de même et lui repassai le verre. Nous continuâmes ainsi jusqu'à ce qu'il fût vide, puis il se pencha par-dessus mes jambes pour le poser sur le tapis. La couette avait atterri sur le sol. Je la ramenai sur nous. Je balayai la chambre du regard. Les photos sur la commode et sur la cheminée représentaient toutes des paysages. Il y avait quelques livres sur l'étagère, que j'examinai un par un : quelques manuels de cuisine, un grand ouvrage consacré à Hogarth, les œuvres complètes de W. H. Auden et de Sylvia Plath. Une bible. *Les Hauts de Hurlevent*, quelques récits de voyage de D. H. Lawrence. Deux guides sur les fleurs sauvages de Grande-Bretagne. Un livre sur les promenades dans et aux alentours de Londres. Des dizaines de guides rangés à l'horizontale ou en pile. Quelques vêtements pendaient sur le portant métallique, d'autres étaient bien pliés sur le fauteuil en rotin à côté du lit : un jean, une chemise en soie, un deuxième blouson en cuir, des T-shirts.

« J'essaie de deviner qui tu es, d'après tes affaires.

— Rien de tout ça ne m'appartient. On m'a prêté cet appart.

— Oh. »

Je tournai les yeux vers lui. Il ne souriait toujours pas. Cela me mettait mal à l'aise. Quand je me remis à parler il esquissa un très léger sourire, secoua la tête et posa un doigt sur mes lèvres. Nos corps étaient déjà à touche-touche. Il s'avança de quelques millimètres pour m'embrasser.

« À quoi penses-tu ? lui demandai-je en faisant courir mes

doigts dans ses longs cheveux doux. Parle-moi. Dis-moi quelque chose. »

Il ne me répondit pas tout de suite. Il me débarrassa de la couette et m'allongea sur le dos. Il me prit les mains dans les siennes, les soulevant au-dessus de ma tête, comme si elles étaient attachées ; j'avais l'impression d'être exposée à la vue de tous, tel un spécimen sur une plaque de laboratoire. Il m'effleura le front, puis fit descendre ses doigts le long de mon visage, de mon cou, de mon ventre, jusqu'à ce qu'ils s'arrêtent sur mon nombril. Je me tordis, prise d'un frisson. « Pardon ! » m'exclamai-je.

Il se pencha sur mon ventre pour me caresser le nombril de sa langue. « Je me disais, déclara-t-il, que les poils sous tes bras, ici, sont comme les poils de ton pubis. Là. Mais pas comme les jolis cheveux que tu as sur la tête. Et je me disais aussi que j'aime ton goût. Je veux dire, toutes tes saveurs différentes. J'aimerais lécher chaque centimètre de ta peau. » Ses yeux parcouraient mon corps de tout son long, comme s'il s'agissait d'un paysage. Je pouffai de rire, il me regarda dans les yeux. « Qu'est-ce qui te prend ? » demanda-t-il, une expression presque inquiète dans le regard.

Je lui souris. « Il me semble que tu me traites comme un objet sexuel.

— Arrête. Ne me fais pas de blagues. »

Je me sentis rougir. Mon corps tout entier changeait-il de couleur ? « Je suis désolée. Ce n'était pas une blague. J'aime bien ce que tu fais. Je me sens toute bizarre.

— Et toi, à quoi penses-tu ?

— À ton tour de t'allonger. » Il s'exécuta. « Et ferme les yeux. » Du bout des doigts j'effleurai son corps, qui sentait l'amour et la sueur. « À quoi est-ce que je pense ? Je pense que je suis complètement cinglée, que je sais pas ce que je fais ici, mais c'était... » Je m'interrompis. Je n'avais pas de mot pour décrire l'amour avec lui. Le simple souvenir de notre étreinte fit naître de petites vagues de plaisir sur mon corps. Je sentis un nouvel élan de désir. Mon corps me semblait doux, nouveau, ouvert à ses caresses. Mes doigts repliés caressaient la peau veloutée à l'intérieur de ses cuisses. À quoi d'autre étais-je en train de penser ? Je dus me faire violence. « Et je me disais aussi... Je me disais que j'avais un petit ami. Enfin, plus que ça. Je vis avec quelqu'un. »

Je ne sais pas à quoi je m'attendais. À de la colère, peut-être, ou à une réponse évasive. Adam ne bougea pas. Il n'ouvrit même pas les yeux. « Mais tu es ici », remarqua-t-il, et ce fut tout.

« Oh ça oui. Je suis bien ici. »

Nous restâmes allongés côte à côte un long moment après ça. Une heure, peut-être deux. Jake dit toujours que je n'arrive pas à me relaxer, que je suis incapable de rester tranquille ou silencieuse cinq minutes. Nous ouvrîmes à peine la bouche. Nous nous touchâmes. Nous nous reposâmes, nous échangeâmes des regards. Je restai là à écouter le murmure des conversations et des voitures dans la rue sous les fenêtres. Mon corps me paraissait mince, râpeux sous ses mains. Je finis par dire que je devais y aller. Je pris une douche puis me rhabillai tandis qu'il me regardait. Cela me fit frissonner.

« Donne-moi ton numéro », dit-il.

Je fis non de la tête. « Donne-moi le tien. »

Je me baissai pour l'embrasser doucement. Il posa la main sur la mienne et m'attira la tête vers lui. Je ressentis une douleur si vive dans la poitrine que j'eus du mal à respirer, mais je me dégageai. « Je dois y aller », ai-je murmuré.

Il était minuit passé. Quand j'entrai dans l'appartement, tout était noir. Jake était parti se coucher. Je me dirigeai vers la salle de bains sur la pointe des pieds. Je fourrai mon slip et mes collants dans le sac de linge sale. Je pris une douche pour la deuxième fois en une heure, la quatrième de la journée. J'utilisai mon propre savon cette fois. Je me lavai les cheveux avec mon propre shampooing. Je me glissai dans le lit à côté de Jake. Il se retourna en marmonnant quelque chose.

« Moi aussi », ai-je répondu.

4

JAKE me réveilla en m'apportant une tasse de thé. Il s'assit sur le bord du lit dans son peignoir. D'un geste doux, il écarta les cheveux de mon front tandis que j'émergeai lentement. Mes yeux s'attardèrent sur son visage, les souvenirs affluèrent, puissants, désastreux. J'avais les lèvres douloureuses et gonflées, le corps pétri de courbatures. Il ne pouvait manquer de comprendre ce qui s'était passé, rien qu'en me regardant. Je relevai le drap jusque sous le menton et lui souris.

« Tu es très jolie ce matin. Tu as une idée de l'heure ? »

Je fis non de la tête.

Il consulta sa montre d'un geste théâtral. « Presque onze heures et demie. Encore heureux qu'on soit le week-end. À quelle heure tu es rentrée hier soir ?

— Vers minuit. Peut-être un peu plus tard.

— Ils exagèrent ! Allez, bois. On déjeune chez mes parents, tu n'as pas oublié ? »

Si. Seul mon corps semblait avoir une mémoire à présent : les mains d'Adam sur mes seins, ses lèvres sur ma gorge, ses yeux plongés dans les miens. Jake me sourit, me massa le cou, et voilà que je me sentais malade de désir pour un autre homme. Je lui attrapai la main pour y déposer un baiser. « Tu es un type bien. »

Il fit la grimace. « Seulement bien ? » Il se pencha vers moi, m'embrassa les lèvres, et j'eus l'impression de trahir quelqu'un. Jake ? Adam ?

« Je te fais couler un bain ?

— Ce serait sympa. »

Je versai une rasade d'huile de bain au citron dans l'eau,

puis je me lavai de nouveau des pieds à la tête, comme pour effacer ce qui s'était passé. Je n'avais rien mangé la veille, mais l'idée même de nourriture m'était insupportable. Allongée dans l'eau chaude, profonde, parfumée, je fermai les yeux et m'autorisai à penser à Adam. Il ne fallait pas que je le revoie, jamais, c'était évident. J'aimais Jake. J'aimais l'existence que j'avais. Je m'étais conduite de façon épouvantable et j'allais tout perdre. Il fallait que je le revoie tout de suite. Rien ne comptait plus que la caresse de ses mains, la douleur de ma chair, la façon qu'il avait de dire mon nom. Je le reverrais une fois, une seule, pour lui dire que c'était fini. Je lui devais au moins ça. N'importe quoi. Je me mentais comme je mentais à Jake. Si je le revoyais, si je posais à nouveau le regard sur son beau visage, je me retrouverais illico dans son lit. Non, la seule chose à faire était de tourner le dos à tout ce qui s'était produit la veille. Je devais me concentrer sur Jake, sur mon boulot. Mais juste une autre fois, la dernière.

« On part dans dix minutes. Tout va bien ? »

La voix de Jake me ramena à la raison. Bien sûr que j'allais rester avec lui. Nous allions nous marier, probablement, avoir des enfants, et un jour tout cela ne serait plus qu'un souvenir, une de ces idioties qu'on fait avant de grandir. Je m'enfonçai une dernière fois dans l'eau, observant les bulles qui s'élevaient d'un corps soudain presque étranger. Puis je m'extirpai de la baignoire. Jake me tendit une serviette. Je sentis son regard sur moi tandis que je m'essuyais.

« Pourquoi ne pas arriver un peu en retard, après tout. Viens par ici », murmura-t-il.

Je laissai donc Jake me faire l'amour, me dire qu'il m'aimait, tandis que je reposais, humide et offerte, sous ses caresses. Je gémis de plaisir feint mais il ne s'en aperçut pas, il ne voyait pas la différence. Ce serait mon secret.

Le repas de midi se composa d'un gratin d'épinards, accompagné de pain frotté à l'ail et d'une salade verte. La mère de Jake est bonne cuisinière. Je piquai une feuille de salade frisée avec ma fourchette et la portai jusqu'à ma bouche. Je la mâchai avec lenteur. J'avais du mal à avaler.

Je pris une gorgée d'eau et renouvelai la tentative. Je n'arriverais jamais à manger tout ça.

« Quelque chose ne va pas, Alice ? » La mère de Jake me lançait des regards inquiets. Elle déteste que je ne finisse pas un plat qu'elle a préparé. D'habitude j'essaie de me resservir. Elle me préfère aux petites amies précédentes de Jake parce que j'ai en général un bel appétit, je n'hésite pas à reprendre plusieurs fois de son gâteau au chocolat.

Je découpai un morceau de gratin, l'enfournai et me mis à le mâcher avec détermination. « Tout va bien », répondis-je une fois que j'eus réussi à l'avaler. « Je sors juste d'une légère indisposition.

— Tu seras en forme pour ce soir ? » demanda Jake. Je me tournai vers lui, décontenancée. « Mais enfin tu sais bien, sosotte. Nous allons manger un curry avec l'Équipe du côté de Stoke Newington. Après il y a une fête si ça nous dit. On pourra danser.

— Super. »

Je grignotai un bout de pain frotté à l'ail. La mère de Jake ne me quittait pas des yeux.

Après le déjeuner, nous sortîmes flâner dans Richmond Park au milieu de troupeaux de cerfs dociles, puis, quand la nuit commença à tomber, Jake et moi reprîmes la voiture en direction de la maison. Il sortit acheter du lait et du pain, j'en profitai pour extraire une vieille carte Interflora de mon portefeuille, derrière laquelle j'avais inscrit le numéro d'Adam. Je m'installai à côté du téléphone, soulevai le combiné, et composai les trois premiers chiffres. Mais je le reposai aussi sec. Je restai paralysée devant l'appareil, le souffle caverneux. Je déchirai la carte en mille morceaux puis j'allai les faire disparaître dans les toilettes. Quelques fragments refusaient de s'en aller. Prise de panique, je remplis un seau d'eau et le versai dans la cuvette qui se vida. Cela ne changeait rien de toute façon, parce que je me souvenais du numéro. Jake rentra à ce moment, je l'entendis monter les escaliers en sifflotant avec les courses. Rien ne sera jamais pire que ce que je vis maintenant, me dis-je. Chaque jour les choses vont s'arranger un peu. C'est juste une question de patience.

Quand nous arrivâmes au restaurant indien, ils étaient tous à l'intérieur. Une bouteille de vin et des pintes de bière trônaient sur la table, tous les visages rayonnaient de gaieté dans l'éclairage caressant des bougies.

« Jake ! Alice ! » s'exclama Clive depuis une extrémité de la table. Je m'assis, collée à Jake, ma cuisse contre la sienne, à l'autre bout, mais Clive me fit signe de le rejoindre. « Je l'ai appelée, m'avoua-t-il.

— Qui ça ?

— Gail, répondit-il, un brin offusqué. Elle a dit oui. Je la retrouve pour prendre un verre la semaine prochaine.

— Eh bien voilà ! m'exclamai-je en me forçant à prendre l'air de quelqu'un qui s'amuse. Et qui est-ce qui va se retrouver à jouer les madame SOS cœur brisé ?

— J'ai failli lui suggérer de venir ce soir. Mais je me suis dit que, pour une première fois, l'Équipe ce serait peut-être un peu beaucoup pour elle. »

Embrassant la tablée du regard, je lâchai : « Il arrive que l'Équipe me pèse à moi aussi.

— Oh, arrête, tu es la reine de la fête. »

J'étais assise à côté de Sylvie. Julie se trouvait face à moi en compagnie d'un type que je ne connaissais pas. L'autre voisine de Julie était la sœur de Jake, Pauline, affublée de Tom, son mari depuis quelques semaines. Elle surprit mon regard et m'adressa un sourire de bienvenue. C'est sans doute mon amie la plus proche, et j'avais tenté de ne pas penser à elle ces derniers jours. Je lui rendis son sourire.

Je commençai à grappiller dans l'assiette de bhagi à l'oignon d'un voisin et à me concentrer sur ce que Sylvie me racontait, quelque chose à propos d'un type avec qui elle était sortie, s'attardant plus particulièrement sur ce qu'ils avaient fait sous les draps, sur le lit, par terre, et j'en passe. Elle s'alluma une deuxième cigarette dont elle tira une longue bouffée. « Ce que la plupart des mecs ne semblent pas comprendre, c'est que quand ils te font passer les jambes par-dessus leurs épaules pour pouvoir s'enfoncer davantage, ça peut faire vraiment mal. Quand Frank l'a fait la nuit dernière, j'ai cru qu'il allait m'arracher mon stérilet. Mais c'est toi l'experte en la matière », ajouta-t-elle, l'air on ne peut plus sérieuse.

Sylvie était la seule personne de ma connaissance qui satisfaisait mon intérêt primaire dans les pratiques sexuelles de mes congénères. Je résiste en général à lui confesser en retour mes propres fantaisies. Surtout ce jour-là. « Je devrais peut-être te présenter à nos chefs de projet. Tu pourrais tester la tenue de route de notre nouveau système.

— Sa tenue de route ? » Elle me gratifia d'une espèce de demi-sourire carnassier. Ses dents blanches étincelaient entre ses lèvres passées au rouge vif. « Une nuit avec Frank ressemble au rallye de Monte-Carlo. J'avais tellement mal aujourd'hui que j'ai eu toutes les peines du monde à m'asseoir au bureau. Je m'en plaindrais bien mais il le prendrait comme un compliment détourné, ce qui n'est pas du tout mon intention. Je suis sûre que tu es bien meilleure que moi pour obtenir ce que tu veux. Côté sexe j'entends.

— J'en doute. » Je jetai un coup d'œil alentour pour voir si quelqu'un écoutait notre conversation. Les tablées, les salles de restaurant même, ont l'art de se taire quand Sylvie prend la parole. Je préférais la retrouver seule à seule dans des endroits où il n'y avait aucun risque qu'on surprenne nos propos. Je me resservis un verre de vin que je vidai d'un trait. À ce rythme je ne tarderais pas à avoir un coup dans l'aile, d'autant que j'étais quasiment à jeun. Peut-être me sentirais-je alors moins mal. J'examinai le menu. « Je vais prendre... euh... » Ma voix se perdit. Il m'avait semblé apercevoir quelqu'un dehors, un homme dans un blouson de cuir noir. Mais quand je relevai la tête il n'y avait personne. Bien entendu. « Peut-être juste un plat végétarien. »

Je sentis la main de Jake se poser sur mon épaule. Il rejoignait le bout de la table où je me trouvais. Il voulait être près de moi, mais à ce moment précis sa présence me parut presque insupportable. Je fus prise de l'envie absurde de tout lui avouer. J'inclinai la tête sur son épaule, bus encore un peu de vin, ris quand les autres riaient, remuai la tête à l'occasion quand l'intonation d'une phrase semblait appeler une réponse. Si je pouvais le voir ne serait-ce qu'une autre fois, j'arriverais à le supporter, me dis-je. Il y avait quelqu'un dehors. Il ne pouvait pas s'agir de lui, mais quelqu'un en blouson noir se tenait dehors dans le froid. Je me tournai vers Jake. Il était engagé dans une conversation animée avec Sylvie au sujet d'un film qu'ils avaient tous les deux vu la semaine passée. « Mais non, il a juste fait semblant », protestait-il.

Je me levai. Les pieds de ma chaise crissèrent bruyamment sur le sol. « Désolée, je dois aller aux toilettes, je ne serai pas longue. »

Je me dirigeai vers l'entrée du restaurant, jusqu'aux escaliers qui menaient aux toilettes. Là, je me retournai. Personne ne me regardait. Ils étaient tous tournés les uns vers les autres, à boire et à discuter. Ils avaient l'air si heureux. Je m'éclipsai par la porte et sortis. L'air froid me mordit si fort que j'en eus le souffle coupé. Je fouillai la nuit du regard. Il était là, quelques mètres plus bas, près d'une cabine téléphonique. Il attendait.

Je courus jusqu'à lui. « Comment oses-tu me suivre, sifflai-je. Comment oses-tu ? » Puis je l'embrassai. J'enfonçai mon visage dans le sien, j'écrasai mes lèvres contre sa bouche, je l'enveloppai de mes bras en pressant mon corps contre lui. Il avança les mains dans mes cheveux et me tira la tête en arrière jusqu'à ce que je le regarde dans les yeux. « Tu n'allais pas m'appeler, je me trompe ? » Il me poussa contre le mur et m'y retint tandis qu'il m'embrassait à nouveau.

« Non. Non ce n'est pas possible. Je ne peux pas faire une chose pareille. » Oh mais pourtant si.

« Il le faut. » Il me repoussa dans l'obscurité de la cabine, défit mon manteau et caressa mes seins sous ma chemise. Je gémis, j'inclinai la tête en arrière, il m'embrassa dans le cou. Sa barbe de quelques jours me piqua la peau.

« Je dois y retourner. » J'étais toujours écrasée contre son corps. « Je reviendrai te voir à l'appartement, je te promets. »

Il retira sa main de ma poitrine, la posa contre ma jambe, puis remonta jusqu'à ma culotte. Je sentis un doigt s'enfoncer en moi.

« Quand ? » Il ne me quittait pas des yeux.

« Lundi, lâchai-je. Je serai là à neuf heures lundi matin. »

Il me laissa partir et leva la main. Bien visiblement, pour que je le voie, il mit son doigt luisant dans sa bouche et le lécha.

Dimanche matin, nous peignîmes la pièce qui allait devenir mon bureau. J'avais emprisonné mes cheveux dans un foulard, enfilé un vieux jean de Jake, pourtant je parvins quand même à me barbouiller les mains et le visage de peinture vert petit pois. Nous déjeunâmes tard et passâmes l'après-midi devant la télévision à regarder un vieux film, bras dessus, bras dessous sur le canapé. J'allai me coucher tôt après avoir mariné une heure dans un bain, sous le prétexte que j'avais encore un peu mal à l'estomac. Plus tard, quand Jake me rejoignit au lit, je fis semblant de dormir. Je restai pourtant éveillée pendant de longues heures dans la nuit. Je planifiai ce que j'allais porter. Je songeai à la façon dont j'allais le tenir dans mes bras, apprendre son corps, suivre le tracé de ses côtes et de ses vertèbres, caresser du doigt ses lèvres douces et pleines. J'étais terrifiée.

Le lendemain matin je fus la première à sortir du lit. Je pris de nouveau un bain, j'annonçai à Jake que je ne serais pas de retour avant tard dans la soirée, qu'il me faudrait sans doute participer à une réunion à Edgware avec des clients. Une fois dans la station de métro, j'appelai Drakon pour laisser un message à Claudia, lui disant que j'étais alitée, malade, et de ne me déranger sous aucun prétexte. Je hélai un taxi — il ne me vint pas à l'idée de prendre le métro — à qui je donnai l'adresse d'Adam. Je tentai de m'empêcher de penser à ce que je faisais. J'essayai de ne pas songer à Jake, à son visage osseux et avenant, à ses attentions. Je regardai par la fenêtre comme le taxi se frayait lentement un chemin dans les embouteillages des heures de pointe. Je me donnai un nouveau coup de brosse, tripotai les boutons de velours de mon manteau, que Jake m'avait offert pour Noël. Je tentai de me souvenir de mon ancien numéro de téléphone, sans succès. Si quelqu'un avait regardé dans le taxi, il n'aurait vu qu'une femme vêtue d'un sévère manteau noir, qui se rendait au travail. Je pouvais encore changer d'avis.

Je sonnai à la porte et Adam ouvrit avant que j'aie eu le temps d'arranger mon sourire, mon bonjour blagueur. Il s'en fallut de peu que nous ne baisâmes dans l'escalier, mais nous parvînmes à entrer tant bien que mal dans l'appartement. Nous ne prîmes même pas le temps de nous déshabiller ni de nous allonger. Il écarta les pans de mon manteau, remonta ma jupe sur mes hanches et s'introduisit en moi, debout. Ce fut terminé en une minute.

Puis il me retira mon manteau, arrangea ma jupe et

m'embrassa sur les yeux, sur la bouche. Pour cicatriser la plaie.

« Il faut que nous parlions, dis-je. Que nous réfléchissions à ce que...

— Je sais. Attends. » Il se rendit dans la minuscule cuisine. Je l'entendis moudre du café. « Voilà. » Il déposa une cafetière et des croissants aux amandes sur la table basse. « Je les ai achetés en bas. »

Je me rendis compte que je mourais de faim. Adam me regarda manger comme si j'étais en train de faire quelque chose d'extraordinaire. À un moment il se pencha pour ramasser une miette de croissant sur ma lèvre inférieure. Il me versa une deuxième tasse de café.

« Il faut que nous parlions », répétai-je. Il attendit. « Je ne sais même pas qui tu es. Je ne connais pas ton nom de famille, je ne sais rien de toi. »

Il haussa les épaules. Il se contenta de me dire qu'il s'appelait Adam Tallis, comme si ça répondait à toutes mes questions à son sujet.

« Qu'est-ce que tu fais dans la vie ?

— Ce que je fais ? » reprit-il comme si tout cela était bien éloigné de ses préoccupations. « Des choses et d'autres, ici et là, pour gagner de l'argent. Mais mon métier véritable, c'est l'alpinisme, quand je peux le faire.

— Quoi ? Tu escalades des montagnes ? » On aurait dit une gamine de douze ans, abasourdie, la voix haut perchée.

Il rit. « Ouais, des montagnes. Je fais des trucs pour moi, et puis je suis aussi guide.

— Guide ? » répétai-je.

Je virais au perroquet.

« Je monte des tentes, je tire des cordées de riches touristes à bout de bras dans l'ascension de pics célèbres pour qu'ils puissent faire croire qu'ils les ont escaladés. Ce genre de choses. »

Je me souvins de ses cicatrices, de ses bras forts. Un alpiniste. Eh bien, c'était le premier que je rencontrais.

« Ça a l'air... », j'allais dire « passionnant », mais je me retins d'ajouter une nouvelle ânerie. Au lieu de quoi je poursuivis : « ... d'une chose dont je ne sais rien du tout. » Je lui souris, estomaquée par cette révélation. Prise de vertiges.

« Ça ne fait rien.

— Moi c'est Alice Loudon », repris-je, l'air idiot. Quelques minutes plus tôt nous faisions l'amour, les yeux rivés au visage de l'autre, pleins d'une attention passionnée. Que pouvais-je dire de moi qui ne soit pas absurde dans cette pièce si petite ? « Je suis chercheuse, en un sens, même si pour l'instant je travaille pour une firme du nom de Drakon. C'est une boîte très connue. Je m'y occupe d'un projet. Je suis originaire du Worcestershire. J'ai un petit ami avec qui je partage un appartement. Je ne devrais pas être ici. Ce n'est pas bien. C'est à peu près tout.

— Si, c'est bien. » Il me prit la tasse de café des mains. « Non, ce n'est pas tout. Tu as les cheveux blonds, les yeux gris foncé, le nez en trompette. Quand tu souris ton visage se couvre de plis. Je t'ai aperçue et je n'ai pas pu te quitter des yeux. Tu es une sorcière, tu m'as jeté un sort. Tu ne sais pas ce que tu fais ici. Tu as passé le week-end à prendre la décision de ne plus jamais me revoir. Mais j'ai passé le mien à savoir que nous devons rester ensemble. Et je veux que tu te déshabilles devant moi, tout de suite.

— Mais toute ma vie... » Je ne pus finir ma phrase. Je ne savais plus ce que ma vie devait être. Nous étions là, dans une petite chambre à Soho, et le passé comme l'avenir s'étaient effacés, il n'y avait plus que lui et moi, je n'avais aucune idée de ce que je devais faire.

Je passai la journée tout entière dans son appartement. Nous fîmes l'amour, parlâmes, même si plus tard il me fut impossible de me rappeler de quoi, de choses et d'autres, de fragments de souvenirs. À onze heures, il enfila un jean, un sweat-shirt et des baskets pour aller au marché. Il revint et me fit manger un melon, froid et juteux. À une heure il nous prépara une omelette, il coupa des tomates et ouvrit une bouteille de champagne. Du vrai, pas du mousseux. Il tint le verre pendant que je buvais. Il en but et me fit boire à même sa bouche. Il m'allongea, me parla de mon corps, établissant la liste de ses vertus comme s'il les cataloguait. Il écouta chaque mot que je prononçais, vraiment, comme s'il les enregistrait pour se les rappeler plus tard. L'amour, la conversation et la nourriture se mêlèrent. Il nous semblait que c'était nous que nous mangions à chaque bouchée ; nous nous caressions de paroles. Nous baisâmes dans la douche, sur le lit, par terre. Je ne voulais pas que ce jour s'arrête. Je me sentais si heureuse que j'en avais mal, si régénérée que je me reconnaissais à peine. Chaque fois qu'il retirait ses mains de mon corps j'avais l'impression d'être abandonnée, glacée.

« Il faut que j'y aille », finis-je par dire. Il faisait nuit dehors.

« Je veux te donner quelque chose. » Il dénoua le lacet en cuir décoré d'une spirale en métal qu'il portait au cou.

« Mais je ne peux pas le mettre.

— Touche-le de temps en temps. Mets-le dans ton soutien-gorge. Dans ta culotte.

— Tu es fou.

— Fou de toi. »

Je pris la cordelette. Je promis de le rappeler et cette fois-ci il savait que je ne mentais pas. Puis je pris le chemin de la maison. Le chemin de Jake.

5

LES jours suivants se fondirent en un brouillard de retrou-
vailles à l'heure du repas et en début de soirée, plus
une nuit entière où Jake était en déplacement pour une
conférence, un brouillard d'amour et de nourriture aussi
facile à acheter qu'à consommer, du pain, des fruits, du
fromage, des tomates, du vin. Et je n'arrêtais pas de mentir
encore et toujours, comme cela ne m'était jamais arrivé
dans ma vie, de mentir à Jake, à nos amis et à mes collègues
de bureau. Il me fallut bâtir tout un univers alternatif de
rendez-vous fictifs, de réunions et de visites entre lesquels
je parvenais à vivre ma vie secrète avec Adam. L'effort
requis pour m'assurer de la cohérence des mensonges,
pour me souvenir de ce que j'avais dit à qui, était immense.
À ma décharge, pouvait-on dire que j'étais ivre d'une chose
que je ne parvenais pas à comprendre ?

Un jour, Adam avait enfilé quelques fringues pour sortir
nous acheter quelque chose à manger. Quand il eut dégrin-
golé l'escalier, j'allai à la fenêtre emmitouflée dans la
couette et le regardai traverser la route, se faufiler dans la
circulation, en direction du marché de Berwick Street. Une
fois qu'il eut disparu, j'observai les gens qui marchaient
dans la rue, les uns pressés de se rendre à un endroit, les
autres occupés à flâner le long des vitrines. Comment réus-
sissaient-ils à supporter leur existence sans la passion que
j'éprouvais ? Comment parvenaient-ils à penser qu'il était
important de se rendre au travail, de planifier leurs
vacances ou d'acheter quoi que ce soit quand tout ce qui
importait c'était cela, ce que je ressentais ?

Tout dans mon existence au-delà de cette chambre à

Soho m'était devenu totalement indifférent. Le travail était une mascarade élaborée à l'attention de mes collègues. Je jouais le rôle du cadre occupé et ambitieux. J'étais encore attachée à mes amis, simplement je n'avais pas envie de les voir. Mon appartement me faisait l'effet d'un bureau ou d'un pressing, c'est-à-dire un endroit où il me fallait passer à l'occasion pour remplir une obligation. Et puis il y avait Jake. Jake. C'était la pierre d'achoppement. J'avais l'impression d'être un fuyard dans un train lancé à toute allure. Quelque part devant, à quelques mètres ou à des milliers de kilomètres, se trouvait le terminus, le butoir, le désastre, mais pour l'instant je ne sentais rien d'autre que la vitesse enivrante. Adam réapparut au coin de la rue. Il leva les yeux vers la fenêtre et me vit. Sans un sourire, sans le moindre signe, il hâta le pas. J'étais son aimant, lui le mien.

Une fois le repas terminé je léchai les traces de pulpe de tomate qui lui maculaient les doigts.

« Tu sais ce que j'aime chez toi ?

— Non.

— Enfin, entre autres choses. Tous les gens que je connais ont une espèce d'uniforme et les gadgets qui vont avec : des clés, un portefeuille, des cartes de crédit. Toi, on a l'impression que tu es tombé tout nu d'une autre planète et que tu t'es contenté d'enfiler les trucs que tu trouvais ici et là.

— Tu veux que je les enlève ?

— Non, mais...

— Mais quoi ?

— Quand tu es sorti il y a quelques minutes je t'ai regardé t'éloigner. Et j'ai pensé que pour l'essentiel cette situation était magnifique.

— C'est vrai.

— Oui, mais je crois que j'ai aussi pensé en mon for intérieur qu'un jour il allait nous falloir sortir, retrouver le monde. Je veux dire tous les deux, ensemble, trouver un moyen. Voir des gens, faire des choses, tu comprends ? » Ces mots que je prononçais avaient une résonance étrange à mes oreilles. J'avais l'impression d'évoquer Adam et Ève chassés du jardin d'Éden. Je me sentis soudain prise de peur. « Tout ça dépend de ce que tu veux, bien entendu. »

Adam fronça les sourcils. « C'est toi que je veux.

— Oui », répondis-je, sans savoir ce que j'entendais par là. Nous restâmes silencieux de longues minutes, puis je repris. « Tu sais si peu de choses à mon sujet, j'en sais si peu sur toi. Nous venons de deux mondes différents. » Il haussa les épaules. Rien de tout cela n'avait la moindre importance à ses yeux, ni ma situation financière, mon boulot, mes amis, mes opinions politiques, mes conceptions morales, mon passé, et le reste. Il reconnaissait en moi une espèce d'essence immatérielle. Dans mon autre existence, je me serais lancée dans un débat véhément avec lui à propos de ce sentiment mystique d'amour absolu, dans la mesure où j'avais toujours estimé que l'amour correspondait à une réalité biologique, darwinienne, pragmatique, circonstancielle, volontaire, fragile. À présent que dans ma folie j'avais renoncé à la prudence, je ne me souvenais plus de ce à quoi je croyais, et c'était comme si j'en étais revenue à mes idées enfantines selon lesquelles l'amour nous sauvait du monde réel. De sorte que je me contentai d'ajouter : « Je n'arrive pas à y croire. C'est-à-dire, je ne sais même pas quoi te demander. »

Adam me caressa les cheveux. Je frissonnai. « Pourquoi me demander quoi que ce soit ?

— Tu ne veux rien savoir sur moi ? Ça ne t'intéresse pas d'avoir des détails sur ce que je fais ?

— Donne-moi des détails sur ce que tu fais.

— Ça ne t'intéresse pas vraiment.

— Mais si. Si tu estimes que ce que tu fais est important, alors je veux savoir.

— Je t'ai déjà dit que je travaillais pour une grosse boîte de produits pharmaceutiques. Depuis l'année dernière je suis détachée auprès d'un groupe qui met au point un nouveau dispositif de contraception intra-utérin. Voilà.

— Tu ne m'as pas dit de quoi tu étais chargée. C'est toi qui le dessines ?

— Non.

— Tu t'occupes de la recherche scientifique ?

— Non.

— Alors qu'est-ce que tu fous au juste ? »

J'éclatai de rire. « Ça me rappelle une séance au catéchisme quand j'étais enfant. J'avais levé le doigt pour dire que je savais que le Père, c'était Dieu, que le Fils, c'était Jésus, mais alors qui c'était le Saint-Esprit ?

— Et qu'est-ce que ton instructeur a répondu ?

— Il a retenu ma mère à la fin du cours. Pour ce qui est de Drakloop IV, je suis un peu le Saint-Esprit. Je suis l'intermédiaire, je règle les problèmes, je me balade ici et là, je vais aux réunions. En bref, je dirige le projet. »

Adam sourit, puis reprit un air sérieux. « Et ça te plaît ? »

Je réfléchis un instant. « Je ne sais pas, je ne crois pas me l'être avoué clairement, même pas à moi-même. L'ennui c'est que j'aimais bien le côté routinier du métier de scientifique, celui que les gens trouvent rasant. J'aimais monter les expériences, installer le matériel, faire les observations, puis les calculs, et inscrire les résultats.

— Qu'est-ce qui s'est passé ?

— J'imagine que j'étais trop bonne à la tâche. J'ai été promue. Mais je ne devrais pas dire ça. Si je ne fais pas attention tu vas découvrir quelle nana soporifique tu as fourrée dans ton lit. » Il ne rit pas, ne répondit rien. Du coup je me sentis embarrassée. Je tentai maladroitement de changer de sujet. « Je n'ai jamais fait beaucoup d'activités de plein air. Tu as escaladé des montagnes importantes ?

— Parfois.

— Des très hautes ? Comme l'Everest ?

— Quelques fois.

— C'est fou. »

Il secoua la tête. « Il n'y a pas de quoi pavoiser. Sur le plan... (Il chercha le mot juste.) ... technique, l'Everest n'est pas un défi intéressant.

— Tu veux dire que c'est facile ?

— Non, rien n'est facile au-dessus de huit mille mètres d'altitude. Mais si la météo n'est pas trop mauvaise, c'est une promenade. Certains de ceux qui y montent ne sont pas de véritables grimpeurs. Ils ont juste suffisamment d'argent pour engager de vrais alpinistes.

— Mais tu es allé au sommet ? »

Adam semblait embarrassé par ma question, comme s'il éprouvait du mal à expliquer quelque chose à quelqu'un qui n'avait aucune chance de comprendre. « J'ai parcouru

49

l'Everest à plusieurs reprises. J'y ai emmené une expédition commerciale en 94, et je suis monté au sommet.

— C'était comment ?

— J'ai détesté. J'étais en haut avec dix personnes qui prenaient des photos. Quant à la montagne elle-même... L'Everest devrait être un lieu sacré. Quand j'y suis allé ça ressemblait à un site touristique en passe de se transformer en décharge publique : il y avait des vieilles cartouches d'oxygène, des bouts de tente, des étrons gelés dans tous les coins, des longueurs de corde qui pendouillaient, des cadavres. Le Kilimandjaro est encore pire.

— Tu as fait une ascension récemment ?

— Pas depuis le printemps dernier.

— Tu étais sur l'Everest ?

— Non. J'étais un des guides qui travaillaient sur une montagne appelée le Chungawat.

— Jamais entendu parler. C'est près de l'Everest ?

— Pas loin.

— C'est plus dangereux ?

— Oui.

— Tu es arrivé au sommet ?

— Non. »

L'humeur d'Adam s'était assombrie. Les yeux mi-clos, il semblait renfermé sur lui-même. « Qu'est-ce qu'il y a, Adam ? » Pas de réponse. « C'est là que... ? » Mes doigts descendirent le long de sa jambe jusqu'au pied aux orteils mutilés.

« Oui. »

J'y déposai un baiser. « Ça a été dur ?

— Pour mes doigts de pied ? Pas vraiment.

— Non, je voulais dire, l'expédition.

— Oui.

— Tu me raconteras un jour ?

— Peut-être. Pas aujourd'hui. »

Je lui embrassai le pied, la cheville, et continuai l'ascension. Un jour, j'en avais la ferme intention.

« Tu as l'air crevée.

— C'est le stress au boulot », mentis-je.

Il y avait une seule personne que je ne m'étais pas sentie capable d'éviter. Avant, je voyais Pauline presque une fois par semaine pour déjeuner. En général, nous entrions dans un ou deux magasins ensemble, où elle me regardait essayer des tenues impossibles : des robes d'été en plein hiver, des ensembles en velours ou en laine l'été, des vêtements pour une autre vie. Ce jour-là c'est moi qui l'accompagnais pour quelques commissions. Nous achetâmes des sandwiches dans une boutique à l'angle de Covent Garden, ensuite nous fîmes la queue dans une brûlerie de café puis dans une fromagerie.

Je sentis immédiatement que j'avais fait une erreur. Jamais nous ne parlions boulot quand nous étions ensemble. J'eus soudain l'impression d'être un agent double.

« Comment va Jake ?

— Très bien. Le tunnel est presque... Jake est adorable. Absolument adorable. »

Une lueur d'inquiétude filtra dans le regard de Pauline. « Alice, tu es sûre que tout va bien ? Souviens-toi que c'est de mon grand frère que tu parles. Quand quelqu'un dit de Jake qu'il est absolument adorable, c'est qu'il y a un problème. »

Je ris, elle fit de même, et ce fut oublié. Elle acheta un grand paquet de café en grains et deux express dans des gobelets en polystyrène. Nous sortîmes d'un pas nonchalant à la recherche d'un banc. Voilà qui était mieux. C'était une belle journée, très froide et bien dégagée. Le café me brûlait délicieusement les lèvres.

« Et le mariage, ça se passe comment ? » demandai-je.

Pauline m'adressa un regard très sérieux. C'était une femme superbe. Ses cheveux noirs et raides lui donnaient une apparence sévère quand on ne la connaissait pas bien. « J'ai arrêté de prendre la pilule, m'avoua-t-elle.

— Par crainte des effets secondaires ? Ce n'est pas très...

— Non, m'interrompit-elle en riant. J'ai juste décidé d'arrêter. Je ne suis pas passée à autre chose.

— Oh mon Dieu ! » C'est à peine si je ne criai pas. Je la pris dans mes bras. « Tu te sens prête ? Tu n'as pas peur que ce soit un peu tôt ?

— C'est toujours trop tôt, il me semble. De toute façon, il ne s'est encore rien passé.

51

« — Alors comme ça tu ne t'es pas mise à faire le poirier après l'amour, toutes ces recettes de bonne femme ? »

Et nous continuâmes à bavarder autour de la fertilité, de la grossesse, des congés maternité. Plus nous parlions, plus je me sentais mal. Jusque-là, Adam m'était apparu comme une obscure trahison, strictement privée. Je savais que je faisais quelque chose de terrible à Jake, mais à ce moment-là, en regardant Pauline, ses joues rougies par le froid mais aussi par la perspective, peut-être, d'une grossesse imminente, sa main serrée autour de son café, la vapeur qui s'échappait de ses lèvres fines, j'éprouvai la sensation soudaine que tout cela n'était que l'effet d'une supercherie. Le monde n'était pas ce qu'elle croyait, et c'était ma faute.

Nous plongeâmes les yeux dans nos gobelets vides, pouffâmes de rire, puis nous levâmes. Je la pris à nouveau dans mes bras et pressai mon visage contre le sien.

« Merci, lui soufflai-je à l'oreille.

— Pourquoi ?

— La plupart des gens te cachent qu'ils essaient d'avoir un enfant jusqu'au jour où ils en sont au quatrième mois.

— Oh, Alice ! me dit-elle sur un ton de reproche. Je ne pouvais pas te cacher une chose pareille.

— Il faut que je file ! m'exclamai-je brusquement. J'ai une réunion.

— Où ça ?

— Oh, hésitai-je, prise de court. À, euh, à Soho.

— Je t'accompagne. C'est sur mon chemin.

— Super », rétorquai-je, paniquée.

En chemin, Pauline parla de Guy, qui l'avait soudain laissée tomber de façon brutale à peine plus de dix-huit mois auparavant.

« Tu te souviens dans quel état j'étais à l'époque ? » me demanda-t-elle avec une petite moue grimaçante. À ce moment précis, elle ressemblait trait pour trait à son frère. J'acquiesçai tandis que mon esprit s'agitait furieusement pour tenter de me dépatouiller de cette situation. Et si je faisais semblant d'entrer dans les bureaux d'une société ? Ça ne marcherait pas. Et si je disais que j'avais oublié l'adresse ? « Bien sûr que tu te souviens. Tu m'as sauvé la vie. Je ne pourrais sans doute jamais te revaloir tout ce que

52

tu as fait pour moi à ce moment. » Elle leva son paquet de café. « J'ai bien dû boire tout ça de café dans ton ancien appartement tout en pleurant dans ton whisky. Bon Dieu, j'ai cru que je n'arriverais jamais à retraverser une rue toute seule, encore moins à me débrouiller et à être heureuse. »

Je pressai sa main. On dit que les meilleurs amis sont ceux qui savent se contenter d'écouter. Si c'est le cas, alors je fus une sacrée amie pendant cet épouvantable trajet. Ça y est, me dis-je. Voilà la terrible punition pour tous mes mensonges. Au moment où nous nous engageâmes dans Old Compton Street, je vis une silhouette familière s'avancer dans notre direction. Adam. Mon cerveau se liquéfia. Je crus même que j'allais m'évanouir. Je fis volte-face, j'aperçus une entrée de magasin ouverte. Incapable d'ouvrir la bouche, j'agrippai la main de Pauline et la poussai à l'intérieur.

« Qu'est-ce qui t'arrive ? demanda-t-elle, alarmée.

— Il me faudrait du... » Je regardai sous la vitrine du comptoir. « Du... »

Le mot ne venait pas.

« Du parmesan, dit Pauline.

— C'est ça, acquiesçai-je. Et autre chose aussi. »

Pauline balaya la boutique du regard. « Mais regarde la queue ! C'est vendredi.

— J'en ai absolument besoin. »

L'air indécis, Pauline se dandinait d'un pied sur l'autre. Elle regarda sa montre. « Je suis désolée. Je ferais mieux d'y retourner.

— Oui, répondis-je, soulagée.

— Comment ?

— Ce n'est pas grave. Vas-y. Je t'appellerai. »

Nous nous fîmes la bise et elle s'en alla. Je comptai jusqu'à dix avant d'oser un coup d'œil dehors. Elle était partie. Je regardai mes mains. Elles ne tremblaient pas, mais mon esprit chancelait.

Cette nuit-là, je rêvai que quelqu'un me coupait les jambes avec un couteau de cuisine, et que je me laissais faire. Je savais que je ne devais pas crier ni me plaindre, parce que je l'avais mérité. Je me réveillai à l'aube, couverte de sueur, l'esprit embrouillé. L'espace d'un instant je n'étais plus sûre de qui se trouvait à côté de moi. J'étendis la main et rencontrai une peau chaude. Jake cligna des yeux. « Bonjour, Alice », dit-il avant de se rendormir, si paisiblement.

Je ne pouvais pas continuer comme ça. Je m'étais toujours considérée comme quelqu'un d'honnête.

6

J'ARRIVAI en retard au bureau parce qu'il m'avait fallu attendre l'ouverture de la librairie d'art au coin de la rue. J'étais restée un long moment à regarder le fleuve, hypnotisée par la force surprenante des courants qui tourbillonnaient tantôt dans un sens, tantôt dans l'autre. Puis j'avais passé beaucoup trop de temps à choisir une carte postale sur les tourniquets. Rien ne semblait convenir. Ni les reproductions de tableaux de maîtres, ni les photographies en noir et blanc représentant des rues ou de pittoresques gamins miséreux, ni ces cartes onéreuses ornementées de paillettes, de coquillages et de plumes disposés de façon décorative au milieu. Je finis par opter pour deux cartes, un sobre paysage japonais montrant des arbres argentés qui se détachaient sur un ciel noir, et une sorte de découpage à la Matisse, dans des bleus simples et joyeux. J'achetai également un stylo plume, quoique je possède déjà un plein tiroir de stylos divers dans mon bureau.

Qu'allais-je écrire ? Je fermai la porte de mon bureau, sortis les deux cartes et les posai devant moi. Je dus passer de longues minutes immobile à les regarder. De temps en temps je laissai son visage affleurer à ma mémoire. Il était si beau. La façon qu'il avait de me regarder dans les yeux. Personne ne m'avait regardée de la sorte avant lui. Je ne l'avais pas vu de tout le week-end, pas depuis ce vendredi, et voilà que...

Je retournai à présent le paysage japonais et ôtai le capuchon de mon stylo plume. Je ne savais pas par quoi commencer. Pas « mon très cher Adam », ni « Adam chéri » ou « mon doux amour », plus maintenant. Pas « cher

Adam », c'était trop froid. Pas juste « Adam ». Rien alors. Je n'avais qu'à me lancer sans préambule.

« Je ne peux plus te voir », écrivis-je, attentive à ne pas étaler l'encre noire. Je m'arrêtai. Qu'y avait-il à ajouter ? « S'il te plaît, n'essaie pas de me faire changer d'avis. Ça a été... » Ça a été quoi ? Amusant ? Une torture ? Épatant ? Une erreur ? La chose la plus merveilleuse qui me soit jamais arrivée ? Un bouleversement complet dans ma vie ?

Je déchirai la reproduction d'arbres japonais dont je jetai les morceaux dans la poubelle. Je pris le découpage aux couleurs vives. « Je ne peux plus te voir. »

Avant de pouvoir ajouter quoi que ce soit, je glissai la carte dans une enveloppe sur laquelle j'inscrivis le nom d'Adam et son adresse en majuscules bien nettes. Puis je sortis du bureau l'enveloppe à la main, j'empruntai l'ascenseur pour descendre à la réception où Derek était installé avec ses passe-partout de garde et son exemplaire du *Sun*.

« Pourriez-vous me rendre un service, Derek ? Cette lettre doit partir d'urgence, et je me demandais si vous ne pourriez pas m'appeler un coursier à vélo ? J'aurais pu le demander à Claudia, mais... » Je laissai la phrase inachevée en suspens dans l'air. Derek prit la lettre et regarda l'adresse.

« À Soho. C'est professionnel ?

— Oui. »

Il posa l'enveloppe à côté de lui. « D'accord. Mais c'est juste pour cette fois.

— C'est vraiment gentil à vous. Vous ferez bien en sorte qu'elle parte sans délai ? »

J'annonçai à Claudia que j'avais beaucoup de travail en retard et lui demandai de ne pas me passer les appels téléphoniques à moins qu'ils ne viennent de Mike, de Giovanna ou de Jake. Cela me valut un regard étonné, mais elle ne dit rien. Il était dix heures et demie. Il pensait sans doute encore qu'à midi je serais à ses côtés, dans sa chambre aux rideaux tirés, envoyant promener le monde extérieur. À onze heures, il aurait reçu mon mot. Il allait dégringoler l'escalier, trouver l'enveloppe, passer le doigt sous le rabat, et lire cette unique phrase. J'aurais dû lui dire que j'étais désolée, au moins. Ou que je l'aimais. Je fermai les yeux. Je me sentais comme un poisson échoué sur un banc de sable. Je haletai, et chaque inspiration me brûlait les poumons.

Quand Jake avait arrêté de fumer quelques mois auparavant, il m'avait déclaré que le truc, c'était de ne pas penser au fait qu'il ne devait pas fumer. Ce qu'on s'interdit, avait-il dit, devient deux fois plus désirable, du coup la chose tourne à la persécution. Je me touchai la joue du doigt en imaginant que c'était Adam. Je ne devais pas m'autoriser à me le représenter. Je ne devais pas lui parler au téléphone. Je ne devais pas le voir. Un sevrage total.

À onze heures je baissai les stores sur le jour gris tamisé de bruine, juste au cas où il lui prendrait l'idée de venir jusqu'ici m'attendre dehors. Je ne regardai pas ce qui se passait dans la rue. Claudia m'amena la liste des gens qui avaient appelé en laissant un message. Adam n'avait pas essayé le téléphone. Peut-être s'était-il absenté. Peut-être ne savait-il pas encore. Peut-être ne trouverait-il le message qu'au moment où il rentrerait à l'appartement pour me retrouver.

Je ne sortis pas déjeuner. À la place, je restai assise dans la pénombre de mon bureau à regarder l'écran de mon ordinateur. Si quelqu'un était entré, il aurait pensé que j'étais occupée.

À trois heures, Jake appela pour dire qu'il partirait sans doute à Édimbourg vendredi pour deux jours, en déplacement.

« Je peux venir avec toi ? » demandai-je. Mais c'était une idée idiote. Il serait occupé toute la journée. Je ne pouvais pas m'absenter comme ça de Drakon pour l'instant.

« On se fera une petite virée bientôt, promit-il. On n'aura qu'à planifier ça dès ce soir. On pourrait rester à la maison, pour changer. Je m'occupe de passer chez le traiteur. Tu préfères chinois ou indien ?

— Indien », répondis-je, le cœur au bord des lèvres.

Je me rendis à notre réunion hebdomadaire, que Claudia interrompit pour dire qu'il y avait un homme au téléphone qui ne voulait pas donner son nom mais qui voulait me parler de toute urgence. Je lui demandai de dire que je n'étais pas disponible. Elle s'éloigna, intriguée.

À cinq heures, je décidai de rentrer tôt. Je quittai l'immeuble par la porte de derrière, puis je pris un taxi dans l'affluence des heures de pointe. Je me cachai le visage derrière les mains et fermai les yeux au moment où nous passâmes devant l'entrée principale. J'arrivai la première. Je me dirigeai vers ma chambre, enfin, notre chambre, et m'allongeai sur le lit où je me recroquevillai en attendant que le temps passe. Le téléphone sonna mais je ne répondis pas. J'entendis claquer le volet contre la fente aménagée pour le courrier, quelque chose tomba sur le paillasson, et je fis un effort pour me lever. Il fallait que je récupère ça avant Jake. Mais il ne s'agissait que de prospectus publicitaires. Que dirais-je d'une offre spéciale pour le nettoyage intégral de mes tapis ? Je retournai dans la chambre m'allonger sur le lit et tentai de respirer calmement. Jake serait bientôt de retour. Jake. Je pensai à lui. Je me représentai la façon qu'il avait de froncer les sourcils quand il souriait. Ou de tirer un peu la langue quand il se concentrait. Ou celle de s'esclaffer quand il riait. Dehors il faisait nuit, la lumière des réverbères formait des auréoles orange. J'entendais des voitures, des voix, des enfants qui discutaient. À un moment je m'endormis.

J'attirai Jake contre moi dans l'obscurité. « Le curry peut attendre. »

Je lui dis que je l'aimais, il me répondit que lui aussi. J'aurais voulu le répéter encore et encore, mais je m'abstins. Dehors il pleuvait doucement. Plus tard, nous mangeâmes un dîner tiède dans des récipients en aluminium, ou, plus précisément, il mangea et je picorai, faisant passer chaque bouchée avec une grande gorgée de **rouge** bas de gamme. Quand le téléphone sonna je laissai Jake répondre. Mon cœur battait la chamade dans ma poitrine.

« C'est quelqu'un qui a raccroché, m'annonça-t-il. Sans doute un admirateur secret. »

Nous partîmes d'un rire joyeux. Je l'imaginai assis sur le lit dans l'appartement vide, et pris une nouvelle gorgée de vin. Jake suggéra que nous allions passer un week-end à Paris. On trouve des billets pas chers sur l'Eurostar à cette période de l'année.

« Encore un tunnel », remarquai-je. J'attendais que le téléphone sonne à nouveau. Cette fois-ci il me faudrait décrocher. Que pourrais-je faire ? Je tentai de trouver un moyen de dire « Ne m'appelle pas » sans éveiller les soupçons de Jake. Mais il n'y eut pas de nouvelle sonnerie. Peut-être m'étais-je montrée lâche tout simplement. J'aurais dû le lui dire de vive voix. J'en aurais été incapable. Chaque fois que je le regardais en face je tombais dans ses bras.

Je jetai un œil en direction de Jake, qui me sourit et bâilla. « C'est l'heure de se coucher », conclut-il.

J'ai essayé. Les jours suivants, j'ai vraiment, vraiment fait tous les efforts possibles. J'ai refusé de prendre ses appels au bureau. Il m'a envoyé une lettre, mais je ne l'ai pas ouverte, je l'ai déchirée en mille morceaux puis jetée dans la grande poubelle en métal qui se trouve à côté de la machine à café. Quelques heures plus tard, une fois que tout le monde était sorti déjeuner, j'y suis retournée pour essayer de récupérer les fragments mais elle avait été vidée. Il ne restait qu'un petit morceau de papier sur lequel je pus lire, de son écriture irrégulière : « ... pendant quelques... » J'ai fixé le tracé des lettres, touché le bout de papier comme s'il portait un peu de lui, une trace indélébile. J'ai tenté de reconstruire des phrases entières à partir de ces deux mots neutres.

Je sortais du travail à des heures irrégulières, par la porte de derrière, parfois protégée par un épais rideau humain. J'évitais le centre de Londres, juste au cas où. En fait, j'évitais de sortir. Je restais à la maison avec Jake, derrière les rideaux tirés pour éviter le spectacle du temps épouvantable, à regarder des vidéos à la télévision, à boire un peu trop, assez en tout cas pour m'envoyer dormir à tâtons chaque soir. Jake se montra très attentionné. Il me dit que je lui avais semblé plus tranquille ces jours derniers, moins pressée de me « précipiter en permanence sur l'activité suivante ». Je lui répondis que je me sentais bien, très bien.

Le jeudi soir, trois jours après le mot, l'Équipe se retrouva à la maison, Clive, Julie, Pauline, Tom, un copain à lui nommé Duncan, et Sylvie. Clive avait amené Gail, la femme qui lui avait tenu le coude cette fameuse soirée. Elle était encore accrochée à son coude, l'air un peu hagard, ce qui n'était pas surprenant dans la mesure où ce n'était que la deuxième fois qu'ils se voyaient et qu'elle devait avoir l'impression de se faire présenter à une grande famille tout entière, d'un coup.

« Vous parlez tellement », me dit-elle quand je lui demandai si tout allait bien. Je regardai autour de moi. Elle avait raison : tous les gens installés dans notre salon semblaient parler en même temps. Tout à coup j'eus l'impression d'avoir trop chaud, en proie à une soudaine claustrophobie. La pièce me semblait trop petite, trop bondée, trop bruyante. Je me posai la main sur le front. Le téléphone sonnait.

« Tu peux décrocher ? » me cria Jake qui était parti chercher des bières pour tout le monde. Je décrochai.

« Allô. »

Un silence.

J'attendis d'entendre sa voix mais rien ne vint. Je reposai le combiné, puis retournai au salon d'un pas éteint. Je regardai autour de moi. C'étaient mes meilleurs amis, mes plus vieux copains. Je les connaissais depuis dix ans, et dans dix ans nous nous verrions toujours. Nous nous retrouverions pour nous raconter les mêmes vieilles histoires. J'observai Pauline qui parlait à Gail, qui lui expliquait quelque chose. Elle posa la main sur le bras de Gail. Clive s'approcha d'elles, l'air nerveux, mal à l'aise, et les deux femmes lui sourirent avec gentillesse. Jake traversa la pièce pour me tendre une canette de bière. Il enroula son bras autour de mes épaules et me serra contre lui. Le lendemain matin il partait pour Édimbourg.

Après tout, pensai-je, les choses commencent à s'arranger. J'arrive à vivre sans lui. Les jours passent. Cela fera bientôt une semaine. Puis un mois...

Nous jouâmes au poker. Gail gagna la partie, Clive arriva dernier. Il faisait l'imbécile pour l'amuser et elle pouffait de rire. Elle est sympa, me dis-je. Mieux que les copines habituelles de Clive. Mais il s'en désintéresserait parce qu'elle ne serait pas assez cruelle pour conserver son adoration.

Le lendemain je quittai le bureau à l'heure habituelle, par l'entrée principale. Je ne pouvais pas continuer à me cacher tout le restant de mes jours. Je poussai les portes. Une fois dehors, prise de vertige, je balayai la rue des yeux. Il n'était pas là. J'étais persuadée qu'il m'attendrait dehors.

Peut-être que tous ces jours où je m'étais échappée par-derrière comme une voleuse, il n'avait pas été là non plus. Je sentis monter en moi une terrible déception qui me prit par surprise. Après tout, je l'aurais évité si je l'avais vu. N'était-ce pas mon intention ?

Je ne voulais pas rentrer, ni faire un détour jusqu'au Vine pour retrouver tout le monde. Je découvris tout à coup combien j'étais épuisée. Il me fallait faire un effort pour mettre un pied devant l'autre. Une douleur sourde me martelait le front entre les deux yeux. Je m'avançai dans la rue, bousculée par la foule de fin d'après-midi. Je jetai un œil dans les vitrines de prêt-à-porter. Cela faisait des siècles que je n'avais rien acheté. Je me forçai à m'offrir une chemise bleu électrique qui était en solde, mais avec le sentiment de pratiquer le gavage forcé. Puis je continuai d'un pas traînant dans la foule plus clairsemée, sans but particulier. Un magasin de chaussures. Une papeterie. Un magasin de jouets dont la vitrine arborait un ours en peluche rose géant. Une mercerie. Une librairie, quoique la vitrine contînt aussi d'autres objets éclairés : une petite hache, un rouleau de corde fine. Une bouffée d'air chaud s'échappa de la porte ouverte. J'entrai.

Ce n'était pas vraiment une librairie, même s'il y avait des livres. C'était un magasin qui vendait des articles d'escalade. J'avais dû m'en rendre compte sans me l'avouer. Il n'y avait que quelques clients, tous des hommes. Je fis courir mon regard le long des murs, découvrant les parkas de nylon, les moufles réalisées dans de mystérieux textiles modernes, les sacs de couchage rangés sur une grande étagère à l'arrière de la boutique. Des lanternes pendaient au plafond, ainsi que des petits réchauds de camping. Des tentes. Des grosses chaussures pesantes, dures et luisantes. Des sacs à dos couverts de poches sur les côtés. Des canifs à lames aiguisées. Des maillets. Un rayon de bandes adhésives, de compresses désinfectantes, de gants en latex. J'aperçus des sachets de nourriture, des barres énergétiques. On aurait dit du matériel conçu pour des gens désireux de s'aventurer dans l'espace.

« Je peux vous aider ? » Un jeune homme aux cheveux en brosse et au nez retroussé se trouvait à mes côtés. Il était sans doute lui-même alpiniste. Je me sentis coupable, comme si ma présence dans ce magasin n'était qu'un mauvais prétexte.

« Euh, non, pas vraiment. »

Je filai vers le rayon des livres et laissai glisser mes yeux sur les titres : *L'Everest sans oxygène, Rudes Sommets, La Cordée, Le Troisième Pôle, La Montagne de A à Z, L'Alpiniste débutant, La Tête dans les nuages, Si près de la grâce, Sur le sommet du monde, Les Effets de l'altitude, La Tragédie du K2, L'Été fatal sur le K2, L'Ascension ou la vie, Sur la crête, L'Abîme...*

Je sortis un ou deux livres au hasard et consultai l'index à la lettre T. Le voilà, dans *Sur le sommet du monde*, un livre de photos consacrées aux différentes ascensions de l'Himalaya. La vue même de son nom me fit tressaillir. Soudain je me sentis toute chose. C'était comme si j'avais réussi à prétendre qu'il n'avait pas de réalité en dehors de cette chambre à Soho, pas d'existence en dehors du temps qu'il passait avec moi, sur moi. Le fait qu'il soit alpiniste, activité à laquelle je ne connaissais rien, m'avait aidée à le traiter comme une espèce de personnage fantasmatique, comme un pur objet de désir, qui n'existait qu'en ma présence. Mais il était cité dans ce livre, son nom était écrit noir sur blanc. Tallis, Adam, pages 12-14, 89, 92, 168.

Je passai aux pages centrales du livre, réservées aux photographies en couleur. Je fixai la troisième, dans laquelle un groupe d'hommes accompagnés de quelques femmes, vêtus de blousons de nylon ou de laine polaire, souriaient à l'objectif sur un fond de pentes enneigées et de moraines. Tous sauf lui, qui ne souriait pas, qui fixait juste l'appareil photo. Il ne me connaissait pas à l'époque, il vivait une vie entièrement distincte. Il aimait sans doute quelqu'un d'autre ce jour-là, même s'il ne m'avait jamais parlé d'autres femmes. Il avait l'air plus jeune, moins ténébreux. Il avait les cheveux plus courts et plus bouclés. Je tournai les pages et tombai à nouveau sur lui, seul, le visage détourné. Il portait des lunettes de soleil, de sorte qu'il était difficile de lire son expression ou de voir ce qu'il regardait. Derrière lui, au loin, on apercevait une petite tente verte, et au-delà un pan de montagne à pic. Il portait d'épaisses chaussures, un souffle de vent faisait voler ses cheveux. Il me sembla qu'il avait l'air perdu, et bien que la photo remontât à une époque lointaine, bien qu'elle renvoyât à un autre monde, à un temps avant moi, j'éprouvai le désir intense de le réconforter. La douleur atroce provoquée par ce désir renouvelé me coupa le souffle.

Je refermai le livre d'un coup et le reposai sur son étagère. J'en sortis un deuxième et consultai à nouveau l'index. Pas de Tallis cette fois.

« Je suis désolé, nous fermons. » C'était de nouveau le jeune homme. « Vous souhaitez faire un achat ?

— Pardon, je ne m'étais pas rendu compte de l'heure. Non, je ne crois pas. »

Je me dirigeai vers la porte. Mais ce fut plus fort que moi. Je revins sur mes pas, j'attrapai *Sur le sommet du monde* et le portai au comptoir. « Je peux encore vous payer ça ?

— Bien entendu. »

Je réglai le livre que je rangeai dans mon sac. Je l'enroulai dans ma chemise bleue toute neuve, de façon qu'il soit quasiment invisible.

7

« C'EST ça, tire un chouïa sur la gauche, attention à ne pas te prendre l'autre, là-bas. Voilà. C'est pas fabuleux ? »

Dans chaque main, je tenais une bobine de fil qui tressautait et se tendait au moindre coup de vent. Le cerf-volant, le cadeau que Jake m'avait rapporté d'Édimbourg, fondit en piqué au-dessus de nos têtes. C'était un modèle de voltige rouge et jaune assez chic, terminé par un long ruban qui claquait dès que le vent changeait de direction.

« Attention, Alice, il va s'écraser ! Tire ! »

Jake avait enfilé un absurde bonnet à pompon sur le crâne. Il avait le nez rougi par le froid. On aurait dit un gamin de seize ans, ravi de passer la journée dehors. Je tirai au hasard sur les deux fils, le cerf-volant vira de bord avant de dégringoler. Les fils se détendirent tandis qu'il s'abattait à toute vitesse sur le sol.

« Ne bouge pas, j'y vais ! » cria Jake.

Il dévala la colline, ramassa le cerf-volant, se recula jusqu'à ce que les fils soient à nouveau tendus, puis le laissa une fois de plus s'élever dans le ciel bas plein de nuages blancs, où l'engin tira à nouveau sur ses rênes. J'envisageai d'expliquer à Jake que les bons côtés du cerf-volant, les quelques minutes où il flottait en l'air, ne rachetaient pas, à mon sens, les moments qu'il passait étalé sur l'herbe et où il fallait démêler les fils avec des doigts maladroits et engourdis. Je décidai de m'abstenir.

« S'il se met à neiger, haleta Jake, de retour à mes côtés, on n'aura qu'à aller faire de la luge.

— Qu'est-ce qui t'arrive ? Je te trouve bien excité, non ? »

Il se mit derrière moi et m'entoura de ses bras. Je me concentrai sur la direction du cerf-volant.

« On pourrait utiliser ce grand plateau dans la cuisine, ou simplement des grands sacs-poubelle. Ou peut-être même acheter une luge. On en trouve des pas chères et ça dure des années.

— En attendant, je crève de faim. Et je ne sens plus mes doigts.

— Donne. » Il me prit le cerf-volant des mains. « J'ai des gants dans ma poche. Prends-les. Quelle heure est-il ? »

Je consultai ma montre. « Presque trois heures. Il va bientôt faire nuit.

— On pourrait acheter des crumpets[1]. J'adore ça.

— Vraiment ?

— Il y a un tas de choses que tu ne sais pas à mon sujet. » Il commença à ramener le cerf-volant. « Sais-tu, par exemple, que quand j'avais quinze ans j'étais amoureux d'une fille appelée Alice. Elle était dans la classe supérieure à l'école. Je n'étais qu'un mioche boutonneux à ses yeux, bien sûr. Ce que j'ai pu souffrir. » Il éclata de rire. « Pour rien au monde je ne voudrais redevenir adolescent. Tous ces soucis... J'étais impatient de grandir. »

Il s'agenouilla pour replier le cerf-volant avec soin et le ranger dans son petit sac de nylon. Je n'ouvris pas la bouche. Il leva les yeux, sourit. « Bien sûr, l'âge adulte comporte aussi son lot de problèmes. Mais au moins on se sent moins gauche et moins continuellement mal à l'aise. »

Je m'accroupis à côté de lui. « Et quels sont tes problèmes du moment ?

— Aujourd'hui ? » Il fronça les sourcils, puis les releva, l'air surpris. « Je n'en ai aucun, en fait. » Il posa ses mains sur mes épaules, ce qui manqua de me faire tomber. Je l'embrassai sur le bout du nez. « Quand j'étais avec Ari j'avais constamment l'impression d'être jugé et de ne jamais être au niveau. Je n'ai jamais ressenti ça avec toi. Tu dis ce que tu as en tête. Tu es parfois agaçante, mais jamais

---

1. Sorte de petit pain rond très spongieux qui se mange chaud avec du beurre. (N.d.T.)

65

manipulatrice. Je sais où j'en suis avec toi. » Ari était sa compagne précédente, une belle femme, grande, bien charpentée, à la tignasse rousse ; elle dessinait des chaussures qui m'avaient toujours fait l'effet de pâtés en croûte, et avait quitté Jake pour un type qui travaillait dans une compagnie pétrolière et qui était absent la moitié de l'année.

« Et toi ?

— Quoi, moi ?

— Quels sont tes problèmes d'adulte ? »

Je me relevai et le hissai sur ses pieds. « Voyons voir. Un boulot qui me rend dingue. Une phobie des mouches, des fourmis et de toutes les bestioles qui rampent. Des problèmes de circulation sanguine. Viens, je me gèle. »

Nous avons effectivement mangé des crumpets, d'horribles machins caoutchouteux recouverts de beurre qui coulait par les trous et salissait tout. Puis, en début de soirée, nous sommes allés voir un film dont l'histoire se terminait sur une touche triste qui me permit de pleurer. Pour une fois, nous n'avons pas retrouvé tout le monde autour d'un verre au Vine, ou d'un curry. À la place, nous nous sommes arrêtés dans un petit boui-boui italien près de l'appartement, juste tous les deux, où nous avons pris des spaghettis aux coques arrosés de vin rouge abrasif. Jake était d'humeur nostalgique. Il reparla d'Ari, des femmes avant elle, puis nous avons à nouveau évoqué notre première rencontre, la plus belle histoire de tous les couples heureux. Ni l'un ni l'autre ne se souvenait de la première fois que nos yeux s'étaient croisés.

« On dit que les premières secondes d'une histoire d'amour sont les plus importantes », remarqua-t-il.

Je me souvins d'Adam, debout sur un trottoir en face de moi, ses yeux bleus retenant mon regard. « Rentrons. » Je me levai d'un coup.

« Tu ne veux pas de café ?

— Nous en ferons à la maison. »

Il prit cela comme une invitation déguisée, ce que c'était bien en un sens. Je voulais me cacher, et quelle meilleure cachette qu'un lit, dans ses bras, dans le noir, les yeux fermés, sans plus de questions, sans plus de révélations ?

Nous connaissions si bien nos corps que nos étreintes en devenaient presque anonymes, chair nue contre chair nue.

« Qu'est-ce que c'est que ce truc ? » s'exclama-t-il après, alors que nous étions allongés en sueur l'un contre l'autre. Il tenait à la main *Sur le sommet du monde*. Je l'avais poussé sous mon oreiller la nuit précédente, tandis qu'il était à Édimbourg.

« Ça ? » Je tentai de garder l'air naturel. « C'est un collègue qui me l'a prêté. Il paraît que c'est super. »

Jake feuilletait les pages. Je retins mon souffle. Là. Les photos. Il regardait Adam sur une photo. « Je n'aurais pas cru que c'était ton genre de truc.

— Non, enfin, pas vraiment, je ne le lirai sans doute pas.

— Il faut être dingue pour grimper des montagnes pareilles. Tu te rappelles tous ces gens qui sont morts dans l'Himalaya l'année dernière ?

— Mouais.

— On arrive au sommet et puis on redescend. Je ne vois pas l'intérêt. »

Je gardai le silence.

Le lendemain matin, il avait neigé, mais pas assez pour faire de la luge. Nous avons remonté le chauffage, parcouru les journaux du dimanche en buvant café sur café. J'appris comment demander une chambre double en français, comment dire « *Janvier est le premier mois de l'année* », ou « *Février est le deuxième mois* ». Ensuite je me coltinai la lecture de revues techniques que j'avais laissées s'accumuler, pendant que Jake reprenait le livre d'alpinisme. Il en était à peu près à la moitié. « Tu devrais le lire, tu sais.

— Je vais descendre nous chercher quelque chose pour midi. Ça te dit des pâtes ?

— C'est ce qu'on a mangé hier soir. Et pourquoi pas un vrai brunch bien gras, avec des œufs, du bacon, des saucisses ? La totale, quoi. Je m'occupe de la cuisine et tu feras la vaisselle.

— Mais tu ne cuisines jamais ! protestai-je.

— Je change mes habitudes. »

Clive et Gail passèrent après le repas. Ils étaient à l'évidence restés au lit toute la matinée. Ils rayonnaient de plénitude post-coïtale, et de temps à autre ils échangeaient un sourire plein de sous-entendus que nous ignorions. Ils annoncèrent qu'ils avaient l'intention d'aller jouer au bowling. Cela nous dirait-il de les accompagner ? Et pourquoi ne pas le proposer aussi à Pauline et à Tom ?

Du coup je passai l'après-midi à envoyer glisser une lourde boule noire en direction de quilles que je manquais à chaque fois. Tout le monde rit beaucoup, Clive et Gail parce qu'ils savaient que dès la partie terminée ils se précipiteraient à nouveau au lit, Pauline parce qu'elle projetait d'avoir un bébé et n'en revenait pas du cours que sa vie avait pris, Tom et Jake parce que c'étaient des types gentils et qu'il est plus facile de se joindre à la fête que le contraire. Moi parce que c'était ce qu'on attendait de moi. J'avais mal dans la poitrine. J'avais la gorge douloureusement nouée. La salle de bowling trop éclairée, bruyante, me faisait tourner la tête. Je ris à en avoir les larmes aux yeux.

« Alice, commença Jake au moment où je prononçai son nom.

— Je t'en prie, continue, dis-je.

— Non, toi d'abord. »

Nous étions assis sur le canapé, une tasse de thé à la main, à quelques centimètres l'un de l'autre. Dehors il faisait nuit, les rideaux étaient tirés. Tout était silencieux, comme cela arrive quand la neige tombe et feutre tous les bruits. Il portait un vieux pull gris moucheté sur un jean fatigué, rien aux pieds. Il avait les cheveux ébouriffés. Il me regardait avec beaucoup d'attention. J'avais tellement d'affection pour lui. Je pris une profonde inspiration. « Je ne peux pas continuer comme ça. »

D'abord, l'expression de son visage ne changea pas. Je m'obligeai à ne pas dévier mon regard de ses yeux, ses beaux yeux bruns.

« Quoi ? »

Je lui pris une main. Elle reposa, amorphe, dans la mienne. « Il faut que je te quitte. »

Comment pouvais-je dire une chose pareille ? Chaque mot me faisait l'effet d'une brique que je lui envoyais au visage. Jake avait l'air sonné, comme si je l'avais giflé très fort. Il souffrait. J'aurais voulu tout reprendre, revenir à la situation dans laquelle nous nous trouvions une minute avant, assis ensemble sur le canapé, un thé à la main. Je ne me rappelai plus pourquoi je faisais ça. Il ne dit rien.

« J'ai rencontré quelqu'un. C'est tellement... » Je m'interrompis.

« Qu'est-ce que tu veux dire ? » Il me fixait comme à travers un épais brouillard. « Comment ça, partir ? Tu veux dire que tu ne veux plus vivre avec moi ?

— Oui. »

L'effort que me coûta ce mot me rendit muette. Je continuai à le regarder, l'esprit vide. J'avais toujours sa main dans la mienne, mais elle semblait sans vie. Je ne savais pas comment la lâcher.

« Qui ? » Sa voix se brisa quelque peu. Il s'éclaircit la gorge. « Pardon. Qui as-tu rencontré ?

— C'est juste... Tu ne le connais pas. Ça s'est... Mon Dieu, je suis désolée, Jake. »

Il se passa une main sur le visage. « Mais ça n'a pas de sens. Nous avons été si heureux ces derniers temps. Je veux dire, ce week-end... » Je hochai la tête. C'était plus horrible que j'aurais pu l'imaginer. « J'ai cru... Je... Comment l'as-tu rencontré ? Quand ? »

Cette fois-ci il me fut impossible de soutenir son regard. « Ça n'a pas d'importance, ce n'est pas la question.

— Il baise si bien que ça ? Non, désolé, vraiment. Je ne voulais pas dire ça. Je n'arrive pas à comprendre. Tu vas tout quitter ? Comme ça ? » Il fit le tour de la pièce des yeux, s'arrêtant sur chaque objet, sur tout ce monde que nous avions construit ensemble. « Pourquoi ?

— Je ne sais pas.

— C'est si grave que ça ? »

Son corps était affalé, mou, sur le divan. J'aurais voulu qu'il me crie dessus, qu'il se fâche, je ne sais pas, au lieu de quoi il me sourit. « Tu sais ce que j'allais dire ?

— Non.

— J'allais dire que peut-être nous pourrions faire un enfant.

— Oh, Jake !

— J'étais heureux. » Il avait la voix étouffée. « Et pendant tout ce temps, tu étais, tu étais...

— Non ! implorai-je. J'étais heureuse moi aussi. Tu m'as rendue heureuse.

— Depuis combien de temps ça dure ?

— Quelques semaines. »

Je le regardai réfléchir, reconsidérer le passé récent. Son visage se décomposa. Il se détourna de moi, posa les yeux sur la fenêtre masquée par les rideaux, et déclara d'une voix blanche : « Et si je te demandais de rester ? De nous donner une seconde chance ? S'il te plaît. »

Il ne se tourna pas vers moi. Nous restâmes à regarder droit devant nous, la main dans la main. Un énorme bloc de pierre m'écrasait la poitrine.

« S'il te plaît, Alice, répéta-t-il.

— Non. »

Il ôta sa main de la mienne. Nous demeurâmes assis en silence, moi à me demander ce qui allait arriver maintenant. Fallait-il que je dise quelque chose comme quoi je m'occuperais de mes affaires plus tard ? Des larmes coulaient sur ses joues, dans sa bouche, mais il ne bougea pas, il ne fit pas le moindre geste pour les essuyer. Je ne l'avais jamais vu pleurer auparavant. Je levai la main pour les sécher mais il se détourna d'un geste brusque, enfin hargneux. « Bon sang, qu'est-ce que tu veux ? Me consoler, c'est ça ? Tu veux me voir hurler ? Si tu dois partir, alors fous le camp, c'est tout. »

Je laissai tout. Je laissai mes vêtements, mes CD, mes produits de maquillage, mes bijoux. Mes bouquins et mes revues. Mes photos. Mon cartable plein de dossiers pour le bureau. Mon carnet d'adresses. Mon journal. Mon réveil. Mes clés. Mes cassettes de français. Je pris mon portefeuille, ma brosse à dents, mes plaquettes de pilules, et le lourd manteau que Jake m'avait offert pour Noël, puis je sortis dans la neige humide, affublée des mauvaises chaussures.

8

C'EST dans ces moments-là qu'on est censé avoir besoin de ses amis. Je n'avais envie de voir personne. Je ne voulais pas retrouver ma famille. J'entretins l'idée folle de dormir dans la rue, sous un pont quelque part, mais même l'auto-flagellation a ses limites. Où trouver un endroit pas cher où passer la nuit ? Je n'avais jamais mis les pieds dans un hôtel à Londres auparavant. Il me revint à l'esprit une rue bordée d'hôtels que j'avais entrevue l'autre jour par la fenêtre d'un taxi. Au sud de Baker Street. Cela ferait l'affaire. Je pris le métro, longeai le Planétarium, puis je traversai la rue et m'arrêtai au coin. J'y étais, dans une longue rue où s'alignaient les résidences aux façades de stuc blanc, toutes reconverties en hôtels. Je choisis au hasard, le Devonshire Hotel. J'entrai.

Derrière le comptoir de la réception se tenait une très grosse femme qui me baragouina à toute vitesse quelque chose que je ne compris pas à cause de son accent. Mais j'apercevais un tas de clés sur le tableau derrière elle. Nous n'étions pas dans la saison touristique. Je montrai les clés du doigt. « Je veux une chambre. »

Elle secoua la tête et continua à parler. Je n'étais même pas sûre que ce soit à moi qu'elle s'adressait, ou bien si elle criait à l'attention de quelqu'un dans la pièce du fond. Je me demandai si elle me prenait pour une prostituée, mais une prostituée n'aurait jamais l'idée de s'habiller aussi mal, du moins de façon aussi terne. Cependant je n'avais pas de bagages. Un petit coin de mon esprit s'amusa à l'idée du genre de personne pour qui elle me prenait. J'extirpai une carte de crédit de mon sac et la posai sur le bureau. Elle la

71

prit, l'examina. Je signai un formulaire sans le lire. Elle me tendit une clé.

« Je peux avoir quelque chose à boire ? Du thé par exemple ?

— Pas de boisson ! » beugla-t-elle.

J'eus le sentiment d'avoir demandé un godet de méthadone. J'envisageai de sortir prendre quelque chose mais ne m'en sentis pas la force. Je pris la clé, puis montai deux étages jusqu'à ma chambre. Elle n'était pas trop mal. Il y avait un lavabo, une fenêtre qui donnait sur une cour pavée attenant à l'arrière-cour d'un autre bâtiment en face. Je fermai le rideau. J'étais dans une chambre d'hôtel à Londres, seule, sans rien. Je me déshabillai, ne gardant que mes dessous, et me glissai dans le lit. J'en sortis pour aller fermer la porte, puis retournai sous les couvertures. Je ne me mis pas à pleurer. Je ne passai pas la nuit éveillée à réexaminer ma vie. Je m'endormis sur-le-champ. Mais je n'éteignis pas la lumière.

Je m'éveillai tard, embrouillée, mais pas suicidaire. Je me levai, j'ôtai mon soutien-gorge et ma culotte et procédai à une toilette rapide. Puis je les remis. Je me brossai les dents sans dentifrice. En guise de déjeuner j'avalai une pilule contraceptive avec un gobelet d'eau. Je m'habillai, puis je descendis l'escalier. Il semblait n'y avoir personne. Je jetai un œil dans une salle de restaurant meublée de tables entourées de chaises en plastique, dont le sol marbré reluisait. Un bruit de conversation me parvenait, ainsi qu'une odeur de bacon frit. Je traversai la salle et soulevai un rideau. La femme que j'avais rencontrée la veille était assise à une table de cuisine, en compagnie d'un homme du même âge et de la même corpulence, à l'évidence son mari, et d'un certain nombre d'enfants obèses. Ils levèrent les yeux dans ma direction.

« Je partais, annonçai-je.

— Vous voulez un petit déjeuner ? demanda l'homme en souriant. Nous avons des œufs, de la viande, des tomates, des champignons, des haricots blancs, des céréales. »

Je secouai faiblement la tête.

« Vous avez déjà payé pour ça. »

J'acceptai une tasse de café. Je demeurai sur le seuil de la cuisine à les regarder préparer les enfants pour l'école.

Avant de partir, l'homme me considéra avec une expression soucieuse. « Tout va bien ?

— Tout va bien.

— Vous restez une autre nuit ? »

Je secouai de nouveau la tête et m'en allai. Il faisait froid dehors, mais au moins il ne pleuvait pas. Je m'arrêtai pour réfléchir, retrouver mon orientation. Je pouvais y aller à pied d'ici. En descendant Edgware Road, je m'arrêtai pour acheter des lingettes parfumées au citron, du dentifrice, puis du mascara et du rouge à lèvres dans une pharmacie, et enfin une culotte blanche en coton. Sur Oxford Street je trouvai un magasin de vêtements. J'emportai une chemise noire ainsi qu'une veste noire toute simple dans une cabine d'essayage. J'en profitai pour enfiler ma culotte neuve, me frotter le visage et le cou avec les lingettes jusqu'à m'irriter la peau, et appliquer quelques touches de maquillage. L'amélioration était minimale mais suffisante. Au moins je n'avais plus l'air d'une future internée. Quelques minutes après dix heures, j'appelai Claudia. Au départ, mon intention était d'inventer une histoire, de la paperasserie à revoir, mais une fois Claudia au bout du fil, un réflexe étrange me fit retomber dans le domaine de l'honnêteté partielle. Je lui expliquai que je traversais une crise personnelle dont il me fallait m'occuper, et que je n'étais absolument pas en état de me montrer au bureau. J'eus toutes les peines du monde à la faire raccrocher.

« Je trouverai quelque chose à raconter à Mike, conclut-elle.

— Pense juste à me mettre au courant avant que je le voie. »

Depuis Oxford Street, l'appartement d'Adam n'était qu'à quelques minutes de marche. Une fois devant la porte de l'immeuble, je réalisai que je n'avais pas la moindre idée de ce que j'allais lui dire. Je restai là quelques minutes mais il ne se passa rien. La porte n'était pas fermée. Je montai donc les escaliers, puis je frappai à la porte de l'appartement. Elle s'ouvrit. Je m'avançai, prête à parler, mais je stoppai net. La personne sur le pas de la porte était une femme. Une femme dangereusement séduisante. Elle avait les cheveux noirs, probablement longs, mais à présent relevés avec négligence. Elle était affublée d'un jean et d'une chemise à carreaux passée sur un T-shirt noir. Elle avait l'air fatiguée, préoccupée.

« Oui ? »

Je sentis mon estomac se contracter dans un spasme nauséeux tandis qu'une bouffée d'embarras m'enflamma les joues. J'avais l'impression d'avoir foutu ma vie en l'air avec pour tout bénéfice de devenir la risée générale.

« Adam est là ? demandai-je d'une voix sourde.

— Non, répondit-elle avec sécheresse. Il est parti. »

Elle était américaine.

« Vous savez où ?

— Bon sang, en voilà une question ! Entrez. » Je la suivis à l'intérieur parce que je ne savais pas quoi faire d'autre. Juste derrière la porte se trouvait un très grand sac de voyage fatigué et une valise ouverte. Il y avait des vêtements en tas sur le sol.

« Désolée, dit-elle en désignant le foutoir. Je suis arrivée de Lima ce matin. Je suis nase. J'ai du café tout prêt. » Elle me tendit la main. « Deborah.

— Alice. »

Je posai les yeux sur le lit. Deborah approcha une chaise familière pour que je m'assoie, puis versa du café dans deux tasses tout aussi familières, une pour moi et une pour elle. Elle m'offrit une cigarette. Comme je déclinai l'offre, elle alluma la sienne.

« Vous êtes une amie d'Adam ? » tentai-je.

Elle exhala un épais nuage de fumée en haussant les épaules. « J'ai fait une ou deux courses avec lui. On s'est trouvés dans la même équipe. Ouais, on peut le dire comme ça. » Elle tira à nouveau sur sa cigarette, fit une grimace. « Putain, je me prends le décalage horaire plein pot. Et puis l'air par ici ! Ça fait un mois et demi que je ne suis pas descendue en dessous de deux mille mètres. Mais vous, vous êtes une amie d'Adam, poursuivit-elle.

— Depuis peu. Nous nous sommes rencontrés récemment. Mais oui, je suis son amie.

— Je vois. » Le sourire entendu qui, me sembla-t-il, souligna ces derniers mots m'embarrassa beaucoup, mais je soutins son regard jusqu'à ce que son expression s'adoucisse, se fasse plus amicale, moins moqueuse.

« Vous étiez sur le Chunga-truc-machin avec lui ? »

Comprendre : vous avez eu une liaison avec lui ? Vous êtes aussi sa maîtresse ?

« Le Chungawat. Vous voulez dire, l'année dernière ? Oh ça non. Je ne fais pas des trucs pareils.

— Pourquoi pas ? »

Elle rit. « Si Dieu avait voulu que nous puissions dépasser huit mille mètres d'altitude, il nous aurait faits différemment.

— Je sais qu'Adam a quelque chose à voir avec cette terrible expédition de l'année dernière. » J'essayai de garder une voix calme, comme si ma seule intention quand j'avais frappé à sa porte avait été d'entrer boire un café et discuter entre amies. Où est-il ? hurlai-je intérieurement. Il fallait que je le voie maintenant, avant qu'il ne soit trop tard, si ce n'était pas déjà le cas.

« Quelque chose ? Vous ne savez pas ce qui s'est passé ?

— Je sais que des gens sont morts. »

Deborah alluma une deuxième cigarette. « Cinq personnes. Dont le médecin de l'expédition qui était... euh... » Elle tourna les yeux vers moi. « ... quelqu'un de très proche d'Adam. Et quatre clients.

— C'est affreux.

— Ce n'est pas ce que je voulais dire. » Elle tira longtemps sur sa cigarette. « Vous voulez que je vous en parle ? » Je fis oui de la tête. Mais où est-il ? Elle se recula, prenant tout son temps. « Quand la tempête s'est déclenchée, le meneur, Greg McLaughlin, un des plus grands pros de l'Himalaya dans le monde, qui pensait avoir trouvé la méthode infaillible pour faire grimper des abrutis sur une montagne, était dans les choux. Il était atteint d'hypoxie aiguë, un truc dans le genre. Adam l'a escorté dans la descente et a repris le flambeau. L'autre guide professionnel, un Français appelé Claude Bresson, un superbe alpiniste dans les compétitions, était HS, en pleine hallucination. » Elle passa une main sur sa poitrine. « Œdème pulmonaire. Adam a redescendu cette andouille au camp. Il y avait onze clients dans la nature. Il faisait noir, la température était tombée à moins cinquante. Adam est reparti avec des réserves d'oxygène, il les a ramenés par petits groupes. Il n'arrêtait pas d'y retourner. Ce mec est un véritable taureau. Mais un groupe s'est perdu. Il ne les a pas retrouvés. Ils n'avaient aucune chance de s'en tirer.

— Pourquoi les gens se lancent-ils là-dedans ? »

Deborah se frotta les yeux. Elle avait l'air complètement épuisée. Elle fit un geste de la main qui tenait sa cigarette. « Vous voulez dire pourquoi Adam fait des trucs pareils ? Je peux vous dire pourquoi moi je le fais. Quand je préparais médecine, j'avais un petit copain qui faisait de l'escalade. Alors j'ai grimpé avec lui. Les gens veulent partir avec un médecin. Du coup je pars très souvent. Parfois je reste simplement au camp de base. Parfois je grimpe.

— Avec votre ami ?

— Il est mort.

— Oh, je suis désolée.

— C'était il y a longtemps. »

Il y eut un silence. Je tentai de trouver quelque chose à dire « Vous êtes américaine ?

— Canadienne. De Winnipeg. Vous connaissez ?

— Non.

— Là-bas, à l'automne, on creuse les tombes pour l'hiver. » Je dus avoir l'air interloquée. « Le sol gèle. On évalue combien de gens risquent de mourir pendant l'hiver, et on creuse le nombre de tombes équivalent. Il y a des désavantages à grandir à Winnipeg, mais ça vous apprend à respecter le froid. » Elle mit sa cigarette dans sa bouche et leva les mains. « Regardez. Qu'est-ce que vous voyez ?

— Je ne sais pas.

— Dix doigts. Pas un qui manque, et pas de mutilations non plus.

— Adam a perdu des orteils. » Deborah me lança un sourire accusateur, auquel je répondis par un sourire triste. « Il aurait pu m'en parler, c'est tout.

— Ouais, c'est vrai. C'est différent. Il l'a voulu. Je vous dit, ces gens ont eu de la chance qu'il se soit trouvé là. Vous est-il arrivé un jour de vous trouver en pleine montagne au beau milieu d'un orage ?

— Je n'ai jamais mis un pied à la montagne.

— On n'y voit rien, on n'entend rien, on ne sait pas de quel côté ça monte. Il faut un équipement approprié et de l'expérience, mais ça ne suffit pas. Je ne sais pas à quoi ça tient. Il y a des gens qui restent calmes et pensent de façon rationnelle. Comme Adam.

— Oui. » Je laissai une pause s'installer de façon à ne pas paraître trop impatiente. « Vous savez où je peux le joindre ? »

Elle réfléchit un instant. « C'est un type secret. Il allait retrouver quelqu'un dans un café à Notting Hill Gate, il me semble. Comment ça s'appelait déjà ? Attendez. » Elle traversa la pièce et revint armée d'un annuaire. « Voilà. » Elle inscrivit un nom et une adresse sur une enveloppe usagée.

« Quand y sera-t-il ? »

Elle regarda sa montre. « Il devrait y être en ce moment.

— Je ferais mieux de filer. »

Elle m'accompagna à la porte. « S'il n'y est pas, je connais des gens que vous pourriez appeler. Je vais vous laisser mon numéro. » Là-dessus elle esquissa un sourire sarcastique. « Mais vous l'avez déjà, non ? »

Dans le taxi, durant tout le trajet sur Bayswater Road, je me demandai s'il serait là. Je construisis différents scénarios dans mon esprit. Il n'y est pas et je passe les jours suivants à dormir dans des hôtels et à errer dans les rues. Il y est, mais avec une fille, et je dois les épier à bonne distance pour deviner de quoi il retourne puis le suivre jusqu'à ce que je puisse lui parler seul à seul. Je fis arrêter le taxi quelques mètres après le café dans All Saints Road, puis je revins sur mes pas avec prudence. Je le vis tout de suite, assis derrière la vitrine. Et il n'était pas en compagnie d'une fille. Il était avec un Noir coiffé de longues dreadlocks attachées en queue de cheval. Dans le taxi j'avais aussi réfléchi à des moyens d'approcher Adam sans passer pour une espionne, mais rien ne m'était venu. Les stratégies prévues s'avérèrent de toute façon inutiles dans la mesure où, à l'instant même où je posai les yeux sur Adam, il me vit et se figea, comme au cinéma. Debout dans la rue avec tout ce que je possédais alors, soit une vieille culotte, une vieille chemise, un peu de maquillage récemment acquis, le tout fourré dans un sac Gap, je me sentais comme un de ces pitoyables enfants perdus de l'ère victorienne. Je le vis dire quelque chose à l'homme qui l'accompagnait puis se lever

77

et sortir. Pendant un étrange laps d'une dizaine de secondes environ, l'homme se tourna pour me dévisager, se demandant à l'évidence : « Mais qui c'est cette gonzesse ? »

Puis Adam fut contre moi. Je m'étais demandé ce que nous allions nous dire, mais il n'ouvrit pas la bouche. Il me tint le visage entre ses grandes mains et m'embrassa avec fougue. Je laissai tomber le sac pour l'entourer de mes bras, le serrer aussi fort que possible, sentant le vieux pull qu'il portait et son corps puissant au-dessous. Nous finîmes par nous détacher l'un de l'autre. Il me regarda, une lueur spéculative dans les yeux.

« Deborah m'a dit que tu serais ici. » Puis je me mis à pleurer. Je le lâchai pour attraper un mouchoir dans ma poche et me moucher. Il ne me prit pas dans ses bras en murmurant « Allez, allez. » Au lieu de cela il me scruta comme si j'étais un animal exotique qui le fascinait, curieux de savoir ce qu'il allait faire à présent. Je me repris afin de sortir ce que j'avais à dire. « Je veux te dire quelque chose, Adam. Je suis désolée de t'avoir envoyé cette carte. Je voudrais ne jamais l'avoir fait. » Il ne répondit pas. « Et puis... (Je marquai un arrêt avant de sauter.) ... j'ai quitté Jake. J'ai passé la nuit dernière à l'hôtel. Je veux juste que tu saches. Ce n'est pas pour te mettre la pression. Si tu me le demandes je m'en irai et tu ne me verras plus jamais. »

Mon cœur battait à toute vitesse, me déchirant la poitrine. Le visage d'Adam était près du mien, si près que je sentais son souffle contre ma joue. « Tu veux que je te dise de t'en aller ?

— Non.

— Alors tu es tout à moi. »

Ma gorge se serra. « Oui.

— Bien », déclara Adam, comme s'il n'était pas surpris, ni heureux, mais plutôt comme si l'évidence avait été reconnue. Peut-être était-ce le cas. Il se tourna vers la fenêtre puis de nouveau vers moi. « C'est Stanley. Tourne-toi et fais-lui bonjour. » Je m'exécutai d'un geste nerveux. Stanley me répondit en levant le pouce. « Nous allons nous installer dans un appartement dans le coin qui appartient à un de ses copains. » Nous. À ces mots, je sentis une onde de plaisir se répandre en moi. Adam adressa un signe de tête à Stanley. « Stanley voit bien que nous parlons, mais il ne sait pas lire sur les lèvres. Nous allons retourner dans le café quelques minutes, ensuite je vais t'emmener à l'appartement et je te ferai l'amour. Je vais te faire mal.

— D'accord. Tu peux faire ce que tu veux. »

Il se pencha vers moi et m'embrassa à nouveau. Il glissa la main dans mon dos, puis sous ma chemise. Je sentis son doigt sous l'élastique de mon soutien-gorge, un ongle me parcourut le dos. Il prit un pli de chair et le pinça fort, très douloureusement. Je laissai échapper un sanglot. « Ça m'a fait mal. » Il me caressa l'oreille de ses lèvres. « Non, c'est toi qui m'as fait mal », murmura-t-il.

9

C'est le téléphone qui me réveilla. La lumière me heurta douloureusement les yeux. Il était quelque part près du lit, non ? Je le trouvai à tâtons.

« Allô ? »

Je perçus des bruits, peut-être des voitures, mais aucune voix. On raccrocha. Je reposai le combiné. Quelques secondes plus tard, il se remit à sonner. Je répondis. Le même interlocuteur muet. Y avait-il de la friture sur la ligne ? Des murmures, très bas. Impossible de dire quoi. Puis de nouveau la tonalité.

Les yeux d'Adam s'ouvrirent, engourdis de sommeil.

« C'est l'éternelle histoire, dis-je. Si une femme répond, tu raccroches. » Je composai quatre chiffres sur le cadran.

« Qu'est-ce que tu fais ? demanda Adam en bâillant.

— J'essaie de savoir qui a appelé. » J'attendis.

« Alors ?

— Une cabine, finis-je par répondre.

— Peut-être que ton correspondant n'a pas pu mettre l'argent à temps.

— Possible. Je n'ai rien à me mettre.

— Pourquoi aurais-tu besoin d'enfiler quoi que ce soit ? » Le visage d'Adam se trouvait à quelques centimètres du mien. Il me ramena quelques mèches de cheveux derrière l'oreille, puis passa un doigt dans mon cou. « Tu es parfaite telle que tu es. Quand je me suis réveillé ce matin, j'ai cru à un rêve. Je n'ai pas bougé, je suis resté là à te regarder. » Il écarta le drap de mes seins qu'il couvrit de ses mains. Il m'embrassa le front, les paupières, puis les lèvres, doucement d'abord, puis plus fort. Un goût

80

métallique de sang m'envahit la bouche. Je fis glisser mes mains le long de son dos noueux, jusqu'à ses fesses, et l'attirai contre moi. Un soupir nous échappa, nous réajustâmes nos corps. Mon cœur battait contre le sien, à moins que ce ne soit le contraire. La pièce sentait le sexe, les draps en étaient encore un peu humides.

« Pour le bureau. J'ai besoin de vêtements pour aller travailler. Je ne peux pas passer la journée au lit comme ça.

— Ah oui ? » Il m'embrassa dans le cou. « Et pourquoi pas ? On a beaucoup de temps perdu à rattraper.

— Je ne peux pas ne pas aller travailler un jour de plus.

— Pourquoi ?

— Je ne peux pas, c'est tout. Ce n'est pas mon genre. Tu ne vas jamais bosser ? »

Il fronça les sourcils mais ne me donna pas de réponse. Puis, de façon très déterminée, il se lécha l'index et le glissa en moi. « Ne pars pas tout de suite, Alice.

— Dix minutes. Oh mon Dieu, Adam... »

Après, je n'avais toujours pas la moindre frusque à me mettre. Les vêtements que j'avais portés la veille gisaient en tas par terre, encore tout imprégnés de sueur, et je n'avais rien emporté d'autre avec moi.

« Tiens, mets ça. » Adam envoya un jean délavé sur le lit. « On n'aura qu'à faire un revers. Et ça. Il faudra que ça fasse l'affaire pour ce matin. Je te retrouverai à midi et demi et je t'emmènerai faire des courses.

— Mais je pourrais aussi bien aller chercher mes affaires à l'appartement.

— Non. Ne t'occupe pas de ça pour l'instant. N'y retourne pas. Je t'achèterai quelques fringues. Tu n'as pas besoin de grand-chose. »

Je ne pris pas la peine de mettre de sous-vêtements. J'enfilai le jean, qui s'avéra un peu trop large et trop long, mais l'effet n'était pas trop mal avec une ceinture. Puis la chemise de soie noire, qui frotta doucement contre ma peau nerveuse. Elle était imprégnée de l'odeur d'Adam. Je sortis la cordelette de cuir de mon sac pour me l'attacher autour du cou.

« Et voilà le travail.

— Magnifique. »

81

Il ramassa une brosse qu'il passa dans mes cheveux emmêlés. Il insista pour me regarder pisser, me laver les dents, appliquer du mascara sur mes cils. Il ne me quittait pas des yeux.

« Je suis ravagée, lui dis-je dans le miroir, en tentant un sourire.

— Pense à moi toute la matinée.

— Qu'est-ce que tu vas faire ?

— Penser à toi. »

Je passai effectivement la matinée à penser à lui. Mon corps palpitait de son souvenir. Mais je songeai aussi à Jake et à tout l'univers auquel Jake et moi appartenions. Une partie de moi n'arrivait pas à saisir comment il se faisait que je sois encore ici, dans ce bureau si familier, à composer des phrases rebattues pour décrire le stérilet et la fertilité féminine, alors que je venais de jeter une bombe dans mon existence passée et de la regarder exploser. Je tentai d'imaginer tout ce qui s'était passé depuis mon départ. Jake avait sans doute parlé à Pauline, au moins à elle. Et elle avait probablement lâché le morceau à tous les autres. Ils allaient tous se retrouver autour d'un verre, en parler, s'interroger, exprimer leur émoi, tenter de consoler Jake. Et moi, moi qui étais depuis si longtemps une partie bien établie du groupe, j'allais devenir le sujet de leurs bavardages choqués. Chacun allait émettre une opinion sur mon compte, chacun sa propre version exagérée.

Si j'avais quitté ce monde, et il me semblait bien que ce fût le cas, avais-je pour autant rejoint celui d'Adam, un monde plein d'hommes qui escaladaient des montagnes pendant que les femmes les attendaient en bas ? Assise à mon bureau à attendre l'heure du repas, je songeai combien j'en savais peu sur Adam, sur son passé, son présent ou ses projets. Et plus il m'apparaissait étranger, plus mon désir pour lui s'accroissait.

Il m'avait déjà acheté plusieurs soutiens-gorge assortis de slips. Nous étions à moitié cachés à côté d'un présentoir garni de robes à échanger des sourires en nous frôlant les mains. C'était la première fois que nous sortions officiellement ensemble de l'appartement.

« C'est excessivement cher, remarquai-je.

— Essaie ça. »

Il sélectionna une robe noire toute droite, puis un pantalon moulant. Je les passai dans la cabine d'essayage, par-dessus mes nouveaux sous-vêtements, et je m'examinai dans la glace. Le prix fait effectivement une différence. Au moment où je ressortis de la cabine, serrant les articles contre moi, il me lança une robe de velours chocolat. Elle était d'allure médiévale, avec un décolleté profond, des manches longues et une jupe découpée en biais qui faisait traîne. C'était une robe fabuleuse. Je compris pourquoi en lisant l'étiquette. « Je ne peux pas. »

Il fronça les sourcils. « Je veux que tu la prennes. »

Nous sortîmes du magasin chargés de deux sacs remplis de vêtements qui avaient coûté plus que mon salaire mensuel. Je portais le pantalon noir avec une chemise de satin crème. Je pensai à Jake qui avait fait des économies pour m'acheter mon manteau, à son expression si inquiète et si fière quand il me l'avait tendu.

« J'ai l'impression d'être une femme entretenue.

— Écoute. » Il s'arrêta au milieu du trottoir, tandis que les passants filaient autour de nous. « Je veux te garder pour toujours. »

Il avait ce don de prendre très au sérieux les remarques les plus désinvoltes. Je pouffai de rire en rougissant, mais il continua à me fixer dans les yeux, d'un regard presque menaçant.

« Je peux t'inviter à dîner ce soir ? demandai-je. J'ai envie que tu me parles de ta vie. »

Mais avant, il fallait que je récupère des affaires dans l'appartement. J'y avais laissé mon carnet d'adresses, mon journal, toutes mes notes de travail. Tant que je ne les aurais pas récupérés, je ne me sentirais encore qu'à moitié partie. Le ventre noué, j'appelai Jake à son bureau, mais il n'y était pas. On me dit qu'il était malade. J'appelai à l'appartement. Il décrocha à la première sonnerie.

« Jake, c'est Alice, dis-je bêtement.

— J'ai reconnu ta voix, répondit-il avec sécheresse.

— Tu n'es pas bien ?

— Non. »

Il y eut un silence.

« Écoute, je suis désolée mais il faut que je passe récupérer deux ou trois choses.

— Je serai au boulot demain. Fais-le à ce moment-là.

— Mais je n'ai plus mes clés. »

Je l'entendis respirer à l'autre bout de la ligne. « Tu as vraiment rompu les ponts, hein ? »

Il fut convenu que je passerais à six heures et demie. Après quoi il se fit un nouveau silence. Puis nous échangeâmes un au revoir poli et je reposai le combiné.

C'est impressionnant à quel point il n'est pas vraiment nécessaire de travailler au bureau, c'est fou tout ce qu'on vous passe quand vous vous en fichez. J'aurais voulu m'en rendre compte avant ce jour-là. Personne se semblait avoir remarqué mon retard du matin ni combien de temps je m'étais absentée à midi. Je me rendis à une réunion supplémentaire l'après-midi, à laquelle je ne dis presque rien, ce qui à la sortie me valut les compliments de Mike pour l'efficacité mordante de mes propos. « Vous avez l'air de très bien contrôler la situation ces derniers temps », remarqua-t-il d'une voix nerveuse. Giovanna m'avait dit pratiquement la même chose dans un e-mail un peu plus tôt dans la journée. J'agitai des papiers sur mon bureau, j'en jetai la plupart à la poubelle et donnai consigne à Claudia de ne me passer aucun appel. Juste après cinq heures et demie je me rendis dans les toilettes pour me brosser les cheveux, me laver la figure, passer du rouge sur mes lèvres abîmées et boutonner mon manteau jusqu'en haut de façon à ce qu'on ne distingue pas un centimètre de mes nouveaux vêtements. Puis j'empruntai le chemin jadis familier de mon ancien appartement.

J'arrivai en avance. Je traînai un peu aux alentours, ne voulant pas prendre Jake par surprise, avant qu'il ne se soit préparé pour moi, et je n'avais certes pas envie de tomber sur lui dans la rue. Je tentai de réfléchir à ce que j'allais lui dire. Le fait de me séparer de lui l'avait immédiatement transformé en un inconnu, en un homme plus précieux et plus vulnérable que le Jake ironique et modeste avec qui j'avais vécu. Quelques minutes après six heures et demie, je me rendis jusqu'à la porte et j'appuyai sur la sonnette.

J'entendis des pas dégringoler l'escalier, puis je vis s'approcher une silhouette derrière la vitre dépolie.

« Bonjour, Alice. »

C'était Pauline.

« Pauline. » Je ne savais pas quoi lui dire. Ma meilleure amie, la personne vers qui je me serais tournée dans d'autres circonstances. Elle ne s'écarta pas de l'entrée. Ses cheveux noirs étaient retenus dans un chignon sévère. Elle avait l'air fatiguée. Ses yeux étaient légèrement cernés. Elle ne souriait pas. On aurait dit qu'il y avait des mois, et non quelques jours, que nous ne nous étions pas revues.

« Je peux entrer ? »

Elle s'effaça pour me laisser passer. Je montai l'escalier. Mes vêtements coûteux murmuraient contre ma peau, sous le manteau de Jake. Rien n'avait changé dans l'appartement. Comment aurait-il pu en être autrement ? Mes vestes et mes écharpes pendaient toujours aux crochets de l'entrée. Une photo de Jake et moi, dans les bras l'un de l'autre, un large sourire aux lèvres, décorait toujours la cheminée. Mes pantoufles rouges reposaient sur le sol du salon, près du canapé sur lequel nous étions assis dimanche dernier. Les jonquilles que j'avais achetées à la fin de la semaine dernière étaient toujours dans le vase, un peu plus inclinées cependant. Il y avait une tasse de thé à demi pleine sur la table, à n'en pas douter celle que j'étais en train de boire deux jours plus tôt. Je me sentis perdue, désorientée. Je m'assis lourdement sur le canapé. Pauline resta debout à me regarder. Elle n'avait pas dit un mot.

« Pauline, commençai-je d'une voix rauque. Je sais que j'ai fait quelque chose d'affreux, mais je ne pouvais pas faire autrement.

— Tu veux peut-être que je te pardonne ? » Sa voix vacillait.

« Non. » C'était un mensonge. Bien sûr que je voulais qu'elle me pardonne. « Non, mais tu es mon amie la plus proche. Enfin, je ne suis ni froide, ni sans cœur. Je ne peux rien dire pour ma défense, sauf que je suis tombée amoureuse. Tu ne peux pas ne pas comprendre ça. »

Je la vis tiquer. Bien sûr qu'elle pouvait comprendre. Dix-huit mois plus tôt, elle s'était fait larguer, elle aussi parce qu'il venait de tomber amoureux. Elle s'assit à l'autre bout du canapé, aussi loin de moi que possible.

« Voilà la situation, Alice », commença-t-elle. Je fus frappée de voir combien même notre façon de nous parler avait changé à présent, combien nous nous montrions formelles, presque pédantes. « Si je me laissais faire, bien sûr que je comprendrais. Après tout, vous n'étiez pas mariés, vous n'aviez pas d'enfants. Seulement vois-tu, je n'ai pas envie de comprendre. Pas pour l'instant. C'est mon grand frère, et il a pris un très sale coup. » Sa voix fléchit. L'espace de quelques secondes, je retrouvai la Pauline que j'avais connue. « Honnêtement Alice, si tu le voyais maintenant, si tu pouvais voir à quel point il est ravagé, alors tu ne pourrais pas... » Mais elle s'interrompit. « Peut-être un jour pourrons-nous à nouveau être amies, mais j'aurais le sentiment de le trahir, de le tromper, si j'écoutais ton côté de l'histoire et si j'essayais d'imaginer ce que tu dois éprouver. » Elle se leva. « Je ne veux pas être juste avec toi, vois-tu. En fait, je voudrais te haïr. »

Je hochai la tête puis me levai à mon tour. Je comprenais, bien sûr que je comprenais. « Bon, eh bien je vais prendre quelques vêtements. »

Elle acquiesça et se dirigea vers la cuisine. Je l'entendis remplir la bouilloire.

Dans la chambre, tout était dans l'état habituel. Je descendis ma valise du haut de l'armoire et la posai ouverte sur le sol. Par terre, près de mon côté du grand lit fait avec soin, se trouvait le livre sur l'histoire des horloges dont j'étais arrivée à la moitié. Du côté de Jake, le livre sur l'alpinisme. Je les pris tous les deux et les mis dans la valise. J'ouvris les portes de l'armoire, puis me mis à ôter des vêtements de leurs cintres. J'avais les mains qui tremblaient au point que je n'arrivais pas à les plier correctement. De toute façon, je n'en pris que quelques-uns : je ne pouvais m'imaginer remettre les tenues que j'avais portées auparavant. Je ne pouvais pas croire qu'elles m'iraient encore.

Je regardai dans la penderie, où mes affaires étaient suspendues au milieu de celles de Jake : mes robes à côté de son seul beau costume, mes jupes et mes hauts parmi ses chemises repassées et boutonnées proprement sur leur cintre. Quelques-unes avaient les poignets usés. Les larmes me piquaient les yeux. Je les essuyai d'une main rageuse. De quoi allais-je avoir besoin ? Je tentai de visualiser ma nouvelle vie avec Adam mais m'en trouvai incapable. Tout ce que je pouvais imaginer, c'étaient nos ébats. Je pris quelques pulls, quelques jeans et des T-shirts, deux tailleurs pour le bureau, et tous mes dessous. J'ajoutai ma robe sans manches favorite ainsi que deux paires de chaussures et je laissai tout le reste, il y en avait trop, toutes ces orgies de boutiques en compagnie de Pauline, tous ces achats ravis, gourmands.

J'embarquai toutes mes crèmes, mes lotions et mes produits de maquillage, mais j'hésitai devant mes bijoux. Jake m'en avait offert une bonne partie : plusieurs paires de boucles d'oreilles, un joli pendentif, un large bracelet de cuivre. Je ne savais s'il serait plus douloureux pour lui que je les emporte ou non. Je l'imaginai ce soir, arrivant dans la chambre pour découvrir ce que j'avais pris et tout ce que j'avais laissé, essayant de lire mes sentiments à partir d'indices aussi immatériels. Je pris les boucles d'oreilles que ma grand-mère m'avait laissées le jour où elle était morte, et les bijoux que je possédais avant de vivre avec Jake. Puis je me ravisai, je vidai le petit tiroir et jetai le tout dans la valise.

Il y avait une pile de linge sale dans un coin. J'en retirai un ou deux éléments. Il n'était pas question que je laisse traîner mes sous-vêtements sales. Je me souvins de mon cartable, sous la chaise à côté de la fenêtre, de mon carnet d'adresses et de mon journal. Je n'oubliai pas mon passeport, mon certificat de naissance, mon permis de conduire, mes polices d'assurance ainsi que mon livret d'épargne, qui se trouvaient dans une chemise avec tous les papiers personnels de Jake. Je décidai de ne pas prendre l'affiche épinglée sur le mur au-dessus du lit, même si mon père me l'avait donnée des années avant que je commence à sortir avec Jake. Il n'était pas non plus question que je prenne aucun des livres ni des disques. Et je n'allais pas me disputer pour la voiture, dont j'avais réglé le premier versement six mois plus tôt, mais dont Jake continuait à payer les échéances.

Pauline était assise sur le canapé dans le salon, à boire une tasse de thé. Elle me regarda prendre trois lettres qui m'étaient adressées sur la table et les glisser dans ma serviette. J'avais fini. Je me retrouvais avec une valise pleine de vêtements et un sac en plastique bourré de choses et d'autres.

« C'est tout ? Tu voyages léger, non ? »

Je haussai les épaules, honteuse. « Je sais. Il faudra que je fasse un vrai tri bientôt. Pas tout de suite.

— Alors comme ça, ce n'est pas une passade ? »

Je levai les yeux vers elle. Ils étaient bruns, comme ceux de Jake. « Non, ce n'est pas une passade.

— Et Jake ne devrait pas continuer à espérer que tu reviennes vers lui ? À attendre tous les jours au cas où tu réapparaîtrais ?

— Non. »

Il me fallait sortir de cet appartement pour pouvoir hurler. Je me dirigeai vers la porte. Je décrochai une écharpe au passage. Il faisait froid et noir dehors.

« Pauline, tu peux dire à Jake que je m'occuperai du reste... (J'embrassai toute la pièce d'un ample geste vague de la main, toutes les affaires que nous avions partagées.) ... quand il voudra. »

Elle me fixa sans me répondre.

« Alors au revoir. »

Nous restâmes à nous regarder. Je vis qu'elle aussi voulait que je m'en aille pour pouvoir pleurer.

« Oui », répondit-elle.

« Je dois avoir une mine affreuse.

— Non. » D'un coin de sa chemise, il essuya mes yeux et mon nez qui coulait.

« Je suis désolée. Ça a été si douloureux.

— Les meilleures choses naissent dans la douleur. Bien sûr que c'est douloureux. »

À une autre époque, j'aurais protesté. Je ne crois pas que la douleur soit nécessaire ni anoblissante. Mais j'étais trop loin de tout ça. Un nouveau sanglot me monta dans la poitrine. « Et j'ai tellement peur. » Il ne répondit pas. « J'ai tout abandonné pour toi. Oh, mon Dieu !

— Je sais. Je sais que tu as tout abandonné. »

Nous avançâmes jusqu'à un restaurant sans prétention au coin de la rue. Je devais m'appuyer contre lui, de peur de m'effondrer faute de soutien. Nous nous assîmes dans un coin sombre et bûmes une coupe de champagne, qui me monta directement à la tête. Il posa la main sur ma cuisse sous la table tandis que je regardais le menu en m'efforçant de me concentrer. Nous prîmes des pavés de saumon accompagnés de champignons des bois et de salade, avec une bouteille de blanc frais aux reflets verts. Je n'arrivais pas à savoir si je me sentais euphorique ou désespérée. Tout me paraissait excessif. Chaque regard qu'il m'adressait me faisait l'effet d'une caresse, chaque gorgée de vin ruait dans mes veines. J'avais les mains qui tremblaient quand je tentais de couper un morceau dans mon assiette. Quand il m'effleurait sous la table il me semblait que mon corps allait exploser en mille petites particules sensibles.

« Est-ce que ça a déjà été comme ça pour toi ? » Il secoua la tête.

Puis je lui demandai qui il y avait eu avant moi. Il me dévisagea un long moment. « C'est difficile d'en parler. » J'attendis. Si j'avais quitté tout mon univers pour lui, le moins qu'il puisse faire était de me parler de sa petite amie précédente. « Elle est morte, finit-il par dire.

— Oh. » Le choc que je ressentis se mêlait à la consternation. Comment pouvais-je me mesurer à une morte ?

« Sur la montagne, continua-t-il, les yeux baissés sur son verre.

— Tu veux dire, celle dont tu m'as parlé ?

— Le Chungawat. C'est ça. »

Il but quelques gorgées de son verre, puis fit un signe au serveur. « Pourrions-nous avoir deux whiskies, s'il vous plaît ? »

Quand les verres arrivèrent, nous les vidâmes d'un trait. Je lui pris la main entre les assiettes. « Tu l'aimais ?

— Pas comme je t'aime. » J'appuyai sa main contre mon visage. Comment était-il possible d'être si jalouse d'une femme qui était morte avant qu'il ne pose les yeux sur moi ?

« Il y en a eu beaucoup d'autres ?

— Quand je suis avec toi, je sais que non. » Ce qui signifiait, bien sûr, qu'elles avaient été nombreuses.

« Pourquoi moi ? »

Adam semblait perdu dans ses pensées. « Comment aurait-il pu en être autrement ? » finit-il par demander.

10

CONTRE toute attente, je me retrouvai avec quelques minutes de libre avant une réunion. Du coup, je pris mon courage à deux mains et j'appelai Sylvie. Du fait qu'elle est avocate, il ne m'avait jamais été facile de la joindre. Mais jusqu'à présent, elle m'avait en général rappelée quelques heures plus tard, voire le lendemain matin.

Cette fois-ci, ce ne fut qu'une question de secondes. « Alice, c'est toi ?

— Oui, répondis-je faiblement.

— Il faut que je te voie.

— Ça serait sympa. Mais tu es sûre ?

— Tu fais quelque chose aujourd'hui ? Après le boulot ? »

Je réfléchis. Tout à coup les choses semblaient compliquées. « Je retrouve... euh... Je retrouve quelqu'un en ville.

— Où ça ? À quelle heure ?

— Une boutique au nom idiot. C'est dans une librairie à Covent Garden. À six heures et demie.

— On pourrait se voir avant. »

Sylvie insista. Nous pourrions chacune sortir plus tôt et nous retrouver à six heures moins le quart dans un café qu'elle connaissait près de Saint Martin's Lane. Ce fut un peu acrobatique. Il me fallut prendre de nouvelles dispositions pour une conférence téléphonique prévue en fin d'après-midi, mais j'arrivai au rendez-vous à six heures moins vingt, nerveuse et à bout de souffle. Sylvie était déjà installée à une table dans le coin, à fumer une cigarette devant une tasse de café. Quand je m'approchai, elle se leva pour m'embrasser. « Je suis contente que tu aies appelé. »

Nous nous assîmes. Je commandai un café. « Ça me fait plaisir que tu le sois. J'ai l'impression d'avoir laissé tomber tout le monde. »

Elle me regarda. « Pourquoi ? »

Je ne m'étais pas attendue à une telle réaction, je ne m'y sentais pas préparée. J'étais venue dans le but de me faire rabrouer, de ranimer mon sentiment de culpabilité.

« Il y a Jake. »

Sylvie alluma une nouvelle cigarette en me gratifiant d'un demi-sourire. « En effet, il y a Jake.

— Tu l'as vu ?

— Oui.

— Comment est-il ?

— Il a maigri. Il s'est remis à fumer. Parfois il ne dit pas un mot, parfois il parle tant de toi que personne ne peut glisser le moindre mot. Il pleure. C'est ça que tu veux entendre ? Mais il s'en remettra. Comme tout le monde. Il ne va pas passer le reste de sa vie au trente-sixième dessous. Rares sont ceux qui meurent d'une peine de cœur. »

Je bus une gorgée de café. Il était encore trop chaud, ce qui me fit tousser. « Je l'espère. Je suis désolée, j'ai l'impression de rentrer de vacances et de n'être plus au courant de rien. »

Le silence qui suivit nous mit à l'évidence toutes deux mal à l'aise.

« Comment va Clive ? bégayai-je en désespoir de cause. Et comment s'appelle-t-elle déjà ?

— Gail. Il est de nouveau amoureux. Et elle est marrante. »

Nouveau silence. Sylvie me dévisagea, pensive. « Comment est-il ? »

Je sentis mes joues s'enflammer et ma langue, curieusement, se paralyser. Sous le coup d'une douleur qui m'échappait, je me rendis compte que cette histoire — Adam et moi — s'était développée entièrement en cachette. Rien n'avait encore filtré au profit de l'extérieur. Nous n'étions jamais arrivés à une soirée ensemble. Personne ne nous avait vus en couple. Et à présent il y avait Sylvie, curieuse de savoir pour elle-même, mais aussi, soupçonnai-je, envoyée en délégation par l'Équipe avec mission de me soutirer des informations qu'elle pourrait leur rapporter pour alimenter leurs discussions. J'éprouvai le désir soudain de conserver le secret encore quelque temps. J'eus l'envie de battre en retraite, dans une chambre une fois encore, rien que nous deux. Je ne voulais pas me retrouver phagocytée, devenir la cible de leurs commérages et de leurs spéculations. À la seule pensée d'Adam et de son corps, mon propre corps fut parcouru de frissons. Tout à coup l'idée de voir s'installer une routine, de nous voir devenir une entité figée, me glaça les sangs. Adam et Alice qui vivaient ensemble, possédaient des biens en commun, se rendaient ici et là ensemble. Et pourtant c'est aussi ce que je désirais.

« Bon Dieu ! soupirai-je. Je ne sais pas quoi dire. Il s'appelle Adam et... eh bien, il est complètement différent de tous les hommes que j'ai rencontrés auparavant.

— Je sais, dit Sylvie. C'est merveilleux au début, n'est-ce pas ? »

Je secouai la tête. « Ce n'est pas de ça dont il s'agit. Écoute, toute ma vie s'est déroulée plus ou moins sur des rails. J'étais assez intelligente à l'école, plutôt appréciée. Jamais on ne m'a bousculée ou rien de la sorte. Je m'entendais bien avec mes parents, sans excès, mais... enfin, tu sais tout ça. Et j'ai eu des petits copains sympas, parfois je les quittais, parfois c'étaient eux. Et puis je suis allée à l'université, j'ai trouvé du travail, j'ai rencontré Jake, on s'est installés et... Qu'est-ce que j'ai fait pendant toutes ces années ? »

Les sourcils bien dessinés de Sylvie se dressèrent d'un coup. L'espace d'un instant elle me parut courroucée. « Tu vivais ta vie, comme nous tous.

— Ou alors n'est-ce pas plutôt que je me contentais de suivre le mouvement, sans rien toucher pour de vrai, sans me laisser approcher ? Tu n'as pas besoin de me répondre. Je pensais tout haut. »

Nous bûmes nos cafés qui refroidissaient.

« Qu'est-ce qu'il fait ?

— Il n'a pas vraiment de métier stable comme nous. Il fait des trucs ici et là pour trouver de l'argent. Mais sa véritable activité, c'est la montagne. »

L'étonnement réel de Sylvie m'emplit de satisfaction. « Vraiment ? Tu veux dire qu'il est alpiniste ? »

— Oui.

— Je reste sans voix. Où vous êtes-vous rencontrés ? Pas à la montagne quand même ?

— C'est tout récent, répondis-je, évasive. On est tombés l'un sur l'autre, c'est aussi simple que ça.

— Quand ça ?

— Il y a quelques semaines.

— Et depuis vous n'êtes pas sortis du lit. » Je ne répondis pas. « Tu vas vraiment t'installer avec lui ?

— On dirait bien. »

Sylvie tira une bouffée de sa cigarette. « Alors comme ça, c'est le grand amour.

— C'est l'amour. Ça m'a mise sur le flanc. »

Sylvie se pencha en avant, l'air canaille. « Tu devrais faire attention. C'est toujours comme ça au début. Ils ne peuvent pas te lâcher, tu les obsèdes. Ils veulent te baiser en permanence, t'en mettre plein la bouche, ce genre de truc...

— Sylvie ! m'exclamai-je, horrifiée. Pour l'amour du ciel !

— Qu'est-ce que tu veux, c'est la vérité », continua-t-elle sur le même ton effronté, soulagée de se retrouver sur un terrain familier, dans le rôle de l'intrépide Sylvie qui raconte des cochonneries. « Ou au moins de façon métaphorique. Mais tu devrais faire attention, c'est tout. Je ne dis pas que tu ne devrais pas le faire. Fais-toi plaisir. Joue le grand jeu, lâche-toi, aussi longtemps que tu ne prends pas de risques physiques.

— Mais enfin de quoi parles-tu ? »

Elle prit soudain un petit air prude. « Tu veux que je te fasse un dessin ? »

Nous commandâmes deux nouveaux cafés. Sylvie continua à me bombarder de questions, jusqu'à ce que je regarde ma montre pour m'apercevoir qu'on était tout près de la demie. Je ramassai mon sac. « Il faut que j'y aille », dis-je précipitamment. Après que j'eus payé, Sylvie me suivit dehors. « De quel côté tu vas ? Je vais t'accompagner, si ça ne t'ennuie pas.

— Pourquoi ?

— Il y a ce bouquin que je dois acheter, répondit-elle sans se laisser démonter. Tu as bien rendez-vous dans une librairie ?

— C'est bon. Tu peux le rencontrer. Ça ne me gêne pas.

— Je veux juste un bouquin », protesta-t-elle.

Ce n'était qu'à quelques minutes de marche, un magasin spécialisé dans les livres de voyages et les cartes.

« Il est là ? demanda Sylvie au moment où nous entrâmes.

— Je ne le vois pas. Tu ferais aussi bien d'aller chercher ton livre. »

Sylvie marmonna quelque chose comme quoi il y avait peu de chances qu'elle le trouve ici et nous commençâmes à errer dans les rayons. Je m'arrêtai devant un présentoir de globes terrestres. Je pouvais toujours retourner à l'appartement s'il ne venait pas. Je sentis un petit coup dans mon dos, puis deux bras s'enroulèrent autour de moi et quelqu'un enfouit son nez dans mon cou. Adam. Quand il m'entourait de ses bras j'avais toujours l'impression qu'il faisait deux tours. « Alice », murmura-t-il.

Quand il me libéra, je vis qu'il y avait deux hommes qui nous regardaient d'un air amusé. Ils étaient tous les deux grands, comme Adam. Le premier avait les cheveux châtains, très clairs, presque blonds, la peau fine, les pommettes saillantes. Il portait une veste de grosse toile qui devait mieux convenir à un marin en haute mer. L'autre était plus brun, avec de très longs cheveux bouclés. Il était affublé d'un long manteau gris qui lui descendait presque jusqu'aux chevilles. « Je te présente Daniel », fit Adam en désignant l'homme blond. « Et voilà Klaus. »

Les mains que je serrai tour à tour étaient très grandes.

« Ravi de vous rencontrer Alice », dit Daniel, soulignant ses paroles d'un petit signe de tête. Il avait un léger accent, peut-être scandinave. Adam ne m'avait pas présentée par mon prénom, mais ils le connaissaient. Il devait leur avoir parlé de moi. Ils me dévisageaient d'un œil appréciateur. La dernière petite amie d'Adam. Je leur rendis la pareille, m'obligeant à soutenir leur regard tout en planifiant une autre virée dans les magasins dans un avenir très proche.

Je sentis une présence à mes côtés. Sylvie. « Adam, je te présente une amie, Sylvie. »

Adam tourna lentement la tête. Il lui serra la main. « Sylvie », répéta-t-il, presque comme s'il pesait son nom intérieurement.

« C'est ça, répondit-elle. Je veux dire, bonjour. »

Soudain, je perçus Adam et ses amis à travers les yeux de

94

Sylvie, je vis des hommes grands, forts, qui avaient l'air de débarquer d'une autre planète, bizarrement vêtus, beaux, étranges, inquiétants. Elle fixait Adam, comme fascinée, mais il se retourna vers moi. « Daniel et Klaus vont peut-être te paraître un peu déphasés. Ils sont encore à l'heure de Seattle. » Il me prit la main qu'il approcha de son visage. « On va à côté. Vous voulez nous accompagner ? » Ces derniers mots étaient à l'attention de Sylvie, vers qui il tourna brusquement la tête. Je la vis retenir un sursaut.

« Non », répondit-elle, sur le ton de quelqu'un à qui on viendrait d'offrir une drogue très tentante, mais extrêmement dangereuse. « Non... J'ai... euh... Je dois...

— Elle a un livre à acheter, terminai-je.

— C'est ça, reprit-elle d'une voix vacillante. Et autre chose. C'est important.

— Ce sera pour une autre fois », dit Adam.

Nous sortîmes. Je me retournai pour lancer un clin d'œil à Sylvie. J'avais l'impression de me trouver dans un train qui s'éloignait du quai en la laissant seule. Elle avait l'air abasourdie ou sidérée, je ne sais pas. Tandis que nous marchions, Adam posa sa main dans mon dos pour me guider. Après avoir tourné une ou deux fois, nous arrivâmes dans une minuscule allée. Je levai vers Adam un œil interrogateur, mais il appuya sur la sonnette d'une porte sans nom. Quelqu'un tira le verrou et nous montâmes quelques marches jusqu'à une salle coquette ornée d'un bar, d'une cheminée, de tables et de chaises éparpillées ici et là.

« C'est un club privé ?

— En effet », répondit Adam. La chose lui semblait si évidente qu'une explication s'avérait inutile. « Va t'asseoir dans la salle d'à côté. Je vais chercher des bières. Klaus va pouvoir te parler de son bouquin de merde. »

Je suivis Daniel et Klaus jusqu'à une salle plus petite, garnie elle aussi de quelques tables. Nous nous en choisîmes une. « Quel bouquin ? » demandai-je. Klaus sourit. « Ton... » Il se reprit. « Adam m'en veut à mort. J'ai écrit un bouquin sur l'expédition de l'année dernière. » Il avait un accent américain.

« Vous y étiez ? »

Il leva les mains. Il n'avait plus de petit doigt à la main gauche. Il lui manquait aussi une phalange à l'annulaire.

Sur sa main droite, la moitié du petit doigt avait également disparu.

« J'ai eu de la chance. Plus que ça, même. C'est Adam qui m'a aidé à redescendre. Il m'a sauvé la vie. » Il sourit à nouveau. « Je peux le dire quand il n'est pas dans la pièce. Dès qu'il rentrera, je recommencerai à le traiter de con. »

Adam revint dans la pièce les mains chargées de bouteilles, puis ressortit pour rapporter des assiettes de sandwiches.

« Vous êtes de vieux amis ? demandai-je.

— Amis, collègues, répondit Daniel.

— Daniel a été recruté pour une nouvelle randonnée organisée dans l'Himalaya l'année prochaine. Il veut que je l'accompagne.

— Tu vas y aller ?

— Je crois. » L'inquiétude dut se lire sur mon visage, parce qu'Adam se mit à rire. « Il y a un problème ?

— C'est ton métier. Il n'y a pas de problème. Fais juste attention où tu mets les pieds. »

Son expression devint sérieuse et il se pencha pour m'embrasser avec douceur. « Bien », conclut-il, comme si j'avais passé l'épreuve.

Je pris une gorgée de bière, m'enfonçai dans mon fauteuil et me mis à les observer tandis qu'ils parlaient de choses que je comprenais à peine, de logistique, d'équipements, de créneaux opportuns. Ou, pour être plus exacte, ce n'est pas tant que je ne comprenais pas ce dont il parlait, mais plutôt que je n'avais pas envie de les suivre dans le détail. J'éprouvais un grand plaisir à écouter Adam, Daniel et Klaus discuter d'un sujet qui les touchait si intensément. J'aimais entendre les mots techniques que je ne saisissais pas. Parfois j'osais observer le visage d'Adam à la dérobée. L'urgence qui se lisait sur ses traits me rappelait quelque chose. Soudain, cela me revint. C'était l'expression qu'il avait arborée quand je l'avais vu pour la première fois. Quand je l'avais vu me voir pour la première fois.

Plus tard, alors que nous étions couchés, nos vêtements éparpillés là où nous les avions jetés, Sherpa ronronnant à nos pieds — c'était le chat de l'appartement, il n'avait pas de nom auparavant, du coup je l'avais baptisé Sherpa en référence à la seule chose que je savais des expéditions dans l'Himalaya — Adam m'a interrogée au sujet de Sylvie. « Qu'est-ce qu'elle a dit ? »

Le téléphone se mit à sonner.

« Tu décroches cette fois », dis-je.

Adam fit une grimace avant de saisir le combiné. « Allô ? »

Il y eut un silence, puis il raccrocha.

« C'est comme ça chaque soir et chaque matin, remarquai-je avec un sourire désenchanté. C'est quelqu'un qui a un boulot régulier. Ça commence à me filer la chair de poule.

— C'est sans doute un problème technique, répondit Adam. Ou alors c'est quelqu'un qui veut parler à l'ancien locataire. Qu'est-ce qu'elle a dit ?

— Elle voulait savoir des choses sur toi. » Adam émit un grognement. Je l'embrassai, mordillant doucement son adorable lèvre inférieure, si pleine. Puis j'augmentai la pression. « Et elle a dit que je devais en profiter. Aussi longtemps que je ne me faisais pas blesser. »

La main qui me caressait le dos m'aplatit soudain sur le lit. Je sentis les lèvres d'Adam contre mon oreille. « J'ai acheté de la crème aujourd'hui. De la Nivéa. Je ne veux pas te blesser. Je veux juste te faire mal. »

11

« NE bouge pas. Reste comme ça. » Adam était debout au pied du lit. Il m'épiait derrière l'objectif d'un appareil photo, un Polaroïd. Je me tournai pour le regarder, toute sommeilleuse. J'étais allongée sur les draps, nue. Seuls mes pieds étaient cachés. Le soleil d'hiver traversait faiblement le voilage tiré.

« Je me suis rendormie ? Depuis combien de temps es-tu là ?

— Ne bouge pas, Alice. » L'éclair du flash m'éblouit quelques instants, puis, dans un ronronnement, le carton plastifié émergea. On aurait dit que l'appareil me tirait la langue.

« Au moins tu n'iras pas porter ça chez Boots pour le faire développer.

— Mets les bras au-dessus de la tête. C'est ça. » Il s'approcha pour m'écarter les cheveux du front, puis recula à nouveau. Tout habillé, armé de son appareil, il était animé d'une concentration froide. « Ouvre un peu plus les jambes.

— J'ai froid.

— Je te réchaufferai bientôt. Attends. »

À nouveau l'appareil émit un flash.

« Pourquoi tu fais ça ?

— Pourquoi ? » Il posa l'appareil et s'assit à côté de moi. Les deux photos gisaient sur le lit. Je m'observai prendre forme. Les clichés me semblaient cruels. J'avais la peau boursouflée, pâle, granuleuse. Je songeai au photographe de la police qu'on voit s'activer sur le lieu du crime dans les films, mais tentai d'écarter cette image. Il me prit la

98

main, qui reposait encore placidement au-dessus de ma tête, et la pressa contre sa joue. « Parce que je le veux. » Il enfouit sa bouche dans ma paume.

La sonnerie du téléphone retentit. Nous échangeâmes un regard. « Ne décroche pas, dis-je. Ça va encore être lui.

— Lui ?

— Ou elle. »

Nous attendîmes que la sonnerie cesse.

« Et si c'était Jake ? m'exclamai-je. Le responsable de ces coups de fil ?

— Jake ?

— Qui d'autre veux-tu que ce soit ? Ces appels ont commencé dès que je me suis installée, tu m'as dit que tu n'en recevais pas avant. » Je le regardai. « Ou alors c'est peut-être une amie. »

Adam haussa les épaules. « Peut-être. » Il reprit l'appareil photo, puis je m'assis tant bien que mal sur le lit.

« Il faut que je me lève. Tu peux allumer le radiateur de la salle de bains pour moi ? »

L'appartement, situé au dernier étage d'un immeuble victorien, était spartiate. À peine meublé, il n'était pas pourvu du chauffage central. Mes vêtements occupaient un coin de la grande armoire sombre, tandis que les affaires d'Adam étaient empilées avec soin au bout de la chambre, dans leur valise. Les tapis étaient usés, les rideaux effilochés. Une ampoule nue pendait au-dessus de la petite gazinière dans la cuisine. Nous cuisinions rarement. Au lieu de cela, nous dînions chaque soir dans de petits restaurants mal éclairés avant de retrouver le lit surélevé et nos caresses enflammées. J'étais aveuglée par la passion. Tout ce qui se trouvait en dehors de moi et d'Adam me paraissait flou, irréel. Durant toute ma vie auparavant j'avais été un sujet libre, maîtresse de mon existence et sûre de mes mouvements. Aucune de mes aventures ne m'avait vraiment écartée de cette voie. À présent j'étais à la dérive, perdue. J'étais prête à donner n'importe quoi pour sentir ses mains sur mon corps. Parfois, quand je me réveillais la première dans les heures sombres du petit matin, allongée dans le lit d'un inconnu, alors qu'il était encore plongé dans le monde secret des rêves, ou bien quand je quittais le bureau, avant de voir Adam et de sentir l'extase continue de sa présence, j'étais prise de panique à l'idée de me perdre dans un autre.

Ce matin j'avais mal. Dans la glace de la salle de bains, je découvris une écorchure livide le long de mon cou. J'avais les lèvres enflées. Adam entra et se planta derrière moi. Nos yeux se croisèrent dans le miroir. Il se lécha un doigt qu'il fit courir le long de la griffure. J'enfilai mes vêtements puis me tournai vers lui.

« Qui était la fille avant moi ? Non, ne hausse pas les épaules. Je ne rigole pas. »

Il s'arrêta un instant, comme pour soupeser les possibilités qui s'offraient à lui.

« Pourquoi ne pas faire un marché », déclara-t-il. La proposition me parut horriblement formelle. Mais, à vrai dire, il ne pouvait peut-être pas en être autrement. D'habitude les détails de notre vie amoureuse passée s'échappent lors de confessions consenties tard dans la nuit, durant les conversations qui suivent l'amour, où chacun lâche des bribes d'information en signe d'intimité ou de confiance. Nous n'étions pas passés par là. Adam me tendit ma veste. « Nous allons descendre prendre un petit déjeuner tardif, après quoi il faudra que j'aille récupérer des affaires. Ensuite... (Il ouvrit la porte.) ... nous nous retrouverons ici et tu pourras me dire qui tu as connu, puis ce sera mon tour.

— Tu me diras tout ?

— Tout. »

« ... Et avant lui, il y a eu Rob. Un infographiste qui se prenait pour un artiste. Il avait pas mal d'années de plus que moi, et puis une fille de dix ans qu'il avait eue avec sa première femme. C'était un type assez calme, mais...

— Qu'est-ce que vous faisiez ?

— Comment ?

— Que faisiez-vous ensemble ?

— Eh bien, on allait au ciné, au pub, on se baladait...

— Tu sais très bien ce que je veux dire. »

Bien sûr que je le savais. « Bon Dieu, Adam. Un tas de trucs. C'était il y a des années. Je ne me souviens pas des détails. » Ce qui était un mensonge, bien entendu.

« Tu étais amoureuse de lui ? »

Je revis avec mélancolie le bon visage de Rob, les moments heureux que nous avions vécus. Je l'avais adoré, du moins pendant quelque temps. « Non.

— Continue. »

Cette conversation me déplaisait. Adam était assis en face de moi, derrière la table. Il avait les mains jointes, son regard perçait le mien. J'avais déjà du mal à parler de sexualité en règle générale, mais c'était encore plus pénible sous le feu de cet interrogatoire.

« Ensuite il y a eu Laurent, mais ça n'a pas duré », marmonnai-je. Un type marrant, mais impossible.

« Oui.

— Et puis Joe, un type avec qui je travaillais.

— Tu étais dans la même boîte que lui ?

— En un sens. Et non, nous n'avons pas fait l'amour derrière la photocopieuse. »

Je poursuivis cette pesante confession sans joie. Je m'étais attendue à des aveux mutuels pimentés d'érotisme, qui se seraient terminés au lit. Au lieu de quoi je me retrouvais à égrener avec froideur le nom des hommes qui avaient occupé une place à la fois accessoire et importante dans ma vie d'une façon que je ne pouvais pas expliquer à Adam, pas ici à cette table. « Avant lui il y a eu le lycée et l'université, enfin, tu comprends... » Je laissai la phrase en suspens. L'idée de passer en revue la liste assez courte des petits copains et des aventures d'un soir de beuverie me semblait au-dessus de mes forces. Je pris une profonde inspiration. « Bon, si c'est ce que tu veux. Michael. Ensuite Gareth. Et puis Simon, avec qui je suis sortie un an et demi, et puis un type qui s'appelait Christopher, une fois. » Il me regarda. « Et un mec dont je n'ai jamais su le nom, à une fête où je ne voulais pas aller. Voilà.

— C'est tout ?

— Oui.

— Avec qui as-tu fait l'amour pour la première fois ? Quel âge avais-tu ?

— J'étais âgée comparée à mes copines. C'était Michael. J'avais dix-sept ans.

— Comment c'était ? »

Bizarrement, la question ne me parut pas embarrassante. Peut-être parce que cela me semblait très loin, parce que

101

l'adolescente d'alors était très éloignée de la femme que j'étais maintenant. L'expérience s'était révélée captivante. Étonnante. Fascinante.

« Horrible, répondis-je. Douloureux. Sans plaisir. »

Il se pencha en avant, toujours sans me toucher.

« Tu as toujours aimé l'amour ?

— Euh, non, pas toujours.

— Tu as déjà fait semblant ?

— Comme toutes les femmes.

— Avec moi ?

— Jamais. Oh ça non.

— On peut baiser, maintenant ? » Il était toujours assis assez loin de moi, très raide sur la chaise de cuisine inconfortable.

Je parvins à rire. « Certainement pas. C'est ton tour. »

Il soupira, s'inclina contre le dossier de sa chaise, et se mit à lever les doigts, faisant le pointage de ses aventures à la manière d'un comptable. « Avant toi, il y a eu Lily, que j'avais rencontrée l'été dernier. Avant elle, il y a eu Françoise, pendant quelques années. Avant, c'était... euh...

— Tu as du mal à te souvenir ? » Derrière le sarcasme, je ne pus réprimer un tremblement dans ma voix. Je priai pour qu'il ne le remarque pas.

« Non. Lisa. Et avant Lisa une fille nommée Penny. » Il marqua une pause. « Une bonne grimpeuse.

— Combien de temps ? » Je m'étais attendue à un catalogue de conquêtes, pas à cette liste pragmatique de liaisons sérieuses. Je ressentis soudain comme une brûlure d'estomac.

« Dix-huit mois, quelque chose de cet ordre.

— Oh. » Nous restâmes assis en silence. « Tu étais fidèle ? » Je me forçai à poser la question. Ce que je voulais savoir, c'est si elles avaient toutes été belles, plus que moi.

Son regard se posa sur moi. « Ce n'était pas comme aujourd'hui. Je n'éprouvais pas pour elles cet amour exclusif.

— Combien de fois les as-tu trompées ?

— Je voyais d'autres filles.

— Combien ? »

Il fronça les sourcils.

« Je t'en prie, Adam. Une fois ? Deux, vingt fois ? Quarante ou cinquante ?

— Quelque chose comme ça.

— Quelque chose comme quarante ou cinquante ?

— Alice, viens ici.

— Non ! Non, tout cela est... C'est épouvantable. Je veux dire, pourquoi suis-je différente ? » Une pensée me frappa. « Tu ne m'as pas...

— Non ! » Le ton de sa voix était cassant. « Bon sang, Alice, tu ne vois pas ? Tu ne sens pas ? Il n'y a personne à part toi aujourd'hui.

— Comment puis-je savoir ? » Je m'entendis geindre. « J'ai l'impression d'arriver un peu tard à la fête. » Toutes ces femmes qui peuplaient sa vie. Je n'avais aucune chance.

Il se leva, fit le tour de la table. Il me redressa et prit mon visage entre ses mains. « Tu sais ce qu'il en est, Alice, n'est-ce pas ? »

Je secouai la tête.

« Alice, regarde-moi. » Il me força à lever la tête et me transperça d'un regard profond. « Peux-tu me faire confiance ? Est-ce que tu veux faire quelque chose pour moi ?

— Ça dépend, répondis-je d'une voix boudeuse, tel un enfant contrarié.

— Attends.

— Où ça ?

— Ici. Je serai de retour dans une minute. »

Ce fut un peu plus long, mais il revint au bout de quelques minutes. Je n'avais pas encore eu le temps de finir une tasse de café que la sonnette retentit. Il a une clé, me dis-je. Je ne répondis pas, mais il n'entra pas et appuya à nouveau sur le bouton. Du coup, je descendis avec un soupir. J'ouvris la porte. Adam n'y était pas. Un coup de klaxon me fit sursauter. Je tournai la tête : il était assis dans une voiture, une vieille guimbarde informe. Je me dirigeai vers lui, me penchant au niveau de la vitre avant.

« Qu'en penses-tu ?

— Elle est à toi ?

— Pour l'après-midi. Monte.

— Où allons-nous ?

— Fais-moi confiance.

103

« — Ça a intérêt à valoir le coup. Je ferais mieux d'aller fermer la porte, non ?

— Je m'en charge. J'ai un truc à prendre. »

Je songeai sérieusement à désobéir, pourtant je finis par faire le tour et par m'installer du côté passager. Pendant ce temps Adam se précipita dans l'immeuble. Il en ressortit une minute plus tard.

« Qu'est-ce que tu es allé chercher ?

— Mon portefeuille. Et puis ça. » Il projeta le Polaroïd sur le siège arrière.

Oh, mon Dieu ! pensai-je. Mais je ne dis rien.

Je gardai les yeux ouverts suffisamment longtemps pour voir que nous quittions Londres par la M1, à la suite de quoi, comme toujours quand on me conduit quelque part, je m'endormis. À un moment, une légère embardée me réveilla, et je découvris que nous avions quitté l'autoroute et traversions à présent un paysage broussailleux et sauvage.

« Où sommes-nous ?

— C'est une promenade mystère », répondit Adam avec un sourire.

Je me laissai aller à un demi-sommeil. Quand je revins à moi, je ne manquai pas de remarquer une vieille église saxonne au bord de la route, dans un paysage sans autres signes distinctifs. « Eadmund avec un A, dis-je d'une voix endormie.

— Il a perdu la tête, répondit Adam à côté de moi.

— Comment ?

— C'était un roi anglo-saxon. Quand les Vikings l'ont attrapé, ils l'ont zigouillé puis découpé en morceaux. Ils ont éparpillé son corps dans tous les coins. Son armée n'arrivait pas à le retrouver. Alors il y a eu un miracle. Sa tête s'est mise à crier "Je suis là" jusqu'à ce qu'ils la retrouvent.

— Si seulement les clés pouvaient faire pareil. Combien de fois j'ai espéré que les clés de la maison me fassent signe pour m'éviter de fouiller la moindre de mes poches jusqu'à ce que j'arrive à remettre la main dessus. »

La route bifurquait devant un monument aux morts alambiqué, surmonté d'un aigle, à la mémoire des pilotes de la RAF. Nous prîmes à droite.

« Nous y voilà », déclara Adam.

Il se rangea sur le côté de la route avant de couper le moteur.

« Où ça ? »

Adam se tourna pour récupérer l'appareil photo sur la banquette arrière. « Viens.

— J'aurais dû mettre mes bottes.

— On en a pour deux cents mètres, pas plus. »

Adam me prit la main. Nous nous écartâmes de la route pour suivre un chemin. Puis nous le quittâmes pour pénétrer dans une forêt. Ensuite nous grimpâmes une côte glissante, encore couverte des feuilles de l'automne en voie de décomposition. Adam était resté silencieux, perdu dans ses pensées. Je faillis sursauter quand il se mit à parler.

« J'ai escaladé le K2 il y a quelques années. » J'accueillis ces paroles d'un petit signe de tête accompagné d'une formule d'acquiescement, mais il semblait perdu dans son monde à lui. « Un tas de très très grands alpinistes ne l'ont jamais fait, un paquet de grands grimpeurs sont morts dans l'ascension. Une fois au sommet j'ai eu conscience que c'était presque certainement la plus belle ascension que je ferais jamais, mais je n'ai rien ressenti. J'ai regardé autour de moi, mais... » Il fit un geste méprisant. « Je suis resté là-haut environ un quart d'heure, à attendre que Kevin Doyle me rejoigne. Pendant tout ce temps j'ai calculé le temps qu'il nous restait, vérifié mon équipement, évalué les provisions dans ma tête, décidé de la voie à prendre pour la descente. Alors même que je regardais la vue, la montagne ne représentait rien d'autre qu'un problème à mes yeux.

— Alors, pourquoi tu le fais ? »

Il accueillit ma question d'un air renfrogné. « Non, tu ne comprends pas ce que je veux dire. Regarde. » Nous émergions de la forêt pour nous retrouver dans une sorte de prairie, presque une lande. « Voilà le paysage que j'aime. » Il m'entoura de ses bras. « Je suis déjà venu ici une fois auparavant, et il m'a semblé que c'était un des endroits les plus beaux que j'aie jamais vus. Nous habitons une des îles les plus peuplées du monde, mais nous voilà sur un bout de prairie à l'écart d'un sentier lui-même à l'écart d'un chemin éloigné de la route. Regarde avec mes yeux, Alice. Regarde en bas, l'église devant laquelle nous sommes passés, nichée dans ce sol comme si elle y avait poussé. Et regarde ces champs, en contrebas de l'église, même s'ils semblent très près : une table de verdure. Viens te mettre ici, à côté de ce buisson d'aubépine. »

Adam me positionna avec beaucoup d'attention. Puis il se planta face à moi, tournant la tête comme pour s'orienter avec précision. Je me dégageai de ses bras, à la fois déconcertée et mal à l'aise. Qu'est-ce que tout cela avait à voir avec ses dizaines d'infidélités ?

« Et puis il y a toi, Alice, mon seul amour », dit-il, s'écartant d'un pas en arrière pour me contempler, comme si j'étais un bijou précieux qu'il avait placé dans une vitrine. « Tu connais l'histoire selon laquelle nous sommes tous séparés en deux et passons notre vie à rechercher notre autre moitié ? Et l'espoir, que, peut-être, nous l'avons enfin trouvée est présent dans chaque aventure que nous avons, si stupide ou insignifiante soit-elle ? » Ses yeux virèrent soudain au noir, comme la surface d'un lac quand un nuage est venu obscurcir le soleil. Je frémis devant le buisson d'aubépine. « C'est la raison pour laquelle certaines se terminent si mal, parce qu'on a le sentiment d'avoir été trahi. » Il embrassa la scène du regard, avant de revenir à moi. « Mais avec toi je sais, c'est une certitude. » Je sentis ma respiration se bloquer, mes yeux s'emplir de larmes. « Ne bouge pas, je veux te prendre en photo.

— Bon sang, Adam, ne sois pas si bizarre. Embrasse-moi, serre-moi dans tes bras. »

Il secoua la tête, puis leva l'appareil devant son visage. « Je voulais te prendre en photo ici, à cet endroit, au moment où je te demandais de m'épouser. »

Le flash crépita. Mes genoux me lâchèrent. Je m'assis sur l'herbe humide. Il se précipita pour me prendre dans ses bras. « Tu vas bien ? »

Que dire ? Une sensation de joie extraordinaire s'élevait en moi. Je me remis sur pied, j'éclatai de rire et l'embrassai sur la bouche, fermement, pour sceller mon engagement.

« C'est un oui ?

— Bien sûr, idiot. Oui. Oui, oui, mille fois oui.

— Regarde, dit-il. La voilà. »

En effet, j'apparaissais, bouche bée, les yeux écarquillés, je prenais forme, à mesure que les couleurs fonçaient, que les lignes se durcissaient.

« Voilà, dit-il en me tendant la photo. Il s'agit d'un instant, mais c'est aussi une promesse. Pour l'éternité. »

Je pris la photo que je mis dans mon sac. « Pour l'éternité. »

Adam me saisit les poignets avec une impatience qui me surprit. « Tu le penses vraiment, n'est-ce pas, Alice ? Je me suis déjà donné auparavant, et j'ai été abandonné. C'est pour cette raison que je t'ai amenée ici, pour que nous puissions prendre cet engagement ensemble. » Il me lançait un regard féroce, presque menaçant. « Cette promesse est plus importante que n'importe quel mariage. » Puis il se radoucit. « Je ne pourrais pas supporter de te perdre. Je ne pourrais jamais supporter de te voir partir. »

Je le pris dans mes bras. Je lui relevai la tête et l'embrassai sur les lèvres, sur les yeux, sur sa mâchoire si ferme, dans le creux de son cou. Je lui dis que j'étais sienne, qu'il m'appartenait. Je sentis ses larmes sur ma peau, chaudes et salées. Mon seul amour.

12

J'ÉCRIVIS un mot à ma mère. Elle allait être très surprise. Je lui avais juste dit que Jake et moi nous étions séparés.

Je n'avais pas même mentionné le nom d'Adam auparavant. J'écrivis à Jake, en tentant de trouver les mots justes. Je ne voulais pas qu'il l'apprenne d'abord par un tiers. Je rencontrais d'autres amis et collègues d'Adam, des gens avec qui il avait grimpé, avec qui il avait partagé des tentes, des toilettes en plein air, avec qui il avait risqué sa vie, et partout où il allait je sentais son regard approbateur posé sur moi, faisant naître des frissons sur ma peau. J'allais travailler, je m'asseyais derrière mon bureau l'esprit ailleurs, pleine du souvenir et de l'attente du plaisir, j'empilais des papiers sur des bureaux, j'assistais à des réunions. J'avais l'intention d'appeler Sylvie, Clive, Pauline même, mais sans raison apparente je ne cessais de remettre tout cela à plus tard. À présent c'était presque quotidiennement que nous recevions ces coups de fil silencieux. Je pris l'habitude de tenir le combiné un peu loin de mon oreille pour écouter la respiration râpeuse avant de reposer le téléphone sur son support. Un jour quelqu'un glissa des feuilles mouillées et de la terre dans notre boîte aux lettres, mais nous n'y prêtâmes pas davantage attention. Si j'éprouvais parfois de l'anxiété, elle se noyait dans toutes les autres émotions turbulentes qui me parcouraient.

J'appris qu'Adam cuisinait de merveilleux plats au curry. Que la télévision l'ennuyait. Qu'il marchait très vite. Qu'il raccommodait les quelques vêtements qu'il possédait avec un soin méticuleux. Qu'il aimait le whisky pur malt, le bon vin rouge et la bière, mais qu'il détestait les haricots blancs à la sauce tomate, les poissons pleins d'arêtes et la purée. Que son père était encore en vie. Qu'il ne lisait jamais de romans. Qu'il parlait espagnol et français presque couramment, le salaud. Qu'il savait faire les nœuds d'une seule main. Qu'il avait eu peur des endroits clos par le passé, jusqu'à ce qu'il en soit guéri par un séjour de six jours dans une tente fichée sur une corniche d'un mètre de profondeur sur le flanc de l'Annapurna. Qu'il n'avait pas besoin de beaucoup de sommeil. Que son pied mordu par le gel le faisait encore souffrir par moments. Qu'il aimait les chats et les oiseaux de proie. Que ses mains étaient toujours chaudes, quelle que soit la température dehors. Qu'il n'avait pas pleuré depuis l'âge de douze ans, quand sa mère était morte. Qu'il détestait qu'on oublie de remettre le couvercle sur les pots de confiture ou de refermer un tiroir. Qu'il prenait au moins deux douches par jour et se coupait les ongles plusieurs fois par semaine. Qu'il se promenait toujours avec un paquet de mouchoirs en papier dans la poche. Qu'il pouvait m'aplatir sur le sol d'une seule main. Qu'il souriait, riait ou pleurait rarement. Parfois je m'éveillais et le trouvais à côté de moi à me regarder.

Je le laissais prendre des photos de moi. Je le laissais me regarder quand je prenais un bain, quand j'allais aux toilettes, quand je me maquillais. Je le laissais m'attacher. J'avais enfin l'impression d'avoir été complètement retournée de fond en comble, de sorte que tout mon paysage intérieur privé, tout ce qui n'avait appartenu qu'à moi, était à présent connu. Je crois que j'étais très, très heureuse, mais si c'était ça le bonheur, alors je ne l'avais jamais connu avant.

Jeudi, quatre jours après qu'Adam m'eut demandé de l'épouser et trois jours après que nous fûmes allés à la mairie faire publier les bans, signer les papiers officiels, et payer le timbre requis, Clive m'appela au bureau. Je ne l'avais ni revu ni eu au téléphone depuis l'après-midi de bowling, le jour où j'avais quitté Jake. Il se montra poli et formel, mais me demanda si Adam et moi aimerions venir à la soirée d'anniversaire que Gail organisait pour ses trente ans. Elle avait lieu le lendemain, vendredi, à neuf heures. Il y aurait un buffet et de la musique pour danser.

J'hésitai à répondre. « Jake sera là ?

— Bien sûr.

— Et Pauline ?

— Aussi.

— Savent-ils que tu m'invites ?

— Je ne t'aurais pas appelée sans leur en avoir parlé auparavant. »

Je pris une profonde inspiration. « Donne-moi donc son adresse. »

J'avais pensé qu'Adam ne souhaiterait pas y aller, mais il me surprit. « Bien sûr, si c'est important pour toi », répondit-il tranquillement.

Je mis la robe qu'il m'avait achetée, la robe de velours chocolat à manches longues, avec un décolleté profond et une fente de biais. C'était la première fois depuis des semaines que je me mettais sur mon trente et un. Il m'apparut soudain que, depuis ma rencontre avec Adam, j'avais étrangement prêté peu d'attention à ma tenue ou à mon allure. J'étais plus maigre que jamais, plus pâle. Mes cheveux étaient trop longs, des cernes noirs me bordaient les yeux. Pourtant il me sembla, en m'examinant dans la glace avant de partir pour cette soirée, que j'étais plus belle, d'une façon nouvelle. Peut-être étais-je juste malade, ou alors folle.

L'appartement de Gail se trouvait dans une grande bâtisse de guingois à Finsbury Park. Au moment où nous arrivâmes, toutes les fenêtres étaient éclairées. Du trottoir déjà on entendait de la musique et des rires, on apercevait des silhouettes derrière les rideaux ouverts. Je serrai le bras d'Adam. « Est-ce une si bonne idée ? Nous n'aurions peut-être pas dû venir.

— On n'a qu'à entrer quelques minutes. Tu pourras voir tous les gens que tu tiens à voir, après quoi nous irons dîner. »

Gail ouvrit la porte. « Alice ! » Elle me gratifia d'un baiser exubérant sur chaque joue, comme une vieille amie. Puis elle se tourna vers Adam l'air curieux, comme si elle n'avait aucune idée de qui il pouvait s'agir.

110

« Adam, je te présente Gail. Gail, voici Adam. »

Adam ne dit rien, mais il lui prit la main qu'il retint un moment. Elle le regarda. « Sylvie avait raison. » Elle pouffa de rire. Elle était déjà bien éméchée.

« Joyeux anniversaire, Gail », dis-je d'une voix sèche. Elle dut faire un effort pour revenir à moi.

La pièce était pleine de gens debout, un verre de vin ou une canette de bière à la main. Un groupe de musiciens débraillés s'agrippaient fermement à leurs instruments dans un coin, mais ils ne jouaient pas. À la place, la stéréo dégorgeait de la musique à plein volume. Je pris deux verres sur la table que j'emplis de vin pour Adam et moi, puis je me tournai pour examiner la pièce. Jake se tenait près de la fenêtre, en pleine conversation avec une grande femme vêtue d'une jupe de cuir noir terriblement courte. Il ne m'avait pas vue entrer, à moins qu'il ne fît semblant.

« Alice. »

Je fis volte-face. « Pauline. Je suis contente de te voir. » Je m'avançai pour lui faire la bise, mais elle n'en fit pas autant. Je lui présentai Adam d'un ton embarrassé.

« J'avais deviné », répondit-elle.

Adam la prit par le coude et lui assena d'une voix claire et forte : « Pauline, la vie est trop courte pour perdre une amie. »

Elle eut l'air interloquée, mais au moins le choc lui délia la langue. Je m'éloignai d'eux pour me rapprocher de Jake. Il fallait que j'en finisse avec ça. Il m'avait vue à présent. Il était toujours en conversation avec la femme en mini-jupe, mais ses yeux ne cessaient de glisser vers moi. Je m'approchai. « Bonjour, Jake.

— Bonjour, Alice.

— Tu as eu ma lettre ? »

La femme se retourna et nous laissa seuls. Jake me sourit. « Bon sang, il en aura fallu du temps. C'est dur d'être à nouveau seul. Oui, j'ai reçu ta lettre. Au moins tu n'as pas exprimé l'espoir que nous restions amis. »

À l'autre bout de la pièce, je vis Adam parler à Sylvie et à Clive. Pauline était toujours à côté de lui, il ne lui avait toujours pas lâché le bras. Je remarquai comment toutes les femmes le mangeaient des yeux, se rapprochaient de lui,

111

au point de sentir un pincement de jalousie. Mais à cet instant il releva la tête, nos regards se croisèrent, et il m'adressa une drôle de grimace tordue.

Notre échange n'échappa pas à Jake. « Voilà donc la raison de ton intérêt soudain pour les bouquins d'escalade », remarqua-t-il, un sourire triste aux lèvres. Je ne répondis pas. « Je me sens si ridicule, si stupide. Tout ça sous mon nez et je n'ai rien vu. Oh, et puis félicitations.

— Quoi ?

— C'est pour quand ?

— Oh. Dans deux semaines et demie. » Je le vis tiquer. « Oui, enfin, pourquoi attendre... ? » Je m'interrompis. Ma voix était trop claire, trop gaie. « Tu vas bien ? »

À présent Adam ne parlait plus qu'à Sylvie. Il me tournait le dos, mais elle levait vers lui des yeux pleins d'une expression fascinée que je connaissais trop bien.

« Ce n'est plus ton problème », répondit Jake, d'une voix qui tremblait légèrement. « Tu peux me dire quelque chose ? » Je vis que ses yeux s'étaient remplis de larmes. C'était comme si mon départ avait libéré un nouveau Jake, un Jake qui avait perdu sa gaieté tempérée, son ironie, un Jake qui pleurait facilement.

« Quoi ? » Je me rendis compte qu'il était un peu ivre. Il se pencha plus près de mon visage, au point que je sentis son haleine sur ma joue.

« S'il n'y avait pas eu... enfin, tu sais... sans lui, est-ce que tu serais restée avec moi et que...

— Alice, il est temps d'y aller. » Derrière moi, Adam m'entoura de ses bras et posa le menton sur ma tête. Il me serrait trop. Je pouvais à peine respirer.

« Adam, je te présente Jake. »

Ni l'un ni l'autre ne dit un mot. Adam me lâcha et tendit la main. Jake ne fit d'abord pas un geste. Puis, l'air perplexe, il prit la main d'Adam. Adam acquiesça. D'homme à homme. Une envie de rire me monta à la gorge, mais je me retins.

« Au revoir, Jake », lançai-je d'une voix gauche. Je m'apprêtais à lui déposer un baiser sur la joue mais Adam me tira par le bras.

« Viens, mon amour », dit-il en me pressant vers la porte. J'adressai un petit signe de main à Pauline avant de sortir.

Dehors, Adam s'arrêta et me tourna vers lui. « Contente ? » Sur ce il m'embrassa sans ménagement. Je glissai les bras sous sa veste et sa chemise pour m'appuyer contre lui. Quand je m'écartai, je vis Jake, toujours à la fenêtre, qui regardait dehors. Nos yeux se croisèrent mais il ne fit pas un geste.

13

J'AVAIS tenté de donner à ma question un tour anodin, même si je n'avais cessé de la tourner et de la reformuler dans ma tête des jours durant. Nous étions allongés sur le lit, épuisés, bien après minuit, enlacés dans l'obscurité. Je vis là le moment opportun.

« Ton ami Klaus, commençai-je. Son livre sur ce qui s'est passé sur le Chunga-machin-truc, je n'arrive jamais à me souvenir du nom.

— Le Chungawat. »

Pas un mot de plus. L'amorce n'était pas suffisante.

« Il a dit que tu lui en voulais d'écrire ce bouquin.

— Tu m'en diras tant.

— Est-ce que c'est vrai ? Je ne vois pas où est le problème. Deborah m'a raconté ce que tu avais fait, combien tu t'étais montré héroïque. »

Adam soupira. « Je n'ai pas... » Il marqua une pause. « Il ne s'agissait pas d'héroïsme. Ils n'auraient pas dû se trouver là, pour la plupart. Je... » Il fit une nouvelle tentative. « À cette hauteur, dans de telles circonstances, la plupart des gens, même des types en bonne forme physique qui ont l'expérience de conditions extrêmes, ne peuvent survivre seuls si les choses commencent à mal tourner.

— Ce n'est pas ta faute, si ?

— Greg n'aurait pas dû organiser cette expédition, je n'aurais pas dû l'accompagner. Le reste du groupe n'aurait pas dû penser qu'il existait une voie d'accès facile à un tel sommet.

— Deborah m'a dit que Greg avait mis au point une méthode infaillible pour les hisser sur la montagne.

« — C'était ça l'idée. Et puis il y a eu une tempête, Greg et Claude sont tombés malades, et le projet n'a pas fonctionné aussi bien que prévu.

— Pourquoi ? »

L'irritation le gagnait. Il m'en voulait de le presser de questions, mais je n'allais pas m'arrêter.

« Nous ne formions pas une équipe. Seul un des clients était déjà monté sur l'Himalaya auparavant. Ils n'arrivaient pas à communiquer. Bordel, l'Allemand, Tomas, ne parlait même pas un mot d'anglais.

— Ça ne t'intéresse pas de savoir ce que Klaus va dire dans son livre ?

— Je le sais déjà.

— Comment ça ?

— J'en ai un exemplaire.

— Quoi ? Tu l'as lu ?

— Je l'ai feuilleté, répondit-il avec une pointe de mépris.

— Je croyais que le livre n'était pas encore publié.

— C'est vrai. Klaus m'a envoyé une première version, une espèce de brouillon, comment on dit déjà ?

— Une première épreuve. Tu l'as ici ?

— Il est quelque part dans un sac. »

Je l'embrassai sur la poitrine, sur le ventre, puis plus bas, jusqu'à ce que j'arrive à sentir mon odeur sur lui.

« Je veux le lire. Dis, ça ne t'ennuie pas ? »

Je m'étais fixé comme règle personnelle de ne jamais établir de comparaison entre Adam et Jake. J'y voyais là un dernier témoignage de loyauté envers Jake, si pitoyable soit-il. Mais parfois c'était plus fort que moi. Jake ne faisait jamais rien juste comme ça, ne sortait jamais sans rien dire. Il était trop attentionné, trop soucieux de moi. Il me demandait la permission, ou alors il m'informait de son départ. Ou encore il planifiait ses activités à l'avance, il me demandait sans doute de l'accompagner, ou s'informait de mes projets. Adam était complètement différent. La plupart du temps, c'était moi qui retenais toute son attention, il n'avait de cesse de me toucher, me goûter, me pénétrer, ou tout simplement me regarder. À d'autres moments, il établissait un rendez-vous précis concernant l'heure et l'endroit où nous devions nous retrouver, après quoi il attrapait une veste et filait sans plus de précisions.

Le lendemain matin, il était devant la porte quand cela me revint. « Le bouquin de Klaus ! » lançai-je. Il fronça les sourcils. « Tu m'avais promis. »

Il ne dit rien, mais traversa le couloir pour se rendre dans la chambre d'amis. Je l'entendis fourrager. Il ressortit, un livre à la couverture de carton bleu clair à la main. Il l'envoya à côté de moi sur le canapé. Je regardai la couverture : *L'Arête des soupirs*, de Klaus Smith.

« Ce n'est que l'opinion d'un mec, dit-il. Bon, je te retrouve au Pelican à sept heures. »

Là-dessus il fila, dévalant les escaliers. Je me dirigeai vers la fenêtre, comme je le faisais toujours quand il sortait, et le regardai apparaître puis traverser la rue. Il s'arrêta, se tourna et leva la tête. Je lui envoyai un baiser. Il sourit avant de reprendre sa route. Je retournai m'asseoir sur le canapé. J'avais sans doute eu l'intention de lire quelques pages, de me faire du café, de prendre un bain, au lieu de quoi je passai trois heures sans bouger. J'avais d'abord commencé par feuilleter les pages à la recherche de son nom si précieux sur lequel je tombai ici et là, et aussi de photos, que je ne trouvai pas, parce qu'elles ne seraient pas incluses avant la version publiée. Puis je revins au début, à la toute première page.

Le livre était dédié aux membres de l'expédition de 1997 sur le Chungawat. Sous la dédicace on pouvait lire une citation tirée d'un vieux manuel d'alpinisme des années trente : « Nous qui menons nos vies là où l'air est épais et où l'esprit reste clair, sachons marquer une pause avant de juger les hommes qui s'aventurent dans ce pays des merveilles, ce royaume situé derrière le miroir, sur le toit du monde. »

Le téléphone sonna. J'écoutai le silence quelques secondes avant de reposer le combiné. J'arrivais parfois à me persuader que je reconnaissais la respiration, que la personne au bout du fil était quelqu'un que je connaissais. Une fois j'avais émis le nom de Jake d'une voix hésitante, pour voir s'il provoquerait une réaction, une inspiration plus brusque. Cette fois-ci, peu m'importait. Je voulais poursuivre ma lecture de *L'Arête des soupirs*.

116

Le livre commençait plus de vingt-cinq millions d'années plus tôt, au moment où la chaîne de l'Himalaya (« plus jeune que la forêt amazonienne du Brésil ») s'était formée lors du soulèvement provoqué par la dérive vers le nord du sous-continent indien. Après quoi on passait d'un bond à une expédition britannique catastrophique sur le Chunga-wat juste après la première guerre mondiale. La tentative d'ascension vers le sommet s'était brusquement arrêtée au moment où un major de l'armée britannique avait perdu pied, entraînant avec lui trois de ses compagnons dans l'abîme, qui franchirent dans leur chute, selon la formula-tion sèche de Klaus, les quelque trois mille mètres qui sépa-rent le Népal de la Chine.

Je parcourus rapidement deux chapitres qui décrivaient des expéditions organisées à la fin des années cinquante et pendant les années soixante, époque où eut lieu la pre-mière ascension du Chungawat, suivie d'une succession de conquêtes par d'autres voies et d'autres méthodes, censées être plus pures, plus dures ou plus belles. Tout cela ne m'intéressait pas vraiment, à part une citation reprise par Klaus, attribuée à « un alpiniste américain anonyme des années soixante », qui retint mon attention : « Une mon-tagne, c'est comme une fille. Au début, on veut juste se la faire, ensuite on a envie de la prendre de différentes manières, et puis on passe à autre chose. Au début des années soixante-dix, le Chungawat était une fille trop bai-sée, plus personne ne s'y intéressait. »

Apparemment le Chungawat ne représentait pas suffi-samment de défis techniques intéressants pour l'élite des alpinistes, mais le site était beau, des poèmes lui avaient été consacrés, ainsi qu'un guide de voyage classique. C'est ce qui avait donné à Greg McLaughlin sa grande idée à l'orée des années quatre-vingt-dix. Klaus décrivait une conversation qu'il avait eue avec Greg dans un bar de Seattle, au cours de laquelle Greg s'était épanché sans fin sur le principe d'expéditions clé en main au-dessus de huit mille mètres. Les clients paieraient trente mille dollars, et Greg, accompagné d'un ou deux autres experts, les guiderait jusqu'au sommet d'une des plus hautes montagnes de l'Himalaya, qui offrait une vue sur trois pays. Greg pensait qu'il allait devenir le Thomas

Cook de l'Himalaya. Il avait même élaboré un plan pour y parvenir. Dans son idée, chaque guide installerait un parcours marqué par des longueurs de corde, fixées sur des pitons auxquels les grimpeurs seraient attachés par des mousquetons. Les rampes obtenues conduiraient les membres de l'expédition d'un camp à l'autre en toute sécurité. Il y aurait un guide responsable pour chaque parcours, désigné par une couleur différente, et le travail consisterait juste à s'assurer que les clients étaient correctement harnachés et bien attachés à la corde. « Le seul risque, avait-il déclaré à Klaus, sera de mourir d'ennui. » Klaus était un vieil ami ; Greg lui avait demandé de l'accompagner pour sa première expédition et de l'aider avec la logistique, en échange d'une réduction. Klaus ne faisait pas mystère de ses propres motivations. Il avait émis des doutes dès le départ, l'idée de transformer l'alpinisme en distraction touristique lui répugnait, pourtant il avait accepté parce qu'il n'était jamais allé dans l'Himalaya, malgré le désir qu'il en avait.

Klaus se montrait également assez acerbe à l'égard de ses compagnons, parmi lesquels figuraient un agent de change de Wall Street et une Californienne, chirurgien esthétique. Quand le nom d'Adam apparut pour la première fois, je sentis mon cœur vaciller :

> Le clou de l'expédition était le deuxième guide retenu par Greg, Adam Tallis, un bel Anglais taciturne et élancé. À trente ans, Tallis était déjà un des alpinistes les plus brillants de la jeune génération. Et, assurance supplémentaire, il avait une très grande expérience de la chaîne de l'Himalaya et du Karakoram. Adam, un vieil ami, n'est pas un adepte des conversations futiles ; cependant, il n'avait pas caché qu'il partageait mes doutes au sujet de l'élaboration du projet. La différence était que si les choses tournaient mal, les guides allaient devoir risquer leur vie.

Puis mon cœur bondit à nouveau quand Klaus décrivit comment Adam avait suggéré que son ex-petite amie, Françoise Colet, qui mourait d'envie d'entreprendre une escalade dans l'Himalaya, les accompagne en tant que médecin. Greg n'était pas chaud, mais il accepta de la prendre comme cliente en lui accordant une grosse réduction.

Le récit comportait trop d'informations (à mon avis) concernant les démarches administratives, la recherche de sponsors, les rivalités avec d'autres alpinistes, la randonnée initiale dans le Népal pour traverser les contreforts, puis, comme une révélation, la première apparition du Chunga-wat, avec sa célèbre arête des Gémeaux, celle qui descend du col juste en contrebas du sommet et se sépare en deux, un côté menant à un précipice (c'est là que le major anglais et ses compagnons avaient dévissé), tandis que l'autre assurait une descente tranquille. Il me semblait vivre l'expédition au fil de la lecture, sentir la lumière devenir plus puissante et l'air plus rare. Les premiers moments de l'ascension se firent dans la légèreté, agrémentés de toasts et de prières aux divinités qui présidaient les lieux. Klaus décrivait une scène d'ébats amoureux sous une tente, qui avait amusé et choqué les sherpas, tout en omettant discrètement de révéler l'identité des personnes impliquées. Je me demandai si c'était Adam qui s'était glissé dans le sac de couchage d'une des clientes — sans doute Carrie Frank, la femme chirurgien esthétique, me dis-je. J'en étais venue à penser qu'Adam avait couché avec quasiment toutes les filles qui avaient croisé sa route, presque automatiquement. Deborah, par exemple, la grimpeuse de Soho. J'avais surpris une expression dans son regard qui m'avait mis la puce à l'oreille.

Comme ils avançaient dans l'ascension, installant des campements, le livre quitta presque le mode du récit pour se transformer en rêve fiévreux, en une hallucination que je partageais tout en lisant. Les membres de l'expédition se retrouvaient aveuglés par des migraines, incapables de manger, pliés en deux par des crampes d'estomac, voire des crises de dysenterie. Ils débattaient de la marche à suivre, en venaient aux mots. Greg McLaughlin, embourbé dans les difficultés matérielles de l'organisation, était divisé entre les inquiétudes qu'il ressentait en tant que guide et ses responsabilités en tant qu'organisateur du voyage. À plus de huit mille mètres d'altitude, chaque mouvement se trouvait réduit, ralenti. Il n'y avait pas d'escalade à proprement parler, mais même le plus petit saut requérait un effort surhumain. Les participants plus âgés ralentissaient l'ensemble du groupe, provoquant le ressentiment général. Pendant ce temps, Greg était tourmenté par son souci de conduire tout le monde au sommet, de prouver que cette forme de tourisme pouvait marcher. Klaus dressait de lui le portrait d'un homme obnubilé, bredouillant sans relâche, à la limite de l'incohérence, qu'il fallait se dépêcher, arriver au sommet dans une plage de beau temps, à la fin mai, avant que juin n'amène tempêtes et catastrophes. Puis, au dernier campement avant le sommet, il y eut un jour de nuages plus bas durant lequel Klaus surprit une conversation animée entre Greg, Adam et Claude Bresson. Le temps ne se leva pas ce jour-là, et avant l'aube le groupe se mit en marche sur l'arête des Gémeaux, suivant un parcours tracé de cordes précédemment posées par Greg et deux sherpas. Tout avait été conçu, selon les propres mots de Greg, avec une simplicité digne d'enfants en âge d'aller à la crèche. Les cordes de Greg étaient bleues, celles de Claude rouges, celles d'Adam jaunes. On indiqua aux clients une couleur en leur donnant pour consigne de la suivre. Une fois l'arête dépassée, alors que les groupes se trouvaient à exactement cinquante mètres — à la verticale — sous le sommet, Klaus, qui était situé à l'arrière avec Claude, vit des nuages peu engageants approcher depuis le nord. Il interrogea Claude, qui ne répondit pas. Un an plus tard, Klaus ne pouvait pas dire si Claude était déterminé à atteindre le sommet coûte que coûte, s'il était déjà malade, ou s'il ne l'avait tout simplement pas entendu. Ils pressèrent le pas, jusqu'à ce qu'environ une demi-heure plus tard la tempête éclate, plongeant tout dans l'obscurité.

La plupart des pages restantes sombraient dans le délire, à mesure que Klaus décrivait le désastre comme lui-même, malade, désorienté, terrifié, l'avait vécu. Il ne voyait rien, n'entendait rien. De temps à autre une silhouette émergeait des bourrasques pour s'y engloutir à nouveau. L'expédition avait atteint le col où Greg, théoriquement, avait installé la rampe bleue qui devait les conduire au sommet, mais à ce moment précis personne n'y voyait à plus de quelques centimètres, personne n'entendait rien à moins qu'on lui crie dans l'oreille. La seule silhouette qui surgit avec clarté du chaos, comme un homme dans un orage illuminé par les éclairs, était celle d'Adam. Il sortait de la tempête pour redescendre, disparaissait, réapparaissait. Il était partout, maintenant la communication, amenant les deux cordées de clients jusqu'à un abri relatif sur le col. La priorité immédiate était de sauver les vies de Greg et de Claude, lequel était très malade. Avec l'aide de Klaus ils portèrent presque Claude dans la descente jusqu'au camp le plus élevé. Puis Klaus remonta avec Adam pour aller au secours de Greg.

À ce point de l'histoire Klaus lui-même, vaincu par la fatigue, le froid et la soif, s'effondra dans sa tente, sans connaissance. Adam remonta sur la montagne pour aller chercher les clients quasi désespérés. Il conduisit le premier groupe, qui comprenait Françoise et quatre autres personnes, jusqu'au point de départ de la ligne. Il leur faudrait suivre la corde jusqu'au camp. Adam les laissa pour retourner au second groupe. Mais le temps de les ramener, la ligne fixe avait disparu. À l'évidence, elle avait été emportée par le vent. Il commençait à présent à faire nuit, le vent glacé avait fait chuter la température à moins cinquante degrés. Adam reconduisit le second groupe au col. Puis il descendit l'arête seul, sans corde, afin de retrouver sa propre ligne et de chercher d'éventuels secours. Greg, Claude et Klaus étaient sans connaissance, et il n'y avait pas le moindre signe du premier groupe.

Alors Adam remonta l'arête, installa la ligne jaune, et ramena lui-même le second groupe jusqu'au camp. Certains d'entre eux requéraient une aide médicale d'urgence. Cependant, une fois les premiers soins prodigués, il repartit à nouveau, seul, en pleine nuit, à la recherche du groupe manquant. C'était sans espoir. Tard dans la nuit, Klaus reprit connaissance. Dans son délire, il pensa qu'Adam aussi s'était perdu, jusqu'à ce qu'il surgisse dans la tente et s'effondre.

Ils retrouvèrent le premier groupe le lendemain. Ce qui s'était passé relevait d'une erreur aussi dramatique que simple. Dans l'obscurité, la neige et le bruit, alors que la rampe fixe avait été arrachée et précipitée dans l'abîme par le vent, ils s'étaient aventurés par erreur du mauvais côté de l'arête des Gémeaux, ce qui les avait tragiquement, irrévocablement conduits jusqu'à une crête exposée de plus en plus effilée, bordée d'à-pics profonds de part et d'autre. Les corps de Françoise Colet et du client américain, Alexis Hartounian, ne furent jamais retrouvés. Ils avaient dû basculer par-dessus la crête, peut-être au moment où ils tentaient de remonter sur l'arête, à moins qu'ils n'aient accéléré le pas vers ce qu'ils pensaient être le campement devant eux. Les autres s'étaient pressés les uns contre les autres dans la tempête obscure pour mourir à petit feu. Le lendemain matin, ce sont des sherpas partis à leur recherche qui les avaient retrouvés. Tous morts. Klaus précisa, tous sauf un, un autre Américain, Pete Papworth, qui marmonnait juste un pathétique « *help* » en boucle. À l'aide. À l'aide. À l'aide. Invoquant, écrivit Klaus avec la douleur d'un homme qui avait dormi durant l'intégralité de l'épisode, des secours que personne ne lui porterait.

Je lus les pages finales dans un état d'abrutissement total, à bout de souffle. Puis je m'allongeai sur le sofa où je dus dormir pendant des heures.

Quand je me réveillai, il était déjà très tard. Je me douchai puis j'enfilai une robe. Je pris un taxi jusqu'au Pelican à Holland Park, même s'il aurait été plus rapide de m'y rendre à pied, sauf que dans l'état d'esprit où je me trouvais à ce moment j'aurais eu du mal à trouver mon chemin où que j'aille. Je réglai le chauffeur puis j'entrai dans le pub. Seules quelques tables étaient occupées. Dans un coin se trouvait Adam, en compagnie d'un homme et d'une femme que je ne reconnus pas. Je me dirigeai droit sur eux. Ils se tournèrent, l'air étonné.

« Excusez-moi, dis-je à l'attention du couple. Adam, tu peux venir une seconde ? »

Il me gratifia d'un regard défiant. « Comment ?

— Viens, c'est tout. C'est très important. Je n'en ai que pour une seconde. »

Il haussa les épaules et adressa un petit signe de tête aux autres pour s'excuser. Je le pris par la main pour l'entraîner à l'extérieur. Dès que nous nous trouvâmes hors de la vue de ses amis, je me tournai vers lui et pris son visage entre mes mains afin de pouvoir le regarder droit dans les yeux. « J'ai lu le livre de Klaus. » Une étincelle d'inquiétude s'alluma dans son regard. « Je t'aime, Adam. Je t'aime tant. »

Je me mis à pleurer, incapable de le voir à présent, mais je sentis ses bras autour de mon corps.

14

« L^a demoiselle a le pied fin, Mr. Tallis. » L'homme tenait mon pied comme s'il s'agissait d'un morceau d'argile qu'il tournait entre ses longues mains.

« Mmm. Mais l'important c'est qu'elle soit bien mainte-nue au niveau de la cheville. Elle ne veut pas d'ampoules, d'accord ? »

Je n'étais jamais entrée dans ce genre de magasin aupara-vant, même si j'étais déjà passée devant pour scruter leurs profondeurs obscures et coûteuses. Il ne s'agissait pas d'un essayage traditionnel : on prenait les dimensions de mon pied en vue d'un ajustement sur mesure. Ma chaussette vio-lette, élimée au niveau du talon, faisait pâle figure dans cette illustre compagnie.

« Et la cambrure du pied est très prononcée.

— En effet, j'avais remarqué. » Adam s'empara de mon autre pied pour l'examiner. J'avais l'impression d'être un cheval chez le maréchal-ferrant.

« Quel genre de chaussures de marche aviez-vous en tête ?

— Eh bien, comme je n'ai...

— Pour des randonnées classiques. Assez hautes, pour lui maintenir la cheville. Et légères, répondit Adam avec assurance.

— Comme celles que j'ai réalisées pour... ?

— Oui.

— Pour qui ? » demandai-je. Ni l'un ni l'autre ne prêta attention à ma question. Je me libérai les pieds et me levai.

« Il faut qu'elles soient prêtes pour vendredi prochain, déclara Adam.

— Mais c'est le jour de notre mariage.

— C'est bien pour ça que je dois venir les prendre vendredi, répondit-il comme s'il s'agissait d'une évidence. De cette façon nous pourrons aller faire un tour pendant le week-end.

— Oh ! » m'exclamai-je. Je m'étais mis en tête une lune de miel de deux jours passée au lit, agrémentée de champagne, de saumon fumé et de bains chauds entre deux étreintes.

Adam leva les yeux vers moi. « J'ai une démonstration d'alpinisme dans le Lake District samedi, expliqua-t-il brièvement. Tu peux m'accompagner.

— Comme une petite femme dévouée. J'ai un mot à dire dans cette affaire ?

— Allez, viens. Nous sommes pressés.

— Et où allons-nous maintenant ?

— Je te le dirai dans la voiture.

— Quelle voiture ? »

L'existence d'Adam semblait s'appuyer entièrement sur un système de troc. Son appartement appartenait à un ami. La voiture garée en bas de la rue était celle d'un copain d'escalade. Son équipement était remisé ici et là, dans des greniers et ailleurs. Je n'arrivais pas à comprendre comment il parvenait à se souvenir de tout. Il grappillait des petits boulots par le bouche à oreille. C'était presque toujours un service qu'on lui rendait pour le remercier d'un geste qu'il avait eu sur une montagne quelconque. Quelqu'un à qui il avait évité les morsures du gel, une course ardue qu'il avait guidée à bon port, son calme dans un passage difficile, sa gentillesse durant une tempête, une vie qu'il se trouvait avoir sauvée.

J'essayais de ne pas le considérer comme un héros. Je ne voulais pas être la femme d'un héros. Cette idée me terrifiait, m'excitait, tout en établissant une subtile distance érotique entre nous. Je savais que je le voyais d'un œil différent depuis la veille, depuis la lecture de ce fameux livre. Son corps, que j'avais considéré jusqu'à il y a vingt-quatre heures comme un instrument de mon plaisir, était devenu le corps qui résistait quand personne d'autre ne le pouvait. Sa beauté, qui m'avait séduite, me semblait à présent miraculeuse. Il avait traversé d'un pas titubant une soupe d'air raréfié dans un froid cassant, écrasé de vent et de douleur, cependant il semblait s'en être sorti intact. Maintenant que je savais tout cela, le moindre de ses gestes portait l'empreinte de son courage intrépide et calme. Quand il me regardait d'un air songeur ou quand il me touchait, je ne pouvais m'empêcher de penser que j'étais l'objet de désir qu'il devait se risquer à conquérir. Et je voulais être conquise, de tout mon cœur. Je voulais être assaillie et vaincue. J'aimais qu'il me fasse mal, j'aimais me débattre avant de me rendre. Mais qu'en était-il de l'après, une fois que j'aurais été cartographiée, inscrite au nombre des victoires ? Qu'allait-il advenir de moi alors ? Sur le trottoir couvert de neige fondue grise, tout en me dirigeant vers la voiture empruntée, à six jours exactement de notre mariage, je me demandai comment il me serait jamais possible de vivre sans l'obsession d'Adam.

« Nous y voilà. »

La voiture était une vieille Rover noire pourvue de profonds sièges de cuir et d'un magnifique tableau de bord en noyer. Elle sentait la cigarette. Adam m'ouvrit la porte, puis s'installa à la place du conducteur comme s'il en était le propriétaire. Il tourna la clé, et se glissa tranquillement dans la circulation du samedi matin.

« Où allons-nous ?

— Juste à côté de Sheffield, dans le Peak District.

— Et que nous vaut cette mystérieuse balade magique ?

— C'est pour voir mon père. »

La maison était imposante, mais aussi assez lugubre, posée sur ce paysage plat exposé aux vents de tous les côtés. Elle possédait, j'imagine, la beauté de l'intransigeance, mais aujourd'hui c'était le confort que je recherchais, pas l'austérité. Adam se rangea sur le flanc de la bâtisse, à côté d'une rangée de dépendances délabrées. Il tombait à présent de gros flocons de neige duveteux. Je m'attendais à ce qu'un chien se précipite sur nous en aboyant ou qu'un domestique démodé nous accueille à la porte. Mais personne ne vint à notre rencontre. J'eus la sensation désagréable que la maison était tout à fait vide.

« Il nous attend ?

— Non.

« — Est-il au courant pour nous deux ?

— Non. C'est la raison pour laquelle nous sommes là. »

Il s'avança jusqu'à la porte d'entrée à deux battants, frappa quelques coups pour la forme, puis l'ouvrit.

Il faisait très froid à l'intérieur, et plutôt sombre. L'entrée formait un carré glacial recouvert de parquet ciré, meublé d'une horloge de grand-père dans le coin. Adam me conduisit par le coude jusqu'à un salon agrémenté de vieux canapés et de vieux fauteuils. Au fond de la pièce, une ample cheminée avait l'air de ne pas avoir connu de feu depuis des années. Je serrai mon manteau contre moi. Adam ôta son écharpe pour me l'enrouler autour du cou.

« Nous n'allons pas rester longtemps, ma chérie. »

La cuisine, avec ses vieux carreaux de faïence et ses plans de travail en bois, était tout aussi vide, malgré la présence d'une assiette jonchée de miettes et d'un couteau sur la table. La salle à manger était une de ces pièces qui ne servent qu'une fois dans l'année. Elle contenait une table ronde cirée et un sévère buffet d'acajou recouvert de bougies neuves.

« Tu as grandi ici ? » Je n'arrivais pas à imaginer que des enfants aient jamais joué dans cette maison. Adam acquiesça, désignant une photographie noir et blanc sur le manteau de la cheminée. Un homme en uniforme, une femme en tablier et, au milieu, un enfant, se tenaient devant la bâtisse. Ils avaient tous la mine très grave, une pose très formelle. Les parents semblaient beaucoup plus vieux que je ne me l'étais imaginé.

« C'est toi ? » Je pris la photographie et l'amenai à la lumière pour mieux voir. Il devait avoir neuf ans, ses cheveux étaient noirs, son air renfrogné. Les mains de sa mère reposaient sur ses épaules récalcitrantes. « Tu n'as pas du tout changé, Adam, je t'aurais reconnu n'importe où. Ta mère était belle !

— Oui. Très. »

À l'étage, dans toutes les chambres, les lits une personne étaient faits, les oreillers bombés. De vieux bouquets de fleurs séchées ornaient chaque rebord de fenêtre.

« Laquelle était ta chambre ?

— Celle-ci. »

J'observai les murs blancs, le dessus-de-lit de molleton

jaune, l'armoire vide, le tableau représentant un paysage sans charme, le petit miroir pratique dénué d'ornement futile.

« Mais on ne t'y retrouve pas du tout. Il n'y a aucune trace de ta présence. » Adam accueillait mes réflexions avec impatience. « Quand es-tu parti ?

— Tu veux dire définitivement ? À quinze ans, je crois, même si on m'a envoyé en internat dès l'âge de six ans.

— Où es-tu allé à quinze ans ?

— Ici et là. »

Je commençais à comprendre que poser des questions directes n'était pas la méthode la plus efficace pour soutirer des informations à Adam.

Nous nous rendîmes dans la chambre qui avait été celle de sa mère. Son portrait pendait au mur et, touche insolite, j'aperçus une paire de gants de soie pliée à côté des fleurs séchées.

« Ton père l'aimait beaucoup ? »

Il me décocha un regard un peu bizarre. « Non, je ne crois pas. Regarde, le voilà. » Je vins le rejoindre devant la fenêtre. Un très vieil homme traversait le jardin en direction de la maison. Un nuage de neige glacée couvrait sa chevelure blanche, épousant aussi ses épaules. Il ne portait pas de pardessus. Il paraissait maigre, presque transparent, mais se tenait très droit. Il portait une canne qu'il ne semblait utiliser que pour chasser les écureuils qui grimpaient en vrille sur le tronc des vieux bouleaux.

« Quel âge a ton père, Adam ?

— Environ quatre-vingts ans. Je suis arrivé tard. Ma plus jeune sœur avait seize ans quand je suis né. »

Le père d'Adam, le colonel Tallis, ainsi qu'il me demanda de l'appeler, me faisait l'effet d'une inquiétante antiquité. Il avait la peau pâle, semblable à du papier. Ses deux mains étaient piquetées de taches brunes. Ses yeux, d'un bleu singulier, comme ceux d'Adam, étaient embrumés. Son pantalon pendait, lâche, sur sa charpente squelettique. Il parut très peu surpris de nous voir.

« Je te présente Alice. Je l'épouse vendredi prochain.

— Bonjour, Alice. Une blonde, hein ? Alors comme ça vous épousez mon fils. » Son regard se fit presque méchant.

Puis il revint à Adam. « Sers-moi un whisky, dans ces conditions. »

Adam quitta la pièce. Je ne savais pas très bien quoi dire au vieil homme, qui ne paraissait pas enclin à me parler.

« J'ai tué trois écureuils hier, annonça-t-il sans préambule, après un silence. Avec des pièges, voyez-vous.

— Oh.

— Oui. C'est de la vermine. Mais ça ne les empêche pas de revenir à la charge. Comme les lapins. J'en ai abattu six. »

Adam réapparut, les mains chargées de trois verres remplis d'un whisky couleur ambre. Il en donna un à son père et m'en offrit un autre. « Bois, ensuite nous rentrerons », m'enjoignit-il.

Je bus mon verre. Je ne savais pas quelle heure il était, mais dehors il faisait déjà nuit. Je ne comprenais pas ce que nous faisions ici, j'étais même prête à dire que nous aurions mieux fait de nous abstenir, à ceci près que je possédais à présent une nouvelle image très claire d'Adam enfant : un petit garçon solitaire, rapetissé par deux parents âgés, qui avait perdu sa mère à l'âge de douze ans et qui avait dû vivre dans une grande maison froide. Quel genre d'existence avait-il dû mener, tandis qu'il grandissait seul avec ce figurant en guise de père ? Le whisky me brûlait la gorge, me réchauffait la poitrine. Je n'avais presque rien avalé de la journée et il me paraissait clair qu'on ne m'offrirait rien à manger dans cette maison. Je me rendis compte que je n'avais pas même ôté mon manteau. Eh bien, ce n'était plus bien la peine à présent.

Le colonel Tallis but lui aussi son whisky, assis en silence sur le canapé. Soudain sa tête s'inclina en arrière, ses lèvres s'entrouvrirent, laissant échapper un ronflement rauque. Je saisis le verre vide qu'il tenait à la main pour le poser sur la table à côté de lui.

« Viens ici, dit Adam. Viens avec moi. »

Nous retournâmes dans une chambre à l'étage. L'ancienne chambre d'Adam. Il ferma la porte et me poussa sur le lit étroit. J'avais la tête qui tournait. « Tu es mon foyer, dit-il d'une voix dure. Tu comprends ? Mon seul foyer. Ne bouge pas. Ne bouge pas d'un centimètre. »

Quand nous redescendîmes, le colonel ouvrit un œil.

« Vous partez déjà ? N'hésitez pas à revenir. »

« Reprenez de la tourte, Adam.

— Non merci.

— Ou alors de la salade. Je vous en prie, resservez-vous de salade. J'en ai trop fait, je sais. C'est toujours difficile de préparer les proportions exactes, vous ne trouvez pas ? Mais c'est pour cela qu'il est si utile d'avoir un congélateur.

— Non merci, je ne veux pas de salade. »

La nervosité colorait les joues de ma mère et lui déliait la langue. Mon père, un homme taciturne à ses meilleures heures, n'avait presque pas ouvert la bouche. Assis au bout de la table, il vidait son assiette d'une main pesante.

« Un peu de vin alors ?

— Non merci, pas de vin.

— Alice adorait ma tourte campagnarde quand elle était petite, n'est-ce pas ma chérie ? » Elle était désespérée. Je lui souris, incapable pourtant de lui répondre quoi que ce soit parce que, contrairement à elle, la nervosité me paralysait la langue.

« Vraiment ? » Étonnamment, le visage d'Adam s'éclaira. « Et quoi d'autre ?

— Les meringues. » Soulagée d'avoir trouvé un sujet de conversation, ma mère se détendit. « Et le gras de bacon grillé. Et ma tarte aux cassis et aux pommes. Le gâteau à la banane. C'était une petite si maigrichonne, vous auriez du mal à croire les quantités qu'elle pouvait avaler.

— Oh ça non. »

Adam me posa la main sur le genou. Je me sentis rougir. Mon père émit un toussotement solennel avant d'ouvrir la bouche pour parler. La main d'Adam se glissa sous l'ourlet de ma jupe et commença à me caresser le haut de la cuisse.

« Cela me semble un peu soudain, annonça mon père.

— En effet, se dépêcha d'ajouter ma mère. Nous sommes ravis, ça ne fait pas le moindre doute, et je suis certaine qu'Alice va être très heureuse, et puis de toute façon c'est sa vie, elle peut en faire ce qu'elle veut, mais nous nous sommes dit, pourquoi une telle précipitation ? Si vous êtes sûrs l'un de l'autre, pourquoi ne pas attendre, et puis... »

La main d'Adam remonta. Il posa un pouce déterminé sur mon sexe. Je restai assise sans bouger, le cœur battant la chamade, le corps palpitant.

« Nous nous marions vendredi, déclara-t-il. Notre décision est soudaine, parce que l'amour l'est aussi. » Il sourit à ma mère avec une certaine douceur. « Je comprends que ce soit difficile à accepter.

— Et vous ne voulez pas que nous soyons là, ajouta-t-elle d'une voix tremblotante.

— Ce n'est pas que nous ne le voulons pas, maman, mais...

— Il y aura juste deux témoins pris dans la rue, répondit-il avec froideur. Deux inconnus, de sorte qu'en fait nous serons seulement tous les deux. C'est ce que nous voulons. » Il tourna vers moi un regard intense. J'eus la sensation qu'il me déshabillait devant mes parents. « Ce n'est pas vrai ?

— Si, répondis-je dans un souffle. Si maman, c'est vrai. »

Dans mon ancienne chambre, un musée consacré à mon enfance, il saisit les objets un à un comme s'ils constituaient autant d'indices. Mes certificats de natation. Mon vieil ours en peluche, à qui il manquait maintenant une oreille. Ma pile de vieux 33 tours rayés. Ma raquette de tennis, qui reposait toujours dans le coin à côté de la corbeille à papier en osier que j'avais confectionnée à l'école. Ma collection de coquillages. Ma poupée de porcelaine, que m'avait offerte ma grand-mère quand j'avais environ six ans. Une boîte à bijoux tendue de soie rose, qui ne contenait qu'un collier de perles. Il enfouit son visage dans les plis de mon vieux peignoir, qui pendait toujours à la porte. Il déroula une photo d'école, de 1977, sur laquelle il eut vite fait de localiser mon visage, mon sourire incertain, au deuxième rang. Il dénicha la photo sur laquelle nous apparaissions, mon frère et moi, à quatorze et quinze ans ; il la scruta, le front plissé, levant les yeux vers moi avant de revenir au cliché. Il posa ses mains sur tout, caressant chaque surface du bout des doigts. Il me palpa le visage, explorant chaque faille et chaque tache.

Nous nous promenâmes le long de la rivière, sur la berge tapissée de boue glacée. Nos mains s'effleuraient, des courants électriques parcouraient ma colonne vertébrale, le

131

vent me soufflait au visage. Nous nous arrêtâmes de concert pour observer les eaux lentes et brunes, animées de bulles scintillantes, de bouts de bois, et de soudains courants qui les aspiraient.

« Tu es à moi à présent, dit-il. Mon seul amour.

— Oui. Oui, je suis à toi. »

Quand nous arrivâmes à l'appartement le dimanche soir tard dans la nuit, tombant de sommeil, mon pied heurta un objet sur le paillasson au moment où je passai la porte. C'était une enveloppe brune, sans nom ni adresse. Elle ne comportait que la mention « Appartement 3 ». Notre appartement. Je l'ouvris et n'en tirai qu'une feuille de papier. Le message était écrit au gros feutre noir :

JE SAIS OÙ TU HABITES.

Je la tendis à Adam. Il lut la lettre, fit la grimace.

« Il s'est lassé du téléphone, » dis-je.

Je m'étais habituée aux appels silencieux, de jour comme de nuit. Cela paraissait différent. « Quelqu'un est venu jusqu'à l'appartement, repris-je. Quelqu'un a glissé cette lettre sous notre porte. »

Adam ne semblait pas autrement perturbé. « C'est ce que font aussi les agents immobiliers, non ?

— Est-ce qu'on ne devrait pas appeler la police ? C'est complètement idiot de laisser faire sans réagir.

— Et leur dire quoi ? Que quelqu'un sait où nous habitons ?

— J'imagine que c'est à toi que ça s'adresse. »

Adam prit l'air sérieux. « Je l'espère bien. »

15

JE pris une semaine de congé. « Pour les préparatifs du mariage », fut le vague prétexte que je donnai à Mike, quoiqu'il n'y eût en vérité rien à préparer. Nous allions nous marier le matin, dans une mairie qui ressemblait au palais présidentiel d'un dictateur stalinien. Je porterais la robe de velours qu'Adam m'avait achetée (« sans rien dessous », m'avait-il prescrit), et nous allions harponner deux inconnus dans la rue pour faire office de témoins. L'après-midi, il était prévu que nous filions en voiture au Lake District. Il voulait m'emmener quelque part. Puis nous allions rentrer à la maison, et reprendre le travail. Enfin, peut-être.

« Vous avez bien mérité des vacances, déclara Mike avec enthousiasme. Vous avez travaillé dur ces derniers temps. »

Je le regardai avec effarement. En vérité, je n'avais pas fichu grand chose.

« En effet, mentis-je. J'ai besoin de repos. »

J'avais quelques démarches à faire avant vendredi. Il y avait longtemps que je remettais la première à plus tard.

Jake avait fait en sorte d'être là quand j'arrivai le mardi matin au volant d'une camionnette de location pour emporter le reste de mes affaires. Je ne souhaitais pas vraiment les récupérer, mais je ne voulais pas non plus qu'elles restent dans notre ancien appartement, signe qu'un jour peut-être je retournerais à cette vie, je remettrais ces vêtements.

Il me fit une tasse de café mais ne sortit pas de la cuisine, où il demeura ostensiblement penché sur un dossier professionnel, auquel je suis persuadée qu'il n'accorda pas un regard. Il s'était rasé, et avait enfilé une chemise bleue que je lui avais offerte. Je détournai le regard, évitant le spectacle de son visage las, intelligent, familier. Comment avais-je pu penser qu'il était l'auteur de ces coups de fil, de ces messages anonymes ? Toutes mes élucubrations teintées de gothique macabre s'évanouirent, laissant place à une humeur maussade empreinte de chagrin.

Je me montrai aussi pragmatique que possible. Je fourrai les vêtements dans des sacs plastique, j'emballai la vaisselle dans du papier journal pour la ranger dans des cartons que j'avais apportés avec moi, je retirai les livres des étagères en prenant soin ensuite de boucher les trous ainsi pratiqués. Je chargeai dans la camionnette le fauteuil que j'avais depuis l'université, mon vieux sac de couchage, quelques CD.

« Je crois que je vais laisser mes plantes, d'accord ?

— Si tu préfères.

— Oui.

— Et si j'ai oublié quoi que ce soit...

— Je sais où tu habites. »

Un silence se fit. J'avalai les dernières gorgées de mon café tiède, avant d'ajouter : « Jake, je suis vraiment désolée. Je ne peux rien dire d'autre. Je suis vraiment désolée. »

Il me dévisagea, puis esquissa un léger sourire. « Je vais m'en sortir, Alice. » Il reprit. « J'ai traversé une mauvaise passe, mais ça ira mieux. Et toi ? » Il approcha son visage du mien, jusqu'à devenir flou. « Tout ira bien ?

— Je ne sais pas, répondis-je en me reculant. Je n'ai pas le choix, c'est plus fort que moi. »

J'avais pensé monter chez mes parents pour y laisser tout ce dont je n'avais pas besoin, mais en fait j'éprouvais la même réticence à savoir mes affaires chez Jake qu'ailleurs. Je repartais de zéro, sans rien. J'éprouvais le sentiment enivrant de brûler mon passé. Je m'arrêtai au premier dépôt de charité que je trouvai et confiai l'intégralité de mes possessions à l'employé ahuri : livres, vêtements, vaisselle, CD, même mon fauteuil.

J'avais aussi pris des dispositions pour voir Clive. Il m'avait appelée au bureau, insistant pour que nous nous voyions avant mon mariage. Le mercredi précédent, nous nous retrouvâmes à midi dans une petite taverne sombre de Clerkenwell. Nous nous fîmes maladroitement la bise sur les deux joues, comme des inconnus polis, avant de nous installer à une petite table à côté d'une cheminée où brûlait un feu. Nous commandâmes de la soupe aux artichauts agrémentée de croûtons de pain bis, et deux verres du rouge de la maison.

« Comment va Gail ?

— Oh, bien, j'imagine. En fait, je ne l'ai pas beaucoup vue ces derniers temps.

— Tu veux dire que c'est terminé ? »

Il me répondit d'un sourire plein de regrets. L'espace d'un instant je retrouvai le Clive que je connaissais si bien, qui n'avait jamais cessé de provoquer en moi un sentiment de malaise. « Ouais, sans doute. Bon Dieu, tu sais à quel point je suis nul avec les femmes, je tombe amoureux, mais dès que ça devient sérieux, je panique.

— Pauvre Gail.

— Je ne suis pas venu pour parler de ça. » Il sonda l'épais breuvage vert d'une cuillère songeuse.

« Tu voulais me parler d'Adam, je me trompe ?

— En effet. » Il but quelques gorgées de vin, remua de nouveau sa soupe, puis déclara : « Maintenant que je suis là, je ne sais pas comment le dire. Ça n'a rien à voir avec Jake, d'accord ? C'est que... eh bien, j'ai rencontré Adam, tu te souviens, et c'est sûr qu'il écrasait tous les mecs dans la pièce. Mais est-ce que tu es certaine de savoir ce que tu fais ?

— Non, mais ça n'a pas d'importance.

— Qu'est-ce que tu veux dire ?

— Ça n'a littéralement pas d'importance. » Pour la première fois depuis ma rencontre avec Adam, j'avais envie de parler de ce que je ressentais. « Écoute, Clive, je suis tout bonnement tombée amoureuse de lui corps et âme. T'est-il jamais arrivé de te trouver désiré avec une telle force que...

— Non.

— Ça a été comme un tremblement de terre.

— Autrefois tu te moquais de moi quand je sortais des trucs pareils. Tu parlais de "confiance" ou de "responsabilité". Tu disais — il pointa sa fourchette vers moi — qu'il n'y a que les hommes pour sortir des insanités comme

135

"C'est arrivé, c'est tout" ou "C'était comme un tremblement de terre".

— Qu'est-ce que tu veux que je te dise ? »

Clive m'observa avec un intérêt clinique. « Comment vous êtes-vous rencontrés ?

— Nos regards se sont croisés dans la rue.

— Et ça a suffi.

— Oui.

— Vos yeux se sont croisés et vous avez sauté dans un lit.

— Oui.

— C'est purement sexuel, Alice. Tu ne peux pas mettre toute ta vie en l'air pour une simple histoire de fesses.

— Va te faire foutre, Clive. » Il parut accepter cela comme une réponse raisonnable. Du coup je continuai. « Il est tout. Je ferais n'importe quoi pour lui. C'est comme un sort qu'on m'a jeté.

— Et tu te prétends scientifique.

— Je suis une scientifique.

— Pourquoi parais-tu au bord des larmes ? »

Je souris. « Je suis heureuse.

— Non, tu n'es pas heureuse. Tu as perdu l'équilibre. »

Et j'avais pris des dispositions pour rencontrer Lily, sans savoir vraiment pourquoi. Quelqu'un m'avait envoyé un mot au bureau. L'enveloppe ne portait d'autre mention que « Alice ». Peut-être ne connaissait-elle pas mon nom complet.

« J'ai besoin de vous parler de l'homme que vous m'avez dérobé », disait le mot, ce qui aurait dû m'inciter à le mettre tout de suite à la poubelle. « C'est urgent, et vous devez garder le secret. Ne lui dites rien. » Elle m'avait laissé un numéro de téléphone.

J'ai pensé au mot qu'on avait glissé sous notre porte. Le papier était différent, l'écriture petite et nette, semblable à celle d'une lycéenne. Rien à voir, donc, mais qu'est-ce que cela signifiait ? Tout le monde peut déguiser son écriture. Je me rendis compte que j'espérais que Lily soit la coupable, pas Jake. J'aurais dû le montrer tout de suite à Adam, mais je ne le fis pas. Je me persuadai qu'il avait déjà trop de soucis. Le livre de Klaus était sur le point de paraître. Deux journalistes l'avaient déjà contacté : ils souhaitaient l'interroger sur ce que cela faisait d'« être un héros », mais ils lui avaient posé des questions concernant Greg, sa responsabilité morale dans la mort des alpinistes amateurs. Personnes qu'il avait entraînées dans l'ascension avant de les laisser mourir. Il avait réagi avec mépris au qualificatif de « héros », puis tout bonnement refusé de commenter l'attitude de Greg. Mais je les entendais souvent, Klaus et lui, discuter de cette histoire. Klaus en revenait toujours à la rampe fixe, se demandant comment, sans vouloir porter de jugement, Greg avait pu être aussi négligent. Adam ne cessait de répéter qu'au-dessus de huit mille mètres, on ne peut pas tenir les gens pour responsables de leurs actes.

« Et il en va ainsi pour chacun de nous, par la grâce de Dieu, conclut-il.

— Mais ça n'a pas été le cas pour toi », interrompis-je. Du coup les deux hommes tournèrent vers moi des yeux où l'indulgence le disputait à la condescendance.

« J'ai eu de la chance, répondit-il, très sobrement. Pour le malheur de Greg. »

Je ne le crus pas. Et je continuais à penser qu'il s'était passé quelque chose sur cette montagne dont il ne me parlait pas. Je le regardais parfois la nuit, endormi, un bras posé sur ma cuisse, l'autre projeté au-dessus de sa tête, la bouche entrouverte secouée de petits sursauts à chaque expiration. Quels rêves l'aspiraient vers un ailleurs où je ne pouvais le suivre ?

Quoi qu'il en soit, je décidai de rencontrer Lily sans le dire à Adam. Peut-être désirais-je juste me rendre compte, me comparer à elle, ou entr'apercevoir quelque chose du passé d'Adam. Je l'appelai. D'une voix précipitée, basse et rauque, elle m'enjoignit de la retrouver à son appartement de Shepherd's Bush jeudi matin. La veille du mariage.

Elle était belle. Bien sûr qu'elle était belle. Elle avait les cheveux argentés, d'aspect naturel, un peu gras, et la haute silhouette tout en jambes des mannequins. Des yeux gris, immenses, bien écartés, ornaient le triangle de son visage pâle. Elle portait un jean délavé et, malgré le temps morose, un minuscule T-shirt crasseux qui soulignait son ventre parfait. Ses pieds étaient nus et fins.

Plus mon regard s'attardait sur elle, plus je regrettais

d'être venue. Nous ne nous serrâmes pas la main, nous ne nous fîmes pas la bise. Elle me conduisit jusqu'à son appartement au sous-sol. Quand elle ouvrit la porte, je reculai d'horreur. Ce studio surchauffé était un dépotoir. Il y avait des vêtements éparpillés partout, l'évier et la table disparaissaient sous des piles de vaisselle sale, une caisse de chat puante trônait au milieu de la pièce. Des magazines, ou ce qu'il en restait, avaient été jetés çà et là. Sur le grand lit, disposé dans un coin de la pièce, s'étalait un foutoir de draps tachés et de vieux journaux. Une assiette contenant un toast entamé reposait sur l'oreiller, à côté d'une demibouteille de whisky. Je fus à deux doigts de m'enfuir en découvrant, au mur, une gigantesque photo d'Adam en noir et blanc, la mine très sérieuse. À peine avais-je posé le regard dessus que je commençai à remarquer d'autres signes de sa présence. Plusieurs photographies, à l'évidence déchirées dans des livres sur l'alpinisme, étaient étalées sur la cheminée. Il figurait sur chacune d'elles. Un article de journal jauni, maintenu au mur à la gomme adhésive, arborait un portrait de lui. À côté du lit se trouvait une photo d'Adam et Lily. Il avait passé le bras autour de ses épaules, elle levait vers lui un regard plein de vénération. Je fermai un instant les yeux. Malheureusement, il n'y avait nulle part où s'asseoir.

« Ça fait un bout de temps que je n'ai pas fait le ménage.

— En effet. »

Nous ne bougeâmes ni l'une ni l'autre.

« C'était notre lit.

— Je vois. » J'aurais voulu vomir.

« Je n'ai pas changé les draps depuis son départ. Je sens encore son odeur.

— Écoutez... » Je dus faire un effort pour parler ; il me semblait que j'avais mis le pied dans un cauchemar épouvantable qui menaçait de me piéger. « ... Vous avez dit que vous aviez quelque chose d'urgent à me confier.

— Vous me l'avez volé, continua-t-elle comme si je n'avais rien dit. Il était à moi et vous êtes arrivée pour me le piquer sous mon nez.

— Non. Non. Il m'a choisie. Nous nous sommes choisis. Je suis désolée, Lily. Je ne savais pas que vous existiez, mais de toute façon...

— Vous vous êtes contentée de bousiller ma vie sans penser à moi. » Elle parcourut des yeux le studio catastrophique. « Vous ne vous êtes pas préoccupée de moi. » Sa voix faiblit. « Et maintenant ? » poursuivit-elle, semblant à la fois horrifiée et apathique. « Maintenant, qu'est-ce que je suis censée faire ?

— Écoutez, je crois que je ferais mieux de partir. Ça ne nous aide ni l'une ni l'autre.

— Regardez. » Elle ôta son T-shirt. Elle resta là, debout, pâle et mince. Ses petits seins s'achevaient en grosses aréoles brunes. Je n'arrivais pas à en détacher mes yeux. Puis elle se tourna. Des balafres livides lui striaient le dos. « C'est lui qui a fait ça, déclara-t-elle d'une voix triomphante. Maintenant, qu'est-ce que vous en dites ?

— Il faut que j'y aille, dis-je, clouée sur place.

— Pour me montrer combien il m'aimait. Il m'a marquée de son sceau. Il vous a fait la même chose ? Non ? Mais il me l'a fait à moi parce que je lui appartiens. Il ne peut pas me jeter comme ça. »

Je me dirigeai vers la porte.

« Ce n'est pas tout, continua-t-elle.

— Nous nous marions demain. » J'ouvris la porte.

« Ce n'est pas la seule chose qu'il m'ait... »

Une idée me traversa l'esprit. « Vous savez où il habite ? » Elle parut surprise. « Qu'est-ce que vous voulez dire ?

— Au revoir. »

Je lui fermai la porte au nez et montai en courant les marches qui menaient à la rue. Même les pots d'échappement sentaient le frais après l'appartement de Lily.

Nous prîmes un bain ensemble, nous savonnant l'un l'autre avec un soin méticuleux. Je lui lavai les cheveux, il fit de même. Une mousse chaude flottait à la surface de l'eau, l'air saturé de vapeur sentait bon. Je le rasai très attentivement. Il me peigna, retenant mes cheveux quand il devait démêler de petits nœuds afin de ne pas me faire mal.

Nous nous séchâmes mutuellement. La glace était recouverte de buée, mais il me déclara que je n'avais pas besoin d'examiner mon reflet ce matin, sauf dans ses yeux. Il ne me laissa pas appliquer le moindre maquillage. J'enfilai ma

robe à même ma peau nue puis me glissai dans une paire
de chaussures. Il mit un jean et un T-shirt noir à manches
longues.

« Prête ? demanda-t-il.

— Prête. »

« Tu es ma femme à présent.

— Oui.

— Ça te fait mal ? Détends-toi.

— Oui.

— Et ça ?

— Non. Si. Oui.

— Tu m'aimes ?

— Oui.

— Pour toujours.

— Pour toujours.

— Dis-moi si tu veux que j'arrête.

— Oui. Tu m'aimes ?

— Oui. Pour toujours.

— Oh, Adam, je mourrais pour toi. »

16

« C'EST encore loin ? » Malgré mes tentatives pour la stabiliser, ma voix sortait par à-coups désordonnés. Parler me déchirait la poitrine.

« Il reste une douzaine de kilomètres », répondit Adam en se tournant vers moi. « Si tu pouvais marcher un peu plus vite on y arriverait avant la tombée de la nuit. » Son regard ne trahissait aucune émotion. Il enleva son sac à dos, dans lequel il portait toutes mes affaires en plus des siennes, pour en tirer une Thermos. « Bois un peu de thé et prends du chocolat.

— Merci. Tu parles d'un voyage de noces. Moi qui voulais un lit à baldaquin et du champagne. » Je saisis la tasse en plastique remplie de thé entre mes moufles. « On a passé la montée la plus dure ?

— Chérie, ce n'était encore qu'une balade de santé. C'est à partir de là qu'on entame la montée. »

Je me tordis le cou pour découvrir l'endroit qu'il indiquait du doigt. Le vent me mordit le visage, j'avais l'impression d'avoir le menton à vif. « Non, dis-je. Toi peut-être, mais pas moi.

— Tu es fatiguée ?

— Fatiguée ? Non, pas le moins du monde. Je suis en pleine forme, tout ça grâce à tous mes kilomètres de marche dans le métro. J'ai des ampoules dans mes chaussures neuves. J'ai les chevilles en feu. J'ai un point de côté qui me fait l'effet d'un coup de poignard. J'ai le nez gelé et les doigts engourdis. Et puis j'ai le vertige, merde. Je ne bouge plus. » Je m'assis sur la fine pellicule de neige et enfournai deux carrés de chocolat durcis par le froid.

« Tu restes là ? » Adam balaya du regard la lande solitaire bordée de collines escarpées. L'été, à l'en croire, elle accueillait de nombreux randonneurs, mais pas ce samedi de fin février, alors que l'herbe gelée formait des monticules acérés, que les arbres se courbaient dans le vent, que notre haleine s'élevait en volutes dans l'air gris.

« D'accord, je ne vais pas rester là. Je fais juste ma crise. »

Il s'assit à côté de moi et se mit à rire. Je crois que c'était la première fois que je l'entendais rire vraiment. « J'ai épousé une mauviette ! » s'exclama-t-il comme s'il s'agissait là de la chose la plus drôle au monde. « Je passe ma vie à escalader des montagnes, et j'ai épousé une femme qui est incapable de grimper une pente de rien du tout sans se payer un point de côté.

— Ouais, et moi j'ai épousé un type qui me traîne au milieu de nulle part et qui se marre quand j'éprouve des difficultés et que je ne suis pas très fière de moi », lui lançai-je à la figure.

Adam se leva et m'aida à me mettre debout. Il ajusta mes moufles de façon à couvrir le moindre millimètre de peau nue jusqu'aux manches de mon blouson. Il tira une écharpe du sac à dos pour me l'enrouler autour du cou. Il resserra mes lacets, afin d'éviter que mes pieds flottent dans mes chaussures. « Maintenant, essaie de prendre un rythme. Ne te presse pas. Non que tu l'aies fait jusqu'à présent. Trouve une allure, et ensuite ne t'arrête plus. Respire calmement. Ne regarde pas où nous allons, mets juste un pied devant l'autre jusqu'à ce que tu aies l'impression d'entrer en méditation. Prête ?

— Oui, capitaine. »

Nous avançâmes en file indienne sur le chemin. Il devenait de plus en plus escarpé, au point de devoir presque nous hisser à l'aide des mains. Adam semblait ralentir le pas, pourtant il me distança en l'espace de quelques secondes. Je ne tentai pas de le rattraper, occupée que j'étais à essayer de suivre ses instructions. Gauche, droite, gauche, droite. J'avais le nez qui coulait, les yeux chassieux. Mes jambes douloureuses me semblaient faites de plomb. Je m'assignai des exercices de calcul mental. Je tentai de me fredonner une vieille chanson sur les éléments chimiques, que j'avais présentée dans un spectacle à l'université. « Il y a l'antimoine, l'arsenic, l'aluminium, le sélénium... » et après ? De toute façon, je manquais de souffle. Je trébuchais parfois sur des petites pierres qui encombraient le chemin, je me griffais à d'épais buissons de ronce. Je ne parvins jamais à l'état de méditation, mais je continuai vaille que vaille, et bientôt le point de côté s'atténua pour laisser place à une douleur plus tempérée. Mes mains se réchauffèrent, l'air pur me parut moins agressif à chaque inspiration.

Au sommet d'une côte, Adam me fit m'arrêter pour contempler le paysage.

« On croirait que nous sommes seuls au monde, dis-je.

— C'est bien l'intérêt de l'exercice. »

Le soir commençait à tomber au moment où nous aperçûmes le refuge juste en contrebas.

« À qui est-ce destiné ? » Tandis que nous y descendions, les silhouettes d'énormes escarpements et de troncs rabougris se dessinaient dans la pénombre.

« C'est un refuge pour alpinistes et randonneurs. Il appartient au Club d'alpinisme britannique. Les membres ont le droit d'y passer la nuit. J'ai apporté la clé. » Il tapota la poche sur le côté de son blouson.

Il faisait un froid de canard à l'intérieur. Le confort élémentaire avait été négligé. Adam alluma une grande lampe à gaz qui pendait à une des poutres, à la lumière de laquelle j'examinai les étroites planches de bois disposées autour de la pièce en guise de couchettes, la cheminée vide, le petit lavabo surmonté d'un robinet d'eau froide exclusivement.

« C'est tout ?

— Ouais.

— Où sont les toilettes ?

— Là-bas. » Il désignait la porte, derrière laquelle s'étalaient les espaces enneigés.

« Oh. » Je m'assis sur le bois dur d'une couchette. « Quel confort !

— Attends un peu. »

Dans un coin se trouvaient plusieurs grosses caisses pleines de bûches et de branches. Il en sortit une qu'il amena jusqu'à la cheminée, puis s'employa à briser les brindilles qu'il disposa en un dôme bien arrondi autour de quelques boules de papier journal froissé. Ensuite il

143

recouvrit l'ensemble de bûches plus importantes. Il frotta une allumette pour mettre le feu au papier. Les flammes commencèrent à lécher le bois. Au début, elles étaient jaunes, sans chaleur, mais bientôt le feu émit une chaleur suffisante pour que j'envisage la possibilité d'ôter mon blouson et mes moufles. Le refuge était petit et bien isolé ; dans une demi-heure environ, il y ferait chaud.

Adam dégagea le petit réchaud à gaz rangé sous le sac à dos, déplia les montants, et l'alluma. Il remplit au robinet une bouilloire de cuivre cabossée qu'il posa sur la flamme. Il déroula d'un coup les deux sacs de couchage, puis en défit la fermeture Éclair de façon à composer deux duvets qu'il étala devant l'âtre.

« Viens t'asseoir », dit-il. Je me débarrassai de mon blouson pour le rejoindre devant le feu. Il sortit une bouteille de whisky du fond du sac, puis un long salami et un de ces incroyables couteaux suisses qui font aussi tournevis, décapsuleur et boussole. Je le regardai découper d'épaisses tranches de saucisson qu'il déposa sur le papier sulfurisé. Il ouvrit la bouteille de whisky et me la tendit.

« Voilà le dîner », dit-il.

J'avalai une gorgée de whisky, puis quelques bouchées de salami. Il était environ sept heures, la nuit était totalement silencieuse. Jamais dans ma vie je n'avais connu un tel silence, aussi épais, aussi absolu. Dehors, derrière les fenêtres dénuées de rideaux, il faisait une nuit d'encre, troublée seulement par le canevas des étoiles. Il fallait que j'aille aux toilettes. Je me levai. Quand j'ouvris la porte, l'air glacé me frappa comme une explosion. Je la refermai derrière moi avant de m'enfoncer dans la nuit. Je frissonnai, perturbée par le sentiment que nous étions vraiment, vraiment seuls, et que nous le serions toujours à présent. J'entendis Adam sortir du refuge, fermer la porte derrière lui. Dans mon dos, je sentis ses bras m'entourer, me transmettre dans une étreinte sa solide chaleur.

« Tu vas prendre froid, dit-il.

— Je ne suis pas sûre d'aimer tout ça.

— Rentre, mon cher amour. »

Nous bûmes encore du whisky, l'œil rivé sur le mouvement des flammes. Adam rajouta quelques bûches. Il faisait chaud à présent, la petite pièce s'emplissait d'un agréable parfum de résine. Longtemps, nous gardâmes le silence, sans nous toucher. Quand il finit par poser la main sur mon bras, ma peau frémit. Nous nous déshabillâmes chacun de notre côté, en nous regardant. Nous nous accroupîmes nus, l'un en face de l'autre, les yeux dans les yeux. Bizarrement, j'étais mal à l'aise, gagnée par la timidité. Il me prit la main, dont l'annulaire s'ornait à présent d'un nouvel anneau d'or, et la leva à ses lèvres pour y déposer un baiser.

« Tu me fais confiance ? demanda-t-il.

— Oui. » Ou plutôt, non, non et non.

Il me tendit la bouteille de whisky. J'en avalai une rasade, qui me brûla la gorge.

« Je veux te faire quelque chose que personne n'a jamais fait. »

Je ne répondis pas. J'avais l'impression d'être dans une sorte de rêve. Un genre de cauchemar. Nous nous embrassâmes, mais très doucement. Il fit courir ses doigts sur mes seins, puis descendit jusqu'à mon ventre. Je suivis le cours de ses vertèbres le long de sa colonne. Nos gestes étaient très attentionnés. Un côté de mon corps cuisait, trop près du feu, l'autre grelottait. Il me dit de m'allonger sur le dos, ce que je fis. Peut-être avais-je bu trop de whisky et pas suffisamment pris de salami. Je me sentais comme suspendue au-dessus d'un abîme, quelque part dans la pénombre si froide. Je fermai les yeux mais il tourna mon visage vers lui. « Regarde-moi. »

Des ombres lui traversaient le visage. Je ne distinguais que des parcelles de son corps. Au début, ce fut très tendre, et ce n'est que graduellement que tout devint si violent, gravissant un cran après l'autre l'échelle de la douleur. Je me souvins de Lily et de son dos scarifié. Dans mon esprit, je voyais Adam au sommet de ses montagnes si hautes, au milieu de toute cette peur, de toute cette mort. Comment se faisait-il que je me trouve là, dans ce silence terrifiant ? Pourquoi le laissais-je me faire ça, qui étais-je devenue pour me soumettre ainsi à lui ? Je fermai à nouveau les yeux. Cette fois, il ne me demanda pas de les ouvrir. Il mit les mains autour de mon cou. « Ne bouge pas, n'aie pas peur. » Puis il commença à serrer. Je voulais lui dire d'arrêter, mais pour une raison inconnue je n'en fis rien, cela me fut

145

impossible. Je restai allongée sur les sacs de couchage, devant le feu, dans le noir, et il continua à appuyer. Je gardai les yeux fermés, les mains immobiles. C'était le cadeau de mariage que je lui faisais, le don de ma confiance. Les flammes dansaient sur mes paupières closes, mon corps se tordait sous le sien, comme si j'en avais perdu la maîtrise. Je sentis le sang rugir dans mon corps, mon cœur se débattre, ma tête gronder. Il n'y avait plus ni plaisir ni douleur. J'étais ailleurs, dans un autre monde où toutes les frontières s'étaient désintégrées. Oh, mon Dieu ! Il fallait qu'il s'arrête maintenant. Qu'il s'arrête. La pénombre débarqua derrière les lignes claires de la sensation pure.

« Tout va bien, Alice. » Il me rappelait. Ses pouces libérèrent ma trachée. Il se pencha pour me déposer un baiser dans le cou. J'ouvris les yeux. Je me sentais malade, épuisée, triste, défaite. Il me redressa et me tint contre lui. Ma nausée se calma, mais j'avais très mal à la gorge. Une envie de pleurer m'étreignait. Je voulais rentrer à la maison. Il saisit la bouteille de whisky, en but une rasade, puis la posa contre mes lèvres et fit couler le liquide dans ma bouche comme s'il avait affaire à un bébé. Je m'effondrai sur les sacs de couchage, il me recouvrit d'un duvet, et je restai allongée là un moment à regarder les flammes, tandis que lui, assis à côté de moi, me caressait les cheveux. Je glissai très lentement dans le sommeil, pendant qu'Adam nourrissait le feu mourant à côté de moi.

À un moment de la nuit je m'éveillai. Il était allongé à mes côtés, plein de chaleur et de force. Un homme sur qui on pouvait s'appuyer. Le feu s'était éteint, mais les braises luisaient encore. Ma main gauche était froide, car elle avait glissé en dehors du sac de couchage.

17

« **N**ON. » Adam abattit violemment ses deux poings sur la table, faisant sauter les verres qui s'y trouvaient. Tous les clients du pub se tournèrent dans notre direction. Adam parut ne pas s'en rendre compte. Il n'avait aucune notion de ce que ma mère appelait le décorum. « Je refuse d'accorder une interview à un journaliste de merde.

— Écoute, Adam, commença Klaus avec douceur. Je sais que tu...

— Je ne veux pas parler de ce qui s'est passé sur cette montagne. C'est du passé, c'est fini, terminé. Je n'ai pas envie de revenir sur ce foirage lamentable, même pas pour t'aider à vendre ton bouquin. » Il se tourna vers moi. « Dis-lui, toi. »

J'adressai un haussement d'épaules en direction de Klaus. « Il ne veut pas, un point c'est tout. »

Adam me prit la main, la pressa contre son visage et ferma les yeux.

« Si tu en donnais juste une...

— C'est non, répétai-je. Tu ne comprends pas ce qu'il dit ?

— OK, OK. » Il leva les mains dans un geste de renoncement moqueur. « Quoi qu'il en soit, j'ai un cadeau de mariage pour vous deux. » Il se pencha pour tirer une bouteille de champagne du sac en toile posé à ses pieds. « Je... heum... je vous souhaite bonne chance et beaucoup de bonheur. Buvez-la au lit un de ces quatre. »

Je l'embrassai sur la joue. Adam émit un petit rire et se recala dans son fauteuil.

147

« D'accord, tu as gagné, une interview. » Il se leva. Il me tendit la main.

« Vous y allez déjà ? Daniel a dit qu'il passerait peut-être plus tard.

— On va aller boire ce champagne au lit, répondis-je. Je meurs d'impatience. »

Quand je suis rentrée du bureau le lendemain, la journaliste était là. Elle était assise en face d'Adam, leurs genoux se touchaient presque. Sur la table à côté d'elle un magnétophone tournait. Elle avait un carnet posé sur les genoux, mais elle n'écrivait pas. Au lieu de cela, elle fixait Adam d'un regard intense, ponctuant ses propos de petits signes de tête.

« Ne faites pas attention à moi, dis-je alors qu'elle s'apprêtait à se lever. Je vais me faire une tasse de thé et disparaître. Voulez-vous quelque chose à boire ? » Je retirai mon manteau et mes gants.

« Un whisky, répondit Adam. Je te présente Joanna, du *Participant*. Et voici Alice. » Il m'attrapa le poignet et m'attira vers lui. « Ma femme.

— Ravie de vous rencontrer, déclara Joanna. Aucun article n'a mentionné que vous étiez marié. »

Derrière des verres épais, deux yeux vifs me dévisageaient.

« Aucun journaliste n'était au courant, répliqua Adam.

— Vous faites de l'alpinisme vous aussi ? »

Je m'esclaffai. « Pas du tout. Je ne prends même pas l'escalier s'il y a un ascenseur dans les parages.

— Ça doit vous faire bizarre de rester derrière à attendre, continua-t-elle, à vous faire du souci.

— Je n'ai pas encore eu l'occasion de m'en rendre compte », répondis-je sans plus de précisions. Je pris le chemin de la cuisine pour aller m'occuper de la bouilloire. « Et puis j'ai ma propre vie », ajoutai-je. À moins que ce ne soit un mensonge à présent.

Je repensai à notre week-end de noces dans le Lake District. Ce qui s'était passé entre nous dans ce refuge — sa violence à mon égard, avec ma permission — me perturbait encore. Je m'efforçais de ne pas trop y songer ; c'était devenu une zone d'ombre dans mon esprit. Je m'étais mise à sa merci et, l'espace de quelques minutes, allongée sous

148

son étreinte, j'avais cru qu'il allait me tuer, pourtant je ne m'étais pas débattue. Une partie de moi se révoltait à cette idée, une autre s'y complaisait.

Alors que je surveillais la bouilloire, l'oreille à demi distraite par l'interview, je remarquai un bout de papier froissé couvert d'une grande écriture noire. Je le dépliai, sachant par avance ce que j'allais y trouver. « JE NE TE LAISSERAI PAS DE REPOS. » Elles me donnaient la chair de poule, ces lettres. Je ne comprenais pas pourquoi nous n'étions pas allés voir la police dès le début. C'était comme si nous nous y étions habitués sans protester, de sorte que les menaces qu'elles comportaient avaient formé des cumulus orageux dans notre vie, que nous acceptions tout simplement. Quand je levai les yeux, je vis qu'Adam me regardait. Du coup je lui adressai un petit sourire et déchirai la feuille en morceaux que je jetai d'une main dédaigneuse à la poubelle. Il me gratifia d'un petit signe de tête approbateur avant d'en revenir à Joanna.

« Vous me parliez des dernières heures, reprit-elle. Aviez-vous eu le moindre pressentiment de la catastrophe ?

— Si vous me demandez si je pensais que tous ces gens allaient mourir là-haut, la réponse est non, absolument pas.

— Alors, à quel moment avez-vous pris conscience que tout allait de travers ?

— Au moment où ça s'est produit. Je peux avoir ce whisky, Alice ? »

Joanna consulta son carnet avant d'essayer un nouvel angle d'attaque. « Et les rampes fixes ? D'après mes renseignements, Greg McLaughlin et les autres responsables de l'expédition avaient installé des cordées de différentes couleurs qui suivaient la crête jusqu'au sommet. Mais à un moment la dernière longueur de corde s'est détachée, ce qui a sans doute fait toute la différence pour les randonneurs. »

Adam la fixait du regard. Je lui apportai un grand whisky. « Vous en voulez un, Joanna ? » demandai-je. Elle secoua la tête. Elle attendait toujours la réponse d'Adam. Je me versai une rasade que j'avalai d'un coup.

« Comment cela s'est-il passé, à votre avis ?

— Comment voulez-vous que je sache, finit-il par dire. Il faisait un froid polaire. On était en pleine tempête.

Complètement nases. Rien ne fonctionnait, on ne pouvait plus compter sur personne. Je ne sais pas ce qui s'est passé avec la corde, personne ne le sait. Mais vous voulez des coupables, n'est-ce pas ? » Il engloutit la moitié de son verre. « Vous cherchez à écrire un joli petit article bien ficelé révélant qu'un type a conduit un groupe de randonneurs à la mort. Eh bien, ma belle, ce n'est pas aussi simple que ça, là-haut dans la zone mortelle. Il n'y a pas de héros, et pas de méchant. On est juste un groupe de zozos coincés sur un flanc de montagne, avec les cellules grises qui se font la belle.

— Le livre laisse entendre que vous vous êtes comporté en héros », répliqua Joanna, que cet éclat n'avait pas perturbé le moins du monde. Adam ne répondit pas. « Et puis, continua-t-elle avec précaution, il implique également qu'une partie de la responsabilité incombe à l'organisateur de l'expédition. À Greg.

— Tu peux m'en servir un autre ? » Adam me tendit son verre. Au moment de le saisir, je me penchai vers lui pour l'embrasser. Je me demandais à quel moment il me faudrait prier Joanna de s'en aller.

« J'ai entendu dire que Greg a quelques problèmes de santé. Croyez-vous que ce soit imputable à la culpabilité ? »

De nouveau, Adam garda le silence. Il ferma un instant les yeux, inclina la tête en arrière. Il avait l'air épuisé.

Elle fit une nouvelle tentative. « Pensez-vous que l'expédition présentait un risque inutile ?

— À l'évidence. Il y a eu des morts.

— Regrettez-vous le fait que la montagne soit devenue un enjeu commercial ?

— Oui.

— Pourtant vous en êtes en partie responsable.

— Oui.

— Une des victimes, poursuivit Joanna, était quelqu'un de très proche de vous. Une ex-petite amie, il me semble. »

Il acquiesça.

« Vous êtes-vous senti particulièrement affecté par le fait que vous n'avez pas pu la sauver ? »

J'apportai le second whisky. Adam m'entoura la taille de son bras au moment où je me penchais vers lui.

« Ne pars pas », dit-il, comme si notre relation tout

entière était en jeu. Je m'assis sur le bras de son fauteuil, posant la main sur sa tignasse emmêlée. Il jaugea Joanna du regard pendant quelques instants. « Qu'est-ce que vous croyez ? » finit-il par répondre. Il se leva. « Je pense que ça suffit. Pas vous ? »

Joanna ne bougea pas, sauf pour vérifier que les molettes du magnétophone tournaient toujours.

« Vous vous en êtes remis ? » Je me penchai pour éteindre son magnétophone, ce qui lui fit lever les yeux vers moi. Nos regards se croisèrent et elle me gratifia d'un petit signe de tête, d'approbation, me sembla-t-il.

« *Remis ?* » Sa voix frémissait. Puis il ajouta, sur un ton tout à fait différent : « Et si je vous disais mon secret, Joanna ?

— J'en serais ravie. »

Tu m'étonnes.

« J'ai Alice. Alice me sauvera. » Et il souligna ses paroles d'un rire un peu cassé.

Alors Joanna se leva.

« Une dernière question, dit-elle en enfilant son manteau. Vous allez continuer à escalader ?

— Oui.

— Pourquoi ?

— Parce que je suis alpiniste. C'est ce qui me définit. » Le whisky lui brouillait un peu la voix. « J'aime Alice et j'escalade des montagnes. » Il se pencha vers moi. « C'est là que je trouve la grâce. »

« Je suis enceinte », déclara Pauline. Nous nous promenions dans St James's Park, bras dessus, bras dessous, mais toujours un peu mal à l'aise. C'est elle qui avait eu l'idée de cette rencontre, où je m'étais rendue un peu à contrecœur. Toute ma vie passée me semblait très loin, presque irréelle, comme si elle avait concerné quelqu'un d'autre. Dans cette vie-là, j'avais aimé Pauline, je m'étais reposée sur elle ; dans ma vie présente, je n'avais pas de place pour une amitié aussi intense. Je me rendis compte, sur le chemin de notre rendez-vous, ce samedi après-midi glacé de février, que j'avais mis notre amitié en veilleuse, en tout cas pour l'instant. Je me disais que je pourrais y retourner un jour, mais pas encore tout de suite. Nous avions traversé le parc ensemble jusqu'à la tombée de la nuit, effleurant les sujets avec précaution, là où autrefois nous discutions plus ou moins de tout sans réserve. « Comment va Jake ? » avais-je demandé, à quoi elle avait répondu, un brin réticente, qu'il allait bien.

« Comment se passe ta nouvelle existence ? » avait-elle demandé, sans vraiment souhaiter le savoir, et je ne lui avais pas vraiment répondu.

Je m'arrêtai et saisis ses fines épaules. « C'est une merveilleuse nouvelle. De combien ?

— Huit ou neuf semaines. Suffisamment pour avoir des nausées en permanence.

— Je suis très heureuse pour toi, Pauline. Je te remercie de me l'avoir dit.

— Il n'y a vraiment pas de quoi, répondit-elle sans chaleur. Tu es mon amie. »

Nous arrivâmes à la route. « Je vais par là, dis-je. Je retrouve Adam un peu plus loin. »

Nous nous embrassâmes sur les deux joues, avec soulagement, et je m'éloignai dans la rue sombre. Soudain un grand type assez jeune surgit devant moi et, avant que j'aie eu le temps d'enregistrer grand-chose à part la blancheur mortelle de son visage et le plumeau carotte qui lui couvrait le crâne, il m'arracha mon sac de l'épaule.

« Hé ! » m'exclamai-je tout en lui plongeant dessus au moment où il commençait à filer. J'attrapai le sac, bien qu'il ne contînt presque rien de très précieux, et tentai de le lui arracher des mains. Il fit volte-face. Il portait un tatouage en forme de toile d'araignée sur la joue, ainsi qu'une ligne tracée autour du cou au-dessus de laquelle était écrit : « Tranchez ici. » Un coup de pied dans le tibia passa à côté, mais je recommençai. Là, ça devait faire mal.

« Lâche ça, salope ! » siffla-t-il. La bandoulière de mon sac me coupa les doigts avant de m'échapper. « Putain de salope de merde ! » Il leva une main, qu'il rabattit sur mon visage. Je titubai. Je portai la main à ma joue. Du sang coulait le long de mon cou. Il avait la bouche ouverte, découvrant une grosse langue violette. Il leva à nouveau la main. Oh non ! un cinglé ! Je me souviens avoir pensé que ce devait être l'homme qui nous envoyait les messages, notre rôdeur. Puis je fermai les yeux : qu'on en finisse vite. Mais aucun coup ne vint.

J'ouvris à nouveau les yeux pour découvrir, comme dans un rêve, qu'il tenait un couteau. Il n'était pas pointé vers moi, mais vers Adam. Puis je vis Adam écraser son poing sur le visage de l'homme, qui cria de douleur et lâcha le couteau. Adam le frappa à nouveau, lui assenant un coup sonore dans la nuque. Puis dans le ventre. L'homme tatoué se plia en deux. Du sang jaillissait de son œil gauche. Je vis le visage d'Adam, un visage de marbre, qui ne trahissait pas la moindre expression. Il cogna à nouveau l'homme, puis se recula pour le laisser tomber. Il s'effondra à mes pieds, gémissant, se tenant le ventre.

« Arrête ! » criai-je, effarée. Un petit attroupement s'était formé. Pauline était là ; sa bouche dessinait un O horrifié.

Adam le frappa à l'estomac.

« Adam ! » Je lui agrippai le bras sans le lâcher. « Pour l'amour du ciel, arrête. Ça suffit. »

Adam baissa les yeux vers le corps qui se tordait sur le trottoir. « Alice me demande d'arrêter. C'est pour cette raison que je le fais. Autrement je te tuerais pour avoir osé porter la main sur elle. » Il ramassa mon sac qui gisait par terre, puis se tourna vers moi et prit mon visage entre ses mains. « Tu saignes. » De sa langue, il ôta un peu de sang sur ma joue. « Alice, ma chérie, il t'a fait saigner. »

Encore secouée, je vis que des gens se rapprochaient, s'interpellaient, demandant aux autres ce qui s'était passé. Adam me soutint contre lui. « Ça fait mal ? Tu vas bien ? Regarde-moi ton beau visage.

— Oui. Oui, je ne sais pas. Je crois. Et lui ? Qu'est-ce que... »

Je regardai l'homme étendu par terre. Il bougeait, mais à peine. Adam ne lui prêtait pas la moindre attention. Il sortit un mouchoir de sa poche, le porta à sa langue et entreprit de frotter la coupure sur ma joue. Une sirène hurla tout près. Par-dessus l'épaule d'Adam je vis qu'une voiture de police suivait l'ambulance.

« Joli coup, mon gars. » Un type costaud vêtu d'un long pardessus s'avança, la main tendue vers Adam. « Tope-là. » Je les regardai, ahurie, s'échanger une poignée de main. Tout cela était un cauchemar, une farce.

« Alice, tu vas bien ? » C'était Pauline.

« Ça va. »

Des policiers étaient arrivés à présent. Il y avait une voiture. L'incident était devenu officiel, ce qui d'une certaine manière le rendait plus supportable. Ils se penchèrent vers l'homme pour le remettre debout. Il fut emmené hors de ma vue.

Adam ôta son blouson et m'en enveloppa les épaules. Il lissa mes cheveux en arrière.

« Je vais nous appeler un taxi. La police peut attendre. Ne bouge pas. » Il se tourna vers Pauline. « Occupez-vous d'elle », dit-il avant de s'éloigner au pas de course.

« Il aurait pu le tuer », dis-je à Pauline.

Elle me regarda d'un air bizarre. « Il t'adore vraiment, non ?

— Mais s'il l'avait...

— Il t'a sauvée, Alice. »

Le lendemain la journaliste, Joanna, nous appela à nouveau. Elle avait entendu parler de l'escarmouche dans le journal du soir et ça allait faire toute la différence pour son interview, toute la différence. Elle voulait juste recueillir nos commentaires.

« Allez vous faire foutre, répondit Adam d'une voix calme, avant de me passer le combiné.

— Quel effet ça fait, me demanda-t-elle, d'être mariée à un homme comme Adam ?

— C'est-à-dire ?

— Un héros.

— Super », répondis-je, mais je n'étais pas tout à fait certaine que c'était bien ce que je ressentais.

Nous étions allongés, tête-bêche, dans la pénombre. Ma joue me piquait. J'avais le cœur qui battait la chamade. Arriverais-je jamais à m'habituer à lui ?

« De quoi as-tu peur ?

— S'il te plaît, touche-moi. »

Les réverbères orange éclairaient la chambre derrière les rideaux fins. Je voyais son visage, son beau visage. Je voulais qu'il me tienne si fort, si serré que je disparaisse en lui.

« Dis-moi d'abord de quoi tu as peur.

— De te perdre. Allez, mets ta main là.

— Tourne-toi, comme ça. Tout ira bien. Je ne te quitterai jamais, et toi non plus. Ne ferme pas les yeux. Regarde. »

Plus tard, la faim nous prit, parce que nous n'avions rien mangé ce soir-là. Je me glissai hors du lit trop haut, posai les pieds sur les lattes de plancher froides, et enfilai la chemise d'Adam. Dans le frigo je trouvai du jambon de Parme, quelques vieux champignons de Paris, et un petit morceau de fromage durci. Je donnai à manger à Sherpa, qui enroulait son petit corps autour de mes jambes nues, puis je nous préparai un sandwich géant à partir d'une fine baguette italienne un peu rassise. Il y avait une bouteille de vin dans notre carton de provisions mal assorties posé près de la porte. Je l'ouvris. Nous dînâmes au lit, calés contre les oreillers, répandant des miettes sur les draps.

« Le problème, dis-je entre deux bouchées, c'est que je n'ai pas l'habitude que les gens agissent comme ça.

— Comme quoi ?

— Comme frapper ce type pour moi.

— Il t'avait blessée.

— J'ai cru que tu allais le tuer. »

Il remplit à nouveau mon verre. « J'étais en colère.

— Ce n'est rien de le dire. Il tenait un couteau, tu ne t'en es pas préoccupé ?

— Non. » Il fronça les sourcils. « Tu préférerais que je sois le genre de mec gentil qui lui aurait demandé poliment de s'arrêter ? Ou qui aurait couru chercher la police ?

— Non. Oui. Je n'en sais rien. »

Avec un soupir je m'enfonçai à nouveau dans les oreillers, ramollie par l'amour et le vin. « Tu peux me dire un truc ?

— Peut-être.

— Est-ce qu'il s'est passé quelque chose sur la montagne... ? Je veux dire, est-ce que tu protèges quelqu'un ? »

Adam ne parut pas étonné par ma question, ni fâché. Il ne se tourna même pas vers moi. « Bien sûr.

— Tu me le diras un jour.

— Ça ne regarde personne », répondit-il.

18

Le lendemain de la parution de l'entrefilet, je descendis chercher le courrier, et tombai sur une nouvelle enveloppe brune. Elle ne portait pas de timbre, simplement l'inscription : « À MRS. ADAM TALLIS. »

Je l'ouvris sur-le-champ, dans le couloir commun, les pieds chatouillés par le paillasson. C'était le même papier, la même écriture, quoiqu'un peu plus petite dans la mesure où le message était plus long :

TOUTES MES FÉLICITATIONS POUR VOTRE MARIAGE MRS. TALLIS
SURVEILLEZ VOS ARRIÈRES
P. S. ET SI VOUS APPORTIEZ SON THÉ AU LIT À VOTRE MARI ?

J'apportai à Adam la lettre, que je déposai sur le lit à côté de son visage. Il la lut, la mine sombre.

« Notre correspondant ne sait pas que j'ai gardé mon propre nom, dis-je, avec une légèreté forcée.

— Mais il sait que je suis au lit, répondit Adam.

— À quoi ça peut bien rimer, cette histoire de thé ? »

Je me rendis dans la cuisine, j'ouvris le placard. Il n'y avait que deux boîtes de sachets de thé, kenyan pour Adam, Lapsang Souchong pour moi. Je les posai sur le plan de travail. Ils paraissaient tout à fait normaux. Je remarquai qu'Adam se trouvait derrière moi.

« Pourquoi devrais-je t'apporter du thé au lit ? Est-ce que ça pourrait avoir affaire avec le lit ? Ou le sucre ? »

Adam ouvrit le frigo. Il contenait deux bouteilles de lait, une à moitié entamée, l'autre entière. Il les sortit toutes les deux. Je dénichai un grand bol de plastique rouge dans le placard sous l'évier. Je lui pris les deux bouteilles.

« Qu'est-ce que tu vas faire ? »

Je vidai la première bouteille dans le bol.

« Ça m'a tout l'air d'être du lait », remarquai-je. J'ouvris la seconde bouteille de lait et commençai à verser.

« C'est... Oh mon Dieu ! »

Il y avait de petites ombres dans le lait, qui remontèrent à la surface du bol. Des insectes, des mouches, des araignées, par dizaines. Je reposai la bouteille avec précaution, puis je vidai le lait dans l'évier. Je devais me concentrer très fort pour m'empêcher de vomir. La peur que je ressentis d'abord se transforma vite en colère. « Quelqu'un est entré ! criai-je. Ce salopard est entré dans l'appartement !

— Mmmm », répliqua Adam d'une voix absente. Il semblait sortir d'une intense réflexion.

« Quelqu'un s'est introduit dans l'appartement.

— Non. C'est le lait. Il a déposé cette bouteille sur le perron après le passage du laitier.

— Qu'allons-nous faire ?

— Mrs. Tallis, continua Adam d'une voix songeuse. C'est toi qui étais visée. Devons-nous appeler la police ?

— Non, répondis-je avec force. Pas encore. »

Je l'accostai à l'instant où il sortait de l'immeuble, son attaché-case à la main.

« Pourquoi tu me fais ça ? Pourquoi ? »

Il recula d'un pas, comme s'il avait affaire à un agresseur. « Mais enfin de quoi... ?

— Épargne-moi ces conneries, Jake. Je sais que c'est toi. Pendant une éternité j'ai essayé de me convaincre que c'était quelqu'un d'autre, mais je sais que c'est toi. Qui d'autre peut savoir que j'ai la trouille des insectes ?

— Alice ! » Il tenta de me poser une main sur l'épaule, mais je me dégageai d'un coup. « Calme-toi, les gens vont te prendre pour une folle.

— Dis-moi seulement pourquoi tu as foutu des araignées dans mon lait, bordel de merde. Pour te venger ?

— Maintenant je commence à croire que tu es effectivement cinglée.

— Allez, dis-le. Et qu'est-ce que tu as d'autre dans ton sac ? Tu essaies de me faire perdre la tête à petit feu ? »

Il fixa les yeux sur moi, d'un regard inflexible qui me mit

mal à l'aise. « Si tu veux savoir, dit-il, à mon avis tu as déjà perdu la boule. » Puis il fit volte-face et s'éloigna d'un pas imperturbable sur le trottoir, loin de moi.

Malgré le manque d'intérêt que manifestait Adam, les quelques jours qui suivirent je ne pus m'empêcher de vérifier, à chaque kiosque à journaux, si le reportage était paru. Le samedi suivant, ça y était. Je repérai immédiatement l'article, agrémenté d'une petite photo de montagne, dans un encart en première page : « Grimper dans le monde : le filon montagnard. Voir le cahier intérieur. » Je tirai vite l'autre partie du journal pour découvrir ce que Joanna avait écrit. L'histoire semblait s'étaler sur des pages entières, il y en avait trop pour tout lire chez le marchand. J'achetai le journal et rentrai à l'appartement.

Adam était déjà sorti. Pour une fois, cela tombait bien. Je me fis du café. Je voulais m'installer afin d'y consacrer le temps que l'article méritait. La couverture du cahier intérieur du *Participant* représentait une photographie sublime du Chungawat en plein soleil, découpé sur un ciel très bleu. Sous la photo, se trouvait une annonce semblable à celle que l'on voit dans les vitrines d'agences immobilières : « Un sommet de l'Himalaya à louer, 30 000 £. Aucune expérience requise ». Je me trouvais à nouveau fascinée par la beauté solitaire de cette montagne. Comme ça mon Adam en avait gravi le sommet ? Enfin, pas tout à fait. J'ouvris le journal pour vérifier. Quatre pages. Il y avait des photos : Greg, Klaus, Françoise, magnifique dans ses chaussures montantes, notai-je avec un pincement de jalousie. Quelques clichés des autres victimes. Adam, bien entendu, mais j'avais à présent l'habitude de le voir en photo. Il y avait une carte, quelques diagrammes. Je bus une gorgée de café avant d'entamer ma lecture.

En fait, je ne lus pas vraiment le début. Je survolai le texte des yeux, cherchant quels noms étaient cités, combien de fois ils revenaient. Adam apparaissait essentiellement à la fin. Je parcourus cette partie pour vérifier qu'elle ne contenait rien de très nouveau. C'était le cas. Rassurée, je retournai au début que je lus avec attention. Joanna avait raconté l'histoire que je connaissais déjà depuis le livre de Klaus, mais en choisissant un autre angle. La version, plus complexe, qu'il donnait de l'expédition désastreuse sur le Chungawat intégrait ses propres sentiments d'enthousiasme, d'échec, d'admiration, de désillusion, de peur, tous intimement mêlés. Je respectais chez lui son évocation foncièrement honnête de la confusion qui avait entouré les événements, en pleine tempête, tandis que des gens mouraient et qu'il se trouvait dans l'incapacité d'agir comme il l'aurait voulu.

Joanna présentait cette histoire comme une fable morale dénonçant les effets corrupteurs de l'argent et le culte de l'héroïsme. D'un côté, des personnages héroïques en manque d'argent ; de l'autre, des gens aisés désireux de conquérir des sommets difficiles, ou plutôt de pouvoir dire qu'ils l'avaient fait, dans la mesure où on pouvait contester qu'ils les aient effectivement escaladé *stricto sensu*. Rien de tout cela n'était très nouveau à mes yeux. Nul besoin de préciser que la victime tragique de toute cette histoire était Greg, à qui elle n'avait pas pu parler. Après une introduction assez mélodramatique dans laquelle elle rappelait les terribles événements survenus sur le Chungawat — qui me fit frémir une nouvelle fois — Joanna revenait sur les débuts de Greg. Il avait accumulé des succès tout à fait prodigieux. Il ne s'agissait pas seulement des sommets qu'il avait gravis (l'Everest, le K2, le McKinley, l'Annapurna) mais aussi des conditions dans lesquelles il y était parvenu : en hiver, sans oxygène, filant jusqu'au sommet avec l'équipement minimal.

Joanna avait à l'évidence effectué un travail de recherche considérable. Au début des années quatre-vingt, Greg était devenu un « mystique » de l'escalade. Un pic important représentait à ses yeux un privilège qu'il fallait mériter au terme d'années d'apprentissage. À l'aube des années quatre-vingt-dix, il semblait s'être converti : « J'étais autrefois un élitiste de la montagne, avait-il apparemment déclaré. Je suis à présent devenu plus démocrate. Grimper est une expérience extraordinaire. Je veux la rendre accessible à tous. » Ou plutôt à tous ceux, commentait Joanna sans ménagement, qui pouvaient mettre cinquante mille dollars sur la table. Greg avait rencontré un entrepreneur appelé Paul Molinson. Ensemble, ils avaient monté leur entreprise : *Expériences Extrêmes*. Pendant trois ans, ils avaient permis à des médecins, avocats, financiers, héritières, d'accéder à des sommets qui, jusqu'à récemment, étaient réservés à un groupe très fermé d'alpinistes chevronnés.

Joanna s'intéressait particulièrement à une des victimes de l'expédition sur le Chungawat, Alexis Hartounian, agent de change de Wall Street. Un alpiniste méprisant (et anonyme) remarquait à son sujet : « Ce type a gravi quelquesunes des voies les plus prestigieuses. Il ne pouvait en rien se prétendre alpiniste, pourtant il racontait partout qu'il s'était fait l'Everest sans plus de difficultés que ça. Eh bien, la leçon aura été dure. »

Le compte rendu que faisait Joanna de ce qui s'était passé sur la montagne représentait simplement une version distillée du récit de Klaus, accompagnée d'un schéma qui montrait le tracé de la rampe fixe installée sur le flanc ouest de la crête. Elle évoquait une situation chaotique dans laquelle pataugeaient des grimpeurs incompétents, malades, dont un ne connaissait pas un mot d'anglais. Elle citait des experts alpinistes, sans donner leur nom, selon lesquels les conditions au-dessus de huit mille mètres sont tout simplement trop extrêmes pour des grimpeurs incapables de se débrouiller seuls. Non seulement ils mettaient leurs jours en danger, mais aussi ceux des gens qui les accompagnaient. Klaus lui avait déclaré qu'il était en partie d'accord avec ce point de vue, mais un ou deux des commentateurs anonymes allaient plus loin. Un sommet comme le Chungawat requiert un engagement et une concentration absolus, surtout quand le temps se dégrade. Ils suggéraient que Greg était tellement obnubilé par les complications commerciales et par les demandes spécifiques de ses clients inexpérimentés que son jugement et, pire, ses compétences en avaient été affectés. « Quand vous avez consacré votre énergie à mauvais escient, disait l'un d'eux, alors les choses dérapent au mauvais moment, les rampes fixes se détachent, les gens partent dans la mauvaise direction. »

C'était une cynique histoire de corruption et de désillusion, dans laquelle Adam surgissait à la fin comme le symbole d'un idéalisme perdu. Il s'était montré critique vis-à-vis de l'expédition, trouvant des mots particulièrement durs

160

pour condamner sa propre participation à ce projet, mais au final, il était l'homme qui n'avait pas ménagé sa peine pour venir au secours de gens incapables de se sauver eux-mêmes. Joanna était parvenue à entrer en contact avec un ou deux survivants, qui avaient déclaré lui devoir la vie. À l'évidence il sortait d'autant plus grandi par son refus de faire porter la responsabilité sur qui que ce soit, par sa réticence, même, à effectuer le moindre commentaire. S'ajoutait à cela l'élément pathétique de son amie comptant parmi les victimes. Adam s'était montré peu prolixe à ce sujet, mais Joanna avait trouvé un témoin pour lui décrire comment Adam n'avait cessé de repartir à sa recherche avant de s'effondrer sans connaissance dans la tente.

Une fois de retour, Adam ne témoigna d'autre intérêt pour l'article qu'un coup d'œil méprisant à la première page. « Qu'est-ce qu'elle y connaît cette conne ? » fut son seul commentaire. Plus tard, au lit, je lui lus les critiques anonymes dirigées à l'encontre de Greg. « Qu'est-ce que tu en penses, mon amour ? »

Il me prit le journal des mains pour l'envoyer par terre.

« Je pense que c'est de la merde.

— Tu veux dire que ce n'est pas une description fidèle de ce qui s'est passé ?

— J'avais oublié, s'esclaffa-t-il. Tu es une scientifique. Tu t'intéresses à la vérité. » Le ton de sa voix trahissait la dérision.

C'était comme être la femme de Lawrence d'Arabie, du capitaine Scott [1], du dernier des Mohicans ou de je ne sais quelle autre grande figure. Il n'y eut pratiquement pas une seule de mes connaissances qui ne trouvât une raison pour m'appeler dans les quelques jours qui suivirent, histoire de faire un brin de causette. Ceux qui avaient désapprouvé la hâte indécente avec laquelle je m'étais mariée comprirent tout à coup ma décision. Mon père m'appela pour parler de rien en particulier, avant de mentionner en passant qu'il avait lu l'article et de suggérer que nous venions les voir un de ces jours. Au bureau, lundi matin, tout le monde avait

---

1. Robert Falcon Scott (1868-1912) : explorateur britannique de l'Antarctique, mort durant sa seconde expédition au pôle Sud. (N.d.T.)

soudain une information urgente à me transmettre. Mike entra avec son café et me tendit un papier important. « On n'est jamais vraiment mis à l'épreuve, pas vrai ? » dit-il, le regard un instant songeur. « C'est-à-dire qu'on ne se connaît jamais vraiment, parce qu'on ne sait pas comment on réagirait dans une situation d'urgence. Ça doit être extraordinaire pour votre, euh... mari de s'être trouvé au centre d'une catastrophe et de s'en être tiré comme il l'a fait.

— Qu'entendez-vous par mon « euh... mari » ? Adam est mon mari un point c'est tout. Je peux vous montrer mon livret de famille si ça vous chante.

— Ce n'est pas ce que je voulais dire, Alice. C'est juste qu'il me faut un peu de temps pour m'y habituer. Depuis combien de temps le connaissez-vous ?

— Je dirais quelques mois.

— C'est incroyable. Je dois dire que le jour où je l'ai appris, j'ai pensé que vous aviez perdu la boule. Ça ne ressemblait pas à la Alice Loudon que je connaissais. À présent, je sais que nous étions tous dans l'erreur.

— Comment ça "nous" ?

— Tout le monde au bureau. »

J'étais abasourdie. « Vous avez tous pensé que j'étais maboule ?

— Nous étions très surpris. Mais à présent je comprends que c'est vous qui aviez raison et nous qui avions tort. C'est exactement comme dans l'article. Tout cela est affaire de capacité à garder l'esprit clair sous la pression. Votre mari a cette capacité. » Mike avait plongé les yeux dans sa tasse, regardé par la fenêtre, tout ça pour éviter mon regard. Puis, il se tourna et me fixa : « Vous aussi. »

Je m'efforçai de retenir mon rire devant un tel compliment, si c'en était vraiment un. « Eh bien, merci, mon bon monsieur. Au boulot maintenant. »

Mardi n'était pas encore terminé que j'avais l'impression d'avoir parlé à tous ceux à qui j'avais pu donner un jour mon numéro de téléphone, à l'exception de Jake. Malgré cela, je ne pus réprimer ma surprise quand Claudia m'annonça que j'avais un appel d'une certaine Joanna Noble. Oui, c'était vraiment à moi qu'elle voulait parler, ce n'était pas un moyen de joindre Adam. Et oui, c'était important, elle voulait me voir en personne. Aujourd'hui même, si possible. Elle pourrait me retrouver quelque part près de mon bureau, tout de suite si j'avais le temps. Ce n'était que l'affaire de quelques minutes. Que pouvais-je faire ? Je lui dis de venir à la réception. Une heure plus tard, nous étions assises à la table d'un snack-bar quasi vide au coin de la rue. Elle n'avait pas ouvert la bouche, sauf au moment de me serrer la main.

« Votre papier me vaut une espèce de gloire par ricochet, déclarai-je. Au moins je suis la femme d'un héros. »

Apparemment mal à l'aise, elle alluma une cigarette. « C'est un héros, en effet, dit-elle. Entre nous, j'ai eu des scrupules à propos de quelques passages, vu la façon dont j'ai distribué les blâmes. Mais ce qu'Adam a fait là-haut était incroyable.

— Oui. Il est incroyable, pas vrai ? » Joanna ne répondit pas. « Je m'étais figuré que vous seriez passée à une autre histoire maintenant, repris-je.

— J'ai plusieurs trucs sur le feu. »

Je remarquai qu'elle triturait un bout de papier entre ses doigts. « Qu'est-ce que c'est ? »

Elle baissa les yeux, comme surprise de trouver entre ses mains un papier qui y était arrivé sans qu'elle s'en rende compte.

« C'est arrivé dans le courrier ce matin. » Elle me tendit la lettre. « Lisez. »

C'était une très courte missive.

Chère Joanna Noble,

Ce que vous avez écrit au sujet d'Adam Tallis m'a écœurée. Je pourrais vous dire la vérité à son sujet si ça vous intéresse. Si c'est le cas, relisez les journaux du 20 octobre 1989. Si vous le souhaitez vous pouvez venir me voir et je vous dirai ce qu'il vaut. La fille dans l'histoire, c'est moi.

Sincèrement,
Michelle Stowe

Je levai vers Joanna un regard intrigué. « Cette fille m'a l'air dérangée. »

Joanna acquiesça. « Je reçois des tas de lettres de ce genre. Mais je suis allée à la bibliothèque, enfin, dans les archives que nous conservons au journal, et j'ai trouvé ça. »

Elle me tendit une nouvelle feuille de papier. « Ce n'est pas un gros titre. C'était en page intérieure, mais je me suis dit... Enfin, voyez ce que vous en dites. »

C'était la photocopie d'un entrefilet, sous le titre : « Un juge déboute la victime d'un viol ». Un nom avait été souligné dans le premier paragraphe. Celui d'Adam :

> Un jeune homme est sorti libre hier au terme de sa première journée de comparution pour viol devant le tribunal de Winchester, après que le juge Michael Clark a demandé aux jurés de le reconnaître non coupable. « Vous quittez ce tribunal avec une réputation entachée », a déclaré le juge à Adam Tallis, 23 ans. « Je ne peux que regretter que vous ayez été conduit ici pour répondre d'une accusation aussi mince et vague. »
>
> Mr. Tallis avait été accusé du viol de Miss X, une jeune femme que nous ne nommerons pas pour des raisons légales, à l'issue de ce qui a été décrit comme une « soirée très arrosée » dans un quartier de Gloucester. Après un bref contre-interrogatoire de Miss X, principalement consacré à ses antécédents sexuels et à son état d'esprit durant la soirée, l'avocat de la défense, le bâtonnier Jeremy Mc Ewan, a plaidé la relaxe, immédiatement relayé par le juge Clark.
>
> Le juge Clark a exprimé ses regrets que Miss X « bénéficie de la protection de l'anonymat alors que le nom et la réputation de Mr. Tallis ont été traînés dans la boue ». Sur les marches du palais, le représentant légal de Mr. Tallis, Mᵉ Richard Vine, a déclaré que son client était ravi de la décision du juge et souhaitait reprendre le cours de son existence.

Une fois la lecture terminée, je levai ma tasse de café d'une main sûre pour boire une gorgée. « Alors ? » Joanna ne répondit pas. « Qu'est-ce que c'est que cette histoire ? Vous comptez vous en servir ?

— M'en servir pour quoi ?

— Vous avez construit Adam. Peut-être le moment est-il venu de le démolir ? »

Joanna alluma une nouvelle cigarette. « Je ne crois pas avoir mérité ça, dit-elle d'une voix mesurée. J'ai dit tout ce que j'avais à dire sur l'alpinisme. Je n'ai aucune intention de prendre contact avec cette femme. Mais... » Elle marqua une pause, ne sachant pas comment continuer. « C'est surtout à cause de vous, plus que pour toute autre raison. Je ne savais pas ce que je devais faire. Beaucoup pensent, sûrement à juste titre, que les journalistes sont des requins affamés qui dévorent une histoire après l'autre. Quand je suis tombée sur cette coupure de presse, ma première réaction a été de la mettre au panier. Après tout, ce n'était plus mes oignons. Nous répugnons sans doute à envisager les répercussions que peut avoir un papier, sa vie une fois qu'il a été publié. Et pourtant... » Elle se tut. Elle tira sur sa cigarette, absorbée dans ses pensées. « J'ai repensé à cette fois où j'avais failli me faire violer. » Je me penchais, dans l'intention de lui dire quelque chose, mais elle poursuivit. « Je ne pouvais pas laisser cette histoire sans suite. Je ne sais si je fais plus de mal que de bien, mais j'ai fini par décider qu'il était de ma responsabilité de vous la montrer. Peut-être que j'en fais trop, que je me mêle de ce qui ne me regarde pas. Vous n'avez qu'à faire comme s'il ne s'était rien passé, si c'est ce que vous voulez. »

Je pris une profonde inspiration, puis me forçai à garder une voix calme. « Je suis désolée d'avoir dit ça. »

Joanna esquissa un sourire, puis elle exhala un nuage de fumée. « Bien, dit-elle. Je vais y aller à présent.

— Je peux les garder ?

— Bien sûr. Ce ne sont que des photocopies. » Elle ne put empêcher sa curiosité de prendre le dessus. « Qu'est-ce que vous allez faire ? »

Je secouai la tête. « Rien. Il a été reconnu innocent, non ?

— En effet.

— Sa réputation n'est pas entachée. Vrai ?

— Vrai.

— Alors je ne vais rien faire. »

Bɪᴇɴ entendu, ce n'était pas aussi simple. Je me dis qu'Adam avait été déclaré non coupable. Je me dis que je l'avais épousé et que j'avais juré de lui accorder ma confiance. Cela constituait la première mise à l'épreuve de cette confiance. Je n'allais pas lui dire quoi que ce soit ; je n'allais pas honorer cette calomnie d'une réponse. Je n'allais pas même y penser.

Qui croyais-je tromper ? Il ne se passait pas une heure sans que j'y revienne. J'imaginais cette fille inconnue, cette femme, peu importait, soûle, en compagnie d'un Adam ivre. Je repensais à Lily, à ce T-shirt qu'elle avait retiré pour révéler son corps pâle de sirène et son dos livide. Et je songeais au comportement d'Adam à mon égard : il m'attachait, m'enserrait le cou de ses mains, m'ordonnait de suivre ses instructions. Il aimait me faire mal. J'aimais ma faiblesse sous sa force. Il me regardait attentivement pour suivre les développements de ma douleur. À y repenser, le sexe entre nous, qui avait commencé comme une passion délirante, était devenu quelque chose d'autre. Quand j'étais seule à mon bureau, je fermais les yeux pour me rappeler différents excès. Leur souvenir me procurait un plaisir équivoque et tout à fait particulier. Je ne savais pas ce que je devais faire.

Le premier soir après la visite de Joanna, je lui déclarai que je me sentais vraiment mal. Mes règles s'annonçaient. J'avais mal au ventre.

« Elles ne doivent pas arriver avant six jours, rétorqua-t-il.

— Alors c'est que j'ai de l'avance », répliquai-je. Bon sang, j'avais épousé un type qui connaissait mon cycle mieux que moi. Je tentai de chasser ma gêne sur le ton de la plaisanterie. « Ça montre juste à quel point le Drakloop est nécessaire.

— Je vais te faire un massage. Ça te fera du bien. » Il donnait un coup de main à quelqu'un pour refaire un parquet à Kennington. Du coup, il avait les mains encore plus calleuses que d'ordinaire. « Ce que tu es tendue ! Relaxe-toi. »

Cela dura deux jours. Jeudi soir il arriva à la maison chargé d'un grand sac de provisions. Il annonça qu'il allait s'occuper du dîner, pour changer. Il avait acheté de l'espadon, deux piments rouges, un moignon de gingembre rabougri, un bouquet de coriandre, du riz basmati enveloppé dans un sachet brun, une bouteille de vin couleur pourpre. Il alluma toutes les bougies, éteignit toutes les lumières, de sorte que la sordide petite cuisine prit soudain l'apparence d'un antre de sorcière.

Je lus le journal en le regardant laver consciencieusement la coriandre, vérifiant feuille à feuille que tout grain de sable avait bien disparu. Il posa les piments sur une assiette puis les hacha très fin. Quand il sentit mon regard sur lui, il posa le couteau, s'approcha et m'embrassa, les mains bien en arrière. « Je ne voudrais pas te brûler avec le piment. »

Il prépara une marinade pour le poisson, rinça le riz, qu'il laissa tremper dans une casserole d'eau, se lava soigneusement les mains, puis ouvrit la bouteille de vin et remplit deux verres dépareillés.

« Il y en a environ pour une heure. » Il mit les mains dans les poches de son pantalon, d'où il retira deux fines lanières de cuir. « Toute la journée, j'ai imaginé que je t'attachais.

— Et si je disais non ? » Ma voix jaillit dans un hoquet. Soudain j'avais la bouche si sèche que j'eus du mal à déglutir.

Adam leva son verre et but une petite gorgée. Il me regarda d'un air songeur. « Comment ça, non ? Quel genre de non ?

— Il faut que je te montre quelque chose. » Je récupérai

167

mon sac à main dont je tirai les photocopies de la lettre et de l'article. Je les lui tendis.

Il reposa son verre sur la table. Il les lut de bout en bout, en prenant son temps. Puis il leva les yeux vers moi. « Eh bien ?

— Je... la journaliste me les a donnés et... » Je n'allai pas plus loin.

« Qu'est-ce que tu me demandes ? » Je ne répondis pas. « Tu veux savoir si je l'ai violée ?

— Non, bien sûr que non. Enfin, regarde ce que le juge a déclaré et, oh et puis merde à la fin, nous sommes mariés, tu te souviens ? Comment as-tu pu ne rien me dire d'une histoire pareille ? Ça a dû être un épisode très important dans ta vie. Je veux savoir ce qui s'est passé. Bien sûr que oui. Mais enfin tu me prends pour qui ? » À ma grande surprise, je frappai la table du poing, faisant vaciller les verres.

D'abord il eut simplement l'air triste et non furieux, contre toute attente. « Pour quelqu'un qui croit en moi, répondit-il d'une voix calme, presque comme s'il se parlait à lui-même. Et qui est dans mon camp.

— C'est le cas. Bien entendu. Mais...

— Mais tu veux savoir ce qui s'est passé ?

— Oui.

— Exactement ? »

Après une profonde inspiration, je répondis d'une voix ferme. « Oui, exactement.

— Tu l'auras voulu. » Il se resservit un verre de vin, s'assit à sa place et planta son regard dans le mien. « J'étais à une soirée chez un copain dans le Gloucestershire. C'était il y a huit ans, je dirais. Je venais de rentrer des États-Unis où j'étais allé grimper dans le Yosemite avec un pote. On planait sec et on voulait se payer du bon temps. Il y avait un tas de gens mais je ne connaissais pas grand monde, à part le mec qui organisait la fête. L'alcool coulait à flots. Et de la drogue circulait. Les gens dansaient, se pelotaient. C'était l'été, il faisait chaud dehors. Il y avait quelques couples dans les buissons. Cette nana est venue vers moi pour me tirer sur la piste de danse. Elle était bourrée. Elle a essayé de me déshabiller pendant qu'on dansait. Je l'ai emmenée dehors. On n'avait pas encore traversé la pelouse qu'elle s'était débarrassée de sa robe. On s'est mis derrière un gros arbre. Il y avait un autre couple qui s'en donnait à cœur joie à quelques mètres. Elle n'arrêtait pas de parler de son petit copain, de la grosse engueulade qu'ils venaient d'avoir. Elle voulait que je la baise, que je lui fasse des trucs qu'il ne faisait pas. Alors je l'ai fait. Après elle a dit que je l'avais violée. »

Il y eut un silence.

« Elle le voulait vraiment, demandai-je à voix basse, ou est-ce qu'elle t'a demandé d'arrêter ?

— Eh bien, ma belle, en voilà une question intéressante. Dis-moi, est-ce que tu m'as jamais dit non ?

— Oui. Mais...

— Et est-ce que je t'ai déjà violée ?

— Ce n'est pas aussi simple.

— Le sexe n'est pas un truc simple. Les choses que je te fais, tu aimes ?

— Oui. » Des gouttelettes de transpiration me perlaient au front.

« Quand je t'ai attachée, tu m'as demandé d'arrêter, mais est-ce que tu as aimé ?

— Oui, mais... C'est atroce cet interrogatoire.

— C'est toi qui l'as voulu. Quand je...

— Ça suffit. Ce n'est pas aussi simple, Adam. C'est une question d'intentions. Les siennes, les tiennes. Est-ce qu'elle t'a demandé d'arrêter ? »

Adam porta à nouveau son verre à ses lèvres, avalant par petites gorgées. « Après. Elle aurait voulu que je m'arrête. Bien sûr, elle regrettait que ça se soit passé. Elle voulait récupérer son petit copain. Après, on voudrait changer ce qu'on a fait.

— Que ça soit bien clair. À aucun moment tu n'as pensé qu'elle résistait, qu'elle ne voulait plus ?

— Non. »

Nous ne nous quittions pas des yeux.

« Même si parfois..., dit-il en continuant à me fixer — comme pour me tester —, c'est difficile à dire avec les femmes. »

Cette remarque me parut monstrueusement déplacée. « Ne parle jamais des femmes de cette façon, comme si nous n'étions que des objets génériques.

— Bien sûr qu'elle était un objet. Et moi aussi. Je l'ai rencontrée à un moment où nous étions tous les deux

169

bourrés à une soirée. Je ne crois pas avoir appris son nom, ni elle le mien. C'est ce que nous voulions. Juste baiser. Où est le problème ?

— Je ne suis pas...

— Ça ne t'est jamais arrivé ? Je crois bien que si, tu me l'as toi-même avoué. Et ça ne fait pas partie du plaisir au moment où ça se passe ?

— Peut-être, dus-je admettre. Mais ça alimente aussi la honte plus tard.

— Pas pour moi. » Ses yeux brillaient d'une sourde colère. « Ça ne sert à rien de ressasser des choses qu'on ne peut pas changer. »

Je tentai de réprimer le tremblement de ma voix. Je ne voulais pas pleurer. « Cette nuit-là, après la cérémonie. Dans le refuge. J'étais consentante, Adam. Je voulais te laisser faire ce dont tu avais envie. Le lendemain matin en me réveillant, j'ai éprouvé des remords. J'avais l'impression que nous étions allés trop loin, jusqu'à un point que nous n'aurions pas dû franchir. »

Adam me versa un autre verre, puis il se resservit. Sans que je m'en rende compte, nous avions presque fini la bouteille.

« Tu n'as jamais eu cette impression ? » demandai-je.

Il hocha la tête. « Si.

— Après l'amour ?

— Pas nécessairement. Mais je comprends ce que tu veux dire. » Il me fit une grimace. « Je connais ce sentiment. »

Nous bûmes nos verres, éclairés par les flammes vacillantes des chandelles.

« L'espadon aura bientôt suffisamment mariné, dis-je.

— Je ne violerais jamais une femme.

— Non », répondis-je. Mais, me demandai-je, serais-tu capable de faire la différence ?

« Tu veux que je mette le poisson à cuire maintenant ?

— Pas encore. »

J'hésitai. J'avais l'impression que ma vie était sur un fil. Je pouvais la pousser d'un côté ou de l'autre, fermer une voie ou une autre. Lui faire confiance et perdre la tête. Ne pas lui faire confiance et perdre la tête. Mais là où je me trouvais, cela ne semblait pas faire beaucoup de différence, au bout du compte. Il faisait presque nuit dehors, le martèlement constant de la pluie me battait les oreilles. Les bougies coulaient, projetant des ombres instables sur les murs. Je me levai, traversai la pièce jusqu'à l'endroit où il avait laissé tomber les lacets de cuir. « Alors viens, Adam. »

Il ne bougea pas de sa place. « Qu'est-ce que tu veux dire ? me demanda-t-il.

— Je veux dire oui. »

Mais ce n'était pas tout à fait oui que je voulais dire, pas vraiment. Le lendemain au bureau j'appelai Lily. Je pris rendez-vous avec elle tôt le soir même, à l'heure où je sortais du bureau. Je ne voulais pas aller la retrouver dans son petit sous-sol sordide. M'asseoir sur les draps tachés au milieu des vieilles photos d'Adam me paraissait au-dessus de mes forces. Je proposai la cafétéria du magasin John Lewis, sur Oxford Street, le lieu le plus neutre et le plus dénué d'atmosphère qui me vînt à l'esprit.

Lily était déjà là, attablée devant un grand cappuccino accompagné d'un gros muffin aux pépites de chocolat. Elle portait un pantalon de lainage noir, un pull cassis déformé par l'usage, des bottines. Elle n'était pas maquillée et elle avait juste fait un nœud souple de sa chevelure argentée. Elle paraissait plutôt normale et même, quand elle me sourit, très douce. Pas si cinglée que ça. Je lui renvoyai un vague sourire. Je ne voulais pas ressentir de l'amitié pour elle.

« Un problème ? » demanda-t-elle d'un ton cordial au moment où je pris place en face d'elle.

« Vous voulez un autre café ?

— Non, merci. En revanche, un deuxième muffin ne serait pas de refus. Je n'ai rien mangé de la journée. »

Je commandai un cappuccino pour moi, ainsi qu'un muffin supplémentaire. Je l'observai par-dessus le rebord de ma tasse, ne sachant pas par où commencer. À l'évidence le silence ne dérangeait pas Lily, pas plus que ma gêne. Elle mangeait d'un bel appétit, se barbouillant le menton de chocolat. Elle avait quelque chose d'une petite fille, me dis-je.

171

« Nous n'avons pas vraiment fini notre conversation, commençai-je faute de mieux.

— Que voulez-vous savoir, demanda-t-elle d'une voix sèche, avant d'ajouter, Mrs. Tallis ? »

Une onde d'inquiétude me parcourut.

« Je ne suis pas Mrs. Tallis. Pourquoi m'appelez-vous ainsi ?

— Oh, épargnez-moi ces conneries ! »

Je laissai passer. Après tout, nous n'avions plus reçu de nouveaux coups de téléphone ni de lettres depuis quelques jours. Plus depuis mon entrevue avec Jake.

« Adam s'est-il jamais montré vraiment violent avec vous ? »

Elle émit un gloussement.

« Je veux dire, vraiment très violent. »

Elle s'essuya la bouche. Cette conversation la réjouissait.

« Enfin, est-ce qu'il vous est jamais arrivé de ne pas être consentante ?

— Qu'est-ce que vous entendez par là ? Comment pourrais-je savoir ? Ce n'était pas comme ça. Vous savez de quoi il est capable. » Elle me sourit. « Au passage, qu'est-ce que vous croyez qu'il penserait s'il apprenait que vous me rencontrez comme ça ? Que vous vérifiez ses références ? » À nouveau, elle émit son petit ricanement grinçant.

« Je ne sais pas ce qu'il en dirait.

— Je ne parle pas de ce qu'il dirait mais de ce qu'il ferait. »

Je ne répondis pas.

« Je n'aimerais pas être à votre place. » Sur ce, elle fut soudain secouée d'un violent frisson. Elle se pencha par-dessus la table, le visage à quelques centimètres du mien. Une tache de chocolat maculait une de ses parfaites dents blanches. « Sauf que ça me plairait aussi, bien sûr. » Elle ferma les yeux. J'eus la sensation horrible de la regarder se rejouer en imagination quelque pratique fétichiste avec Adam.

« Je vais y aller maintenant, dis-je.

— Vous voulez un conseil ?

— Non, répondis-je, trop vite.

— N'essayez pas de vous mettre en travers de son chemin, ni de le changer. Ça ne marchera pas. Suivez-le. »

Elle se leva pour partir. Je réglai la note.

20

JE me dirigeai droit vers Klaus, bras ouverts. Il me serra contre lui. « Félicitations, dis-je.

— C'est sympa comme soirée, non ? » déclara-t-il avec un grand sourire. Puis sa bouche se fit plus ironique. « Ils ne seront pas morts sur cette montagne complètement en vain. Il en est sorti quelque chose de bien, sous la forme de mon bouquin. Qu'on ne dise pas que je n'aurai pas réussi à tirer profit des malheurs des autres.

— C'est pour ça qu'on est là, j'imagine », dis-je. Nous libérâmes notre étreinte.

« Où est ton mari, le héros ? demanda Klaus en balayant la pièce du regard.

— Il se cache quelque part dans la foule, trop occupé à se dégager de ses admirateurs. Y a-t-il d'autres membres de l'expédition qui sont venus ? »

Klaus jeta un coup d'œil alentour. La réception pour la sortie de son livre se tenait dans la bibliothèque de la Société des alpinistes à South Kensington. Il s'agissait d'une pièce caverneuse, recouverte d'étagères pleines de volumes reliés de cuir, bien entendu, mais on y apercevait également d'antiques chaussures de marche craquelées disposées dans des présentoirs de verre, ainsi que des pitons à glace pendus aux murs comme des trophées à côté de photographies d'hommes rigides vêtus de tweed, mais également de montagnes, des tas et des tas de montagnes.

« Greg est quelque part dans la pièce. »

J'étais abasourdie. « Greg ? Où ça ?

— Là-bas. C'est le type qui parle à ce vieux bonhomme dans le coin. Va te présenter à lui. Il s'agit de Lord Montrose. Il appartient à la génération glorieuse des premières ascensions sur l'Himalaya, à l'époque où l'on estimait inutile d'équiper les porteurs de crampons. »

Je me frayai un chemin à travers la foule. Deborah était debout dans un coin. Il y avait une flopée de grandes filles à la forme resplendissante éparpillées dans la salle. Je ne pouvais m'empêcher de m'imaginer lesquelles avaient couché avec Adam. Pauvre nouille. Triple buse. Greg se penchait à l'oreille de Lord Montrose pour lui crier quelque chose au moment où je parvins à leur hauteur. Je restai plantée là une minute jusqu'à ce que Greg se tourne, l'air suspicieux. Peut-être me prit-il pour une journaliste. Il ressemblait à l'idée que j'avais des alpinistes avant de rencontrer des gens comme Adam et Klaus. Il n'était pas grand, contrairement à eux. Il arborait une barbe incroyablement fournie, comme l'homme dans la comptine d'Edward Lear, qui y avait déniché deux alouettes et un roitelet. Ses cheveux longs n'étaient pas peignés. Il ne devait pas avoir passé la trentaine, cependant de fins sillons s'étaient gravés sur son front et aux coins de ses paupières. Lord Montrose me regarda et recula d'un pas pour se fondre de manière surréaliste dans la foule, comme si j'étais animée d'une force magnétique antagoniste.

« Je m'appelle Alice Loudon, déclarai-je à l'attention de Greg. Je viens d'épouser Adam Tallis.

— Oh. » Un léger rictus accueillit ces mots. « Félicitations. »

Il y eut un silence. Greg se tourna pour examiner les photographies sur le mur. « Regardez, dit-il. Lors d'une des premières expéditions sur ce sommet, un pasteur victorien a reculé d'un pas pour admirer la vue, entraînant quatre de ses collègues dans sa chute. Ils ont atterri au beau milieu de leurs propres tentes qui, malheureusement, se trouvaient trois cents mètres plus bas. » Il passa à la photographie suivante sur le mur. « Le K2. C'est beau, non ? Cinquante personnes ou presque y ont trouvé la mort.

— Où se trouve le K1 ? »

Greg rit.

« Il n'existe plus. En 1856, un lieutenant britannique qui travaillait au grand "relevé trigonométrique de l'Inde" a gravi une montagne et aperçu deux pics dans la chaîne du

Karakoram, à deux cents kilomètres de là. En conséquence, il les a désignés respectivement sous l'appellation K1 et K2. Plus tard, on s'est aperçu que le K1 avait déjà un nom, le Masherbrum. Mais on a gardé le K2.

— Vous l'avez escaladé. » Greg ne répondit pas. Je savais ce que je devais dire. Mais dans ma nervosité, je sortis tout à trac : « Vous avez parlé à Adam ce soir ? Vous devez le faire. Il est très embêté par ce qui est paru dans la presse à propos du Chungawat. Je peux vous amener le voir ? Comme ça vous me rendrez aussi service, si vous arrivez à le tirer des griffes de toutes ces superbes admiratrices. »

Je fus déconcertée de voir Greg éviter mon regard. Il observait la salle, ainsi que font les gens dans des soirées quand ils vous prêtent une oreille distraite tout en vérifiant d'un œil s'il n'y a personne alentour de plus intéressant à qui parler. Il avait sans doute deviné que je n'étais pas alpiniste. Du coup, il ne pouvait pas trouver grand intérêt à ma conversation, ce qui me remplit d'embarras.

« Alors comme ça il est embêté ? dit-il d'une voix douce, toujours sans me regarder. Et pourquoi donc ? »

Pour quelle raison m'étais-je lancée là-dedans ? Je pris une profonde inspiration. « Parce que la description qui en est faite n'a rien à voir avec les conditions effectives dans lesquelles se sont déroulés les événements sur cette montagne, avec la tempête et le reste. »

À ces mots, Greg finit par tourner les yeux vers moi et s'autorisa un rire las. Quand il prit la parole, ce fut au prix d'un effort visible, comme remué par une douleur encore toute fraîche. « Je crois, dit-il avec lenteur, que celui qui conduit une expédition doit en être responsable.

— Ce n'était pas un tour de manège, répondis-je. Chaque membre de l'expédition savait qu'il s'aventurait sur un site très dangereux. On ne peut offrir aucune garantie concernant la météo sur une telle montagne, comme s'il s'agissait tout bêtement d'un séjour en club de vacances. »

Les rides de son visage se creusèrent. On aurait dit que tout le temps qu'il avait passé dans l'Himalaya, bombardé de soleil dans un air pauvre en oxygène, lui avait conféré l'aura d'un vieux moine bouddhiste. Dans le désordre de ce visage buriné perçaient les beaux yeux bleu clair d'un bébé. Il semblait porter sur ses épaules tout le fardeau de ce qui s'était passé. Je fus prise pour lui d'une immense affection.

« En effet, Alice. C'est vrai. »

Le ton de sa voix manifestait moins une forme d'exonération qu'un aveu supplémentaire de ses erreurs de jugement.

« J'aimerais que vous en discutiez avec Adam, repris-je, désespérée.

— Et pourquoi donc ? Qu'aurait-il à me dire ? »

Je réfléchis un moment, tentant de clarifier ma pensée. « Il vous dirait, finis-je par répondre, qu'au-dessus de huit mille mètres le monde n'est plus le même, et que c'est une erreur d'exprimer un jugement moral sur ce qui s'est passé.

— Le problème, dit Greg, quelque peu interloqué, c'est que je ne suis pas d'accord avec ça. Je sais que... » Il se tut quelques instants. « Je sais qu'Adam pense que le monde est différent là-haut, que ça n'a rien à voir avec ce que nous connaissons. Mais j'estime qu'on peut émettre des jugements moraux sur les comportements humains aussi bien au sommet d'une montagne que partout ailleurs. Le seul problème, c'est de ne pas se tromper.

— Que voulez-vous dire ? »

Il soupira, puis tourna la tête pour vérifier que personne ne tendait une oreille indiscrète. Heureusement, c'était le cas. Il but une gorgée à son verre, puis une autre. J'avais choisi du vin blanc, lui du whisky.

« Dois-je recommencer à me punir ? Peut-être ai-je fait preuve d'irresponsabilité en emmenant des randonneurs relativement inexpérimentés sur le Chungawat. J'ai cru avoir pris toutes les dispositions nécessaires. » Il me lança un regard dur, étincelant d'un nouvel éclat métallique. « Je ne suis pas sûr d'avoir changé d'avis. Je suis tombé malade dans la montée, vraiment malade, et il a pratiquement fallu me porter dans la descente jusqu'au camp de base. C'était une très mauvaise tempête, une des pires que j'aie jamais connues pour un mois de mai. Mais j'avais cru élaborer un système imparable avec les rampes fixes et le soutien logistique apporté par les porteurs et les guides professionnels. » Nous échangeâmes un regard, puis je vis son visage se détendre. Sa mine n'exprimait plus à présent qu'une très profonde tristesse. « Mais, direz-vous, ou dira-t-on, cinq

176

personnes sont mortes. Du coup il paraît... comment dire... mal placé de vouloir se disputer pour savoir si c'est cette corde qui a lâché, ce nœud, ou bien ce piton, ou encore si c'était moi qui avais l'esprit ailleurs. » Il haussa faiblement les épaules.

« Je suis désolée. Je ne connais pas grand-chose à ce genre de considérations techniques.

— En effet. Les gens n'y connaissent rien.

— Mais je connais les émotions, ce qu'on ressent après. Ça a été terrible pour tout le monde. J'ai lu le livre de Klaus. Il s'en veut beaucoup de n'avoir été d'aucun secours là-haut. Et Adam. Le fait qu'il n'ait pas réussi à sauver sa petite amie, Françoise, le torture encore.

— Son ex-petite amie », corrigea Greg d'une voix absente. Mes propos ne semblaient pas le consoler. Tout à coup une jeune femme nous interrompit.

« Bonjour, dit-elle avec entrain. Je me présente, Kate. Je travaille pour la maison d'édition de Klaus. »

Le temps d'une pause, Greg et moi échangeâmes un regard, comme de soudains complices.

« Je m'appelle Alice.

— Et moi Greg. »

À ce nom, le visage de la jeune femme s'illumina.

« Oh, vous étiez... »

Puis elle s'arrêta net, confuse, et piqua un fard.

« C'était terriblement embarrassant, expliquai-je. Il y a eu ce trou noir dans la conversation. À l'évidence Greg n'a pas pu s'interposer pour finir la phrase de la fille en s'identi-fiant comme le responsable du désastre, et j'ai pensé que ce n'était pas à moi d'intervenir pour la tirer de ce mauvais pas. Du coup elle est devenue de plus en plus rouge, et elle a fini par s'éloigner. C'était... oh, il fait froid. »

Adam avait rabattu la couette.

« De quoi as-tu discuté avec Greg ? »

Tout en parlant, il entreprit de manipuler mes membres et de me retourner comme s'il avait affaire à un mannequin.

« Attention ! J'ai pensé que je me devais de rencontrer quelqu'un qui avait occupé un rôle tellement important dans ta vie. Et je voulais lui dire la gêne que tu ressentais face à toute cette couverture médiatique. » Je tentai de me tordre pour voir Adam dans les yeux. « Ça t'ennuie ? »

Je sentis ses mains derrière ma tête, puis il m'agrippa les cheveux d'une main ferme et me pressa le visage dans le matelas avec force. Je ne pus réprimer un cri.

« Oui, ça m'ennuie. Ce ne sont absolument pas tes oignons. Qu'est-ce que tu y connais ? » J'avais des larmes plein les yeux. Je tentai à nouveau de me dégager en me contorsionnant, mais Adam me clouait au lit du coude et du genou, tout en faisant courir ses doigts sur mon dos. « Ton corps est d'une beauté inépuisable, murmura-t-il avec tendresse, ses lèvres m'effleurant l'oreille. J'en aime chaque parcelle sans réserve, tout comme je t'aime toi.

— Oui, geignis-je.

— Mais — et là son ton, cependant à peine plus haut qu'un chuchotement, se durcit — je ne veux pas que tu te mêles de choses qui ne te concernent pas le moins du monde, parce que ça me met très en colère. Tu comprends ?

— Non. Je ne comprends pas du tout. Je ne suis pas d'accord.

— Alice, Alice, » dit-il sur le ton du reproche. Ses doigts me descendaient le long de la colonne depuis la base des cheveux. « Nous n'avons que faire de nos univers, de nos vies passées. Tout ce qui compte c'est nous ici, dans ce lit. »

Soudain je me crispai. « Aïe, ça fait mal ! criai-je.

— Attends, dit-il. Attends, tout ce que tu as à faire c'est de te détendre.

— Non, non, je ne peux pas », protestai-je. Je me débattis, mais il me repoussa contre le matelas au point que j'arrivais à peine à respirer.

« Détends-toi et fais-moi confiance. Fais-moi confiance. »

Tout à coup, il y eut cet éclair de douleur qui me transperça le corps, et puis ce fut comme s'il ne pouvait s'arrêter de me traverser, de me parcourir, pour repartir de plus belle, et j'entendis un hurlement qui semblait venir d'ailleurs, mais c'était moi qui criais.

Mon médecin, Caroline Vaughan, a quatre ou cinq ans à peine de plus que moi. Quand je vais la voir, ce qui ne m'arrive en général que pour renouveler une ordonnance

178

ou pour un rappel, j'ai toujours le sentiment que nous aurions pu être amies si nous nous étions rencontrées dans d'autres circonstances. Ce qui rendait les choses un peu difficiles cette fois-ci. Je l'avais appelée et suppliée de m'accorder un rendez-vous en urgence afin de passer à son cabinet sur le chemin du bureau. Oui, c'était indispensable. Non, je ne pouvais pas attendre le lendemain. L'examen interne fut extrêmement douloureux. Allongée sur la table, je me mordais le poing pour m'empêcher de crier. Au début, Caroline avait continué la conversation, puis elle s'était tue. Après quelques minutes elle retira ses gants, et je sentis ses doigts chauds sur mon épaule. Elle me dit que je pouvais me rhabiller. Je l'entendis se laver les mains. Quand je ressortis de derrière le paravent, elle était assise à son bureau à prendre des notes. Elle leva les yeux. « Vous pouvez vous asseoir ?

— Tout juste.

— Ça me surprend. » Elle avait l'air très sérieux, presque sombre. « Vous ne serez pas étonnée d'apprendre que vous souffrez d'une fissure anale très prononcée. »

Je tentai de conserver une expression à peu près normale, comme s'il ne s'agissait que d'une grippe. « Et que va-t-il se passer ?

— Cela devrait se résorber tout seul, mais je vous conseille de manger des fruits et des fibres en quantité pendant les sept ou huit jours qui viennent afin d'éviter que votre état ne s'aggrave. Je vais également vous prescrire un laxatif doux.

— C'est tout ?

— Que voulez-vous dire ?

— C'est tellement douloureux. »

Caroline réfléchit quelques instants, puis elle inscrivit une ligne supplémentaire sur l'ordonnance. « C'est un gel anesthésique qui devrait vous soulager. Revenez me voir la semaine prochaine. Si la cicatrisation n'a pas eu lieu, alors il faudra envisager une dilatation anale.

— Qu'est-ce que c'est ?

— Ne craignez rien. C'est une opération toute simple, mais qui nécessite une anesthésie générale.

— Bien.

— Ne vous inquiétez pas.

— D'accord. »

Elle reposa son stylo pour me tendre l'ordonnance. « Alice, je ne vais pas vous faire la morale. Mais pour l'amour du ciel, soyez respectueuse de votre corps. »

J'acquiesçai. Je ne savais pas quoi dire.

« Vous portez des traces de coups sur l'intérieur des cuisses, continua-t-elle, ainsi que sur les fesses, le dos, et même le côté gauche de votre cou.

— Vous aurez remarqué que je porte une chemise à col relevé.

— Y a-t-il quelque chose dont vous voudriez me parler ?

— Ce n'est pas aussi terrible que ça en a l'air. Nous venons de nous marier. Il nous arrive de nous laisser emporter.

— J'imagine que je devrais vous présenter mes félicitations », répondit Caroline. Cependant, elle ne sourit pas.

Je me levai pour partir, avec une grimace. « Merci.

— Alice.

— Oui.

— Les violences sexuelles...

— Ce n'est pas ce que...

— Comme je le disais, les violences sexuelles peuvent dégénérer en une spirale dont il est difficile de se sortir. Au même titre que les violences conjugales.

— Non, vous vous trompez. » Je bouillais soudain, de colère autant que d'humiliation. « La sexualité a souvent un lien avec la douleur, non ? Et avec la force, la soumission, que sais-je.

— Bien sûr. Mais ça n'a rien à voir avec une fissure anale.

— Non.

— Faites attention, d'accord ?

— Oui. »

21

JE n'eus pas de mal à la retrouver. Il y avait cette lettre que j'avais examinée jusqu'à en avoir mal aux yeux. Je connaissais son nom. Son adresse figurait en lettres enjolivées sur le papier à en-tête. Je n'eus qu'à appeler les renseignements un matin, du bureau, pour obtenir son numéro de téléphone. Je passai quelques minutes à scruter les chiffres que j'avais inscrits sur le dos d'une enveloppe usagée, en me demandant si j'allais effectivement l'appeler. Pour qui devrais-je me faire passer ? Et si quelqu'un d'autre répondait ? Je me rendis jusqu'au distributeur de boissons, d'où je repartis avec un gobelet de thé à l'orange, pour me réinstaller dans mon bureau, la porte soigneusement fermée. Je me glissai un coussin doux sous les fesses, mais la douleur était encore vive.

Le téléphone sonna longtemps. Elle était sans doute sortie, probablement pour aller travailler. Une partie de moi se sentit soulagée.

« Allô ? »

Elle était là. Je m'éclaircis la gorge. « Bonjour, êtes-vous Michelle Stowe ?

— En effet. »

Elle avait une voix fluette et haut perchée, teintée d'un léger accent du sud-ouest de l'Angleterre. « Je m'appelle Sylvie Bushnell. Je suis une collègue de Joanna Noble, du *Participant*.

— Oui ? » Le ton trahissait à présent une méfiance craintive.

« Elle m'a fait passer votre note, et je me demandais s'il serait possible de discuter avec vous de cette histoire.

— Je n'en sais trop rien, répondit-elle. Je n'aurais pas dû l'écrire. J'ai agi sous le coup de la colère.

— Nous aimerions recueillir votre version de l'affaire, c'est tout. »

Il y eut un silence.

« Michelle ? Je ne vous forcerai pas au-delà de ce que vous vous sentez capable de dire.

— Je ne sais pas.

— Je pourrais passer vous voir.

— Je ne veux pas que vous publiiez quoi que ce soit dans le journal sans mon accord.

— Il n'en sera pas question », répondis-je, ce qui ne pouvait être plus vrai.

Elle résistait, mais je me montrai persuasive, de sorte qu'elle finit par accepter. Je lui dis que je passerais la voir le lendemain matin. Elle vivait à cinq minutes de la gare. Ce fut tellement facile.

Je ne lus pas dans le wagon. Je restai assise sans bouger, grimaçant à chaque secousse, en regardant défiler par la vitre les maisons de Londres, de plus en plus clairsemées, avant que la campagne ne prenne le dessus. C'était un jour gris et pluvieux. La veille au soir Adam m'avait frictionnée de la tête aux pieds avec une huile de massage. Il s'était montré très doux à l'endroit des hématomes, caressant d'une main tendre les rugosités violettes sur ma peau enflammée, comme s'il s'agissait de glorieuses cicatrices de guerre. Il m'avait baignée puis enveloppée de deux serviettes. Ensuite il avait posé la main sur mon front. Il avait fait preuve de tant de sollicitude, de tant de fierté à mon égard pour ma souffrance.

Le train traversa un long tunnel et j'aperçus mon visage dans la vitre, les lèvres fines et enflées, les ombres sous les yeux, les cheveux défaits. Je sortis une brosse et un élastique de mon sac pour les ramener en arrière, dans une queue de cheval sévère. Je me souvins que je n'avais emporté ni carnet ni stylo. Je m'en procurerais en arrivant.

Michelle Stowe, un bébé agrippé à son sein, ouvrit la porte. C'était l'heure de sa tétée. Il gardait les yeux bien fermés dans un visage rubicond tout fripé. Sa bouche s'activait voracement. Au moment où je franchis la porte, il lâcha

182

prise une seconde. Je le vis alors lever d'instinct la tête à l'aveuglette, la bouche grande ouverte, ses petits poings desserrés battant l'air. Puis il trouva à nouveau le mamelon et reprit son activité en rythme.

« Je finis juste de le nourrir », dit-elle.

Elle me conduisit jusqu'à une petite pièce dans laquelle trônait un canapé brun. Les résistances d'un radiateur électrique luisaient. Je m'assis sur le canapé en attendant. Je l'entendais roucouler d'une voix douce pour calmer les geignements du bébé. L'odeur suave du talc flottait dans l'air. Il y avait des photos du bébé sur la cheminée, quelquefois en compagnie de Michelle, d'autres dans les bras d'un homme mince et chauve.

Michelle me rejoignit, sans le bébé à présent. Elle s'assit à l'autre extrémité du canapé.

« Vous voulez un thé, ou autre chose à boire ?

— Non merci. »

Elle paraissait plus jeune que moi. Elle avait des cheveux bruns bouclés, de pâles lèvres pleines, un visage rond, attentif. Tout chez elle respirait la douceur : les boucles lustrées de sa chevelure, ses petites mains blanches, ses seins laiteux, son ventre rebondi de jeune maman. Enrobée dans un vieux cardigan crème, une paire de chaussons aux pieds, une traînée de lait sur son T-shirt noir, elle évoquait à la fois la volupté et le confort. Pour la première fois dans ma vie je ressentis le tiraillement de l'instinct maternel. Je sortis le carnet à spirale de mon sac et le posai sur mes genoux. Je levai mon stylo.

« Pourquoi avez-vous écrit à Joanna ?

— Quelqu'un m'a montré le magazine. Je ne sais pas quelle idée leur a traversé la tête. Que j'avais été violée par une célébrité.

— Ça vous ennuierait de m'en parler ?

— Pourquoi pas ? »

Je gardai les yeux rivés sur le carnet, où je grattouillais de temps en temps un petit gribouillis saccadé qui aurait pu passer pour de la sténo. Michelle s'exprimait avec la familiarité lasse de quelqu'un qui répète pour la centième fois la même anecdote. À l'époque de l'incident — c'est elle qui utilisa ce mot étrange, peut-être à force de l'avoir entendu au commissariat et durant le procès — elle avait dix-huit ans. Elle s'était rendue à une fête à la campagne tout à côté de Gloucester, donnée par un ami de son petit copain d'alors (« Il s'appelait Tony », avait-elle précisé). Sur la route, elle s'était disputée avec Tony, et il l'avait plantée là avant de repartir boire avec deux copains dans un pub du coin. Furieuse autant qu'embarrassée, elle s'était soûlée, dit-elle, à coups de cidre et de mauvais rouge avalés l'estomac vide. Quand elle avait rencontré Adam, la pièce tournait. Elle se tenait dans un coin, à discuter avec une amie, quand il était entré en compagnie d'un autre type.

« Il était beau. Vous avez sans doute vu sa photo. » Je fis oui de la tête. « Ils étaient donc là, ces deux types, et je me souviens avoir dit à Josie : « Tu prends le blond et moi je me garde le mec canon. » »

Jusque-là, tout coïncidait avec le récit d'Adam. Je dessinai une fleur ramollie sur un coin du carnet.

« Que s'est-il passé ensuite ? » Mais Michelle n'avait pas vraiment besoin qu'on la pousse. Elle voulait raconter son histoire. Elle voulait parler à une inconnue qui la croirait enfin. Elle pensait que j'étais de son côté, mi-journaliste, mi-psychanalyste.

« Je l'ai abordé pour l'inviter à danser. On a dansé un moment, et puis on a commencé à s'embrasser. Mon petit ami ne s'était toujours pas manifesté. Je m'étais dit que ça lui ferait les pieds. » Elle leva les yeux vers moi pour voir si cet aveu me choquait. Ce devait être le genre de déclaration qu'on lui avait soutirée durant les contre-interrogatoires. « Donc c'est moi qui ai tout initié. Je l'ai embrassé, j'ai glissé les mains sous sa chemise. On est sortis dehors ensemble. Il y avait déjà d'autres invités dehors, à s'embrasser et le reste. Il m'a attirée dans les buissons. Il était très fort. Il escalade bien des montagnes, pas vrai ? Alors qu'on était encore sur la pelouse, avec tous ces gens qui regardaient, il a un peu ouvert ma robe dans le dos. » Elle émit une petite inspiration sèche, comme un demi-sanglot. « Ça a l'air idiot, je ne suis pas naïve ou ce qu'on veut, mais je ne voulais pas... » Elle s'arrêta, puis soupira. « Je voulais juste m'amuser », concéda-t-elle d'une voix faible. Elle leva les deux mains pour écarter ses cheveux noirs de son visage. Elle paraissait trop jeune pour avoir eu dix-huit ans huit ans plus tôt.

« Que s'est-il passé, Michelle ?

— Nous nous sommes éloignés des autres, derrière un arbre. On s'embrassait, tout se passait encore bien. » Sa voix était très basse à présent, au point que je dus me pencher pour entendre ce qu'elle racontait. « Et puis il a glissé sa main entre mes jambes. Au début, je l'ai laissé faire. Après j'ai dit que je ne voulais pas. Que je voulais rentrer à l'intérieur. J'avais l'impression de faire une grosse erreur, tout à coup. J'ai pensé que mon petit ami pouvait revenir. Il était si grand ! Si fort ! Quand j'ouvrais les yeux je voyais son regard dirigé droit sur moi, mais si je les fermais j'étais prise d'horribles nausées, le monde entier était secoué de spasmes. J'étais complètement bourrée. »

Tandis que Michelle me décrivait la scène, je tentais de me concentrer sur les mots, de ne pas les changer en images. Quand je levais les yeux vers elle pour lui adresser un hochement de tête d'encouragement ou lâcher un murmure d'assentiment, je m'efforçais de ne pas distinguer les traits de son visage, de le laisser plutôt se transformer en un brouillard flou, en une tache de peau pâle. Elle me dit qu'elle avait essayé de se dégager. Adam lui avait retiré sa robe, qu'il avait jetée derrière lui dans l'obscurité des buissons, puis il l'avait embrassée à nouveau. Cette fois il lui avait fait un peu mal, dit-elle, et sa main entre ses jambes aussi. Elle avait commencé à prendre peur. Elle avait tenté de se libérer de son bras, mais il avait raffermi sa prise. Elle avait essayé de crier, mais il lui avait plaqué la main sur la bouche, ce qui fait que pas un bruit n'en était sorti. Elle se rappelait avoir tenté de demander « pitié », mais son exhortation avait été étouffée par ses doigts. « Je pensais que s'il pouvait m'entendre le supplier, il arrêterait. » Elle était maintenant au bord des larmes. Je dessinai un grand carré sur le carnet, puis un plus petit à l'intérieur. Dans le petit carré, j'écrivis le mot « pitié ».

« Une part de moi n'arrivait pas à croire ce qui arrivait. Je pensais encore qu'il s'arrêterait avant. Le viol ça ne se passe pas comme ça, je me disais. C'est un homme masqué qui surgit d'une allée sombre, vous voyez ce que je veux dire. Il m'a allongée par terre. Ça piquait. J'avais une ortie sous le mollet. Il avait toujours la main sur ma bouche. À un moment il l'a enlevée pour m'embrasser, mais ça n'avait plus rien à voir avec un baiser, c'était juste un autre genre de bâillon. Ensuite il m'a à nouveau plaqué la main sur la bouche. J'ai cru que j'allais vomir. Il a mis son autre main entre mes jambes et a essayé de me donner envie de lui. Il s'est vraiment acharné. » Le regard de Michelle me traversait. « Je n'ai pas pu m'empêcher de ressentir un peu de plaisir, et ça a rendu les choses encore pires, vous comprenez ? » J'acquiesçai à nouveau. « Vouloir être violée. Du coup, ce n'est plus un viol, pas vrai ? *Pas vrai ?*

— Je ne sais pas.

— Et là il me l'a fait. Vous ne savez pas ce qu'il peut être fort. Il avait l'air de prendre du plaisir à me faire aussi mal. J'étais étendue là, complètement molle, à attendre que ça finisse. Quand il a eu fini, il m'a une nouvelle fois embrassée, comme si tout ça c'était quelque chose qu'on avait fait de plein accord. Je ne pouvais pas parler, je ne pouvais plus rien faire. Il est parti récupérer ma robe et ma culotte. Je pleurais et il m'a simplement regardée comme un truc intriguant. Et puis il m'a dit : « c'était rien qu'une histoire de cul » ou « c'était une histoire de cul, pas plus » ou quelque chose dans le genre et il est simplement parti, il est retourné à la soirée. Je me suis habillée et je suis rentrée à l'intérieur. J'ai vu Josie avec son type blond ; elle m'a fait un clin d'œil. Il dansait avec une autre fille. Il n'a pas levé les yeux. »

Michelle avait l'air engourdie, presque insensible. Elle avait trop souvent évoqué cet épisode. Je lui demandai, d'une voix neutre, quand elle s'était rendue à la police. Elle me dit qu'elle avait attendu une semaine.

« Pourquoi avoir tant tardé ?

— Je me sentais coupable. J'étais soûle, je l'avais allumé, j'avais agi dans le dos de mon petit copain.

— Qu'est-ce qui vous a poussée à porter plainte dans ces conditions ?

— Mon petit ami en a eu vent. On s'est engueulés, et il m'a quittée. J'étais déboussolée, je suis allée à la police. »

Soudain elle regarda autour d'elle. Elle se leva et sortit de la pièce. Je pris quelques profondes inspirations pour me calmer avant qu'elle ne réapparaisse avec le bébé. Elle s'assit à nouveau, l'enfant ramassé au creux de son bras. De

186

temps à autre elle lui glissait le petit doigt dans la bouche, et il le tétait sans la quitter des yeux.

« La police s'est montrée très compréhensive. Il y avait encore des traces de violence. Et puis il... il m'avait fait des choses, il y avait un rapport médical. Mais le procès a été atroce.

— Que s'est-il passé ?

— J'ai témoigné, et je me suis rendu compte que c'était moi qui passais en jugement. L'avocat m'a interrogée sur mon passé, j'entends mon passé sexuel. Avec combien de types j'avais couché. Puis il m'a fait revenir sur ce qui s'était passé pendant la soirée. Il a rappelé la dispute que j'avais eue avec mon copain, ce que je portais, combien j'avais bu, et le fait que c'est moi qui l'avais embrassé la première, qui l'avais encouragé. Lui — Adam — était simplement assis dans le box, l'air très sérieux et très triste. Le juge a mis un terme au procès. J'aurais voulu que le sol s'ouvre pour m'avaler, tout était si sale tout à coup. Chaque minute de ma vie. Je n'ai jamais haï personne autant que je l'ai haï. » Elle se tut un instant. « Vous me croyez ?

— Vous vous êtes montrée très franche », répondis-je. Elle en attendait plus de moi. Dans son visage potelé de petite fille, son regard était chargé d'une urgente supplication. J'étais désolée pour elle, et pour moi aussi. Elle souleva le bébé, s'enfouit le visage dans l'accordéon spongieux de son cou. Je me levai. « Et vous avez été courageuse », me forçai-je à ajouter.

Elle releva la tête et me fixa dans les yeux. « Vous allez faire quelque chose avec cette histoire ?

— Il y a des obstacles légaux. » Je n'avais pas la moindre intention d'alimenter ses espoirs.

« En effet », concéda-t-elle sur un ton fataliste. Elle semblait nourrir peu d'illusions. « Qu'auriez-vous fait, Sylvie ? Dites-le-moi. »

Je m'obligeai à ne pas baisser les yeux. J'avais l'impression de regarder par le mauvais bout d'un télescope. Je me sentis envahie par la sensation renouvelée de ma double trahison. « Je ne sais pas ce que j'aurais fait », répondis-je. Suite à quoi il me vint une idée. « Vous arrive-t-il d'aller à Londres ? »

Interdite, elle fronça les sourcils. « Avec le petit ? Pourquoi voudriez-vous que j'y aille ? »

Elle paraissait tout à fait sincère. Et puis de toute façon, les appels et les lettres semblaient avoir cessé.

Le bébé se mit à pleurer. Elle le releva de façon à lui caler la tête sous son menton. Il reposait sur sa poitrine, les bras en virgule, comme un petit alpiniste comprimé contre la paroi rocheuse. Je lui souris. « Vous avez là un magnifique petit garçon. Vous vous en êtes bien sortie. »

En réponse, un sourire éclaira son visage. « Oui, en effet. »

22

« **V**OUS avez fait *quoi* ? »
Jusqu'à présent, j'avais considéré l'expression « tomber des nues » comme une métaphore ou une exagération poétique, mais il n'y avait aucun doute, c'est bien ce qui venait d'arriver à Joanna Noble.

Durant le trajet du retour, en plus du choc et du tourment que je ressentais déjà, je m'étais trouvée submergée par une quasi-attaque de panique quand pour la première fois j'avais pris conscience de ce que j'avais fait. Je m'imaginais Michelle décrochant son téléphone pour appeler le *Participant* et demander à parler à Sylvie Bushnell, que ce soit pour se plaindre ou pour ajouter quelque chose à son histoire, et découvrir qu'il n'existait personne de ce nom, puis s'adresser à Joanna à la place. La piste qui menait à moi n'était ni longue ni tortueuse. Comment Michelle réagirait-elle à ce que je lui avais fait ? Et, question subsidiaire mais non moins pertinente, que m'arriverait-il à moi ? Même si je n'avais pas contrevenu à la loi, je m'imaginais en train d'expliquer mon geste à Adam.

J'entrepris de régler l'affaire, pour autant que ce fût possible, dès mon arrivée. J'appelai Joanna Noble depuis une cabine sur le chemin de la maison. Le lendemain matin, je me trouvais dans son appartement de Tufnell Park à l'heure du petit déjeuner.

Je regardai Joanna. « Vos cendres vont tomber.

— Comment ? » Elle était encore abasourdie.

Je dénichai une soucoupe sur la table que je glissai sous le cylindre de cendres chancelant qui pendait à l'extrémité de sa cigarette, dans sa main droite. Je tapotai moi-même la cigarette et la cendre se répandit en pluie dans la soucoupe. Je pris mon courage à deux mains afin d'étoffer la sombre confession que je venais d'effectuer. Il fallait me montrer aussi claire que possible.

« J'ai terriblement honte. Laissez-moi vous avouer exactement ce que j'ai fait, après quoi vous pourrez me dire ce que vous pensez de moi. J'ai appelé Michelle Stowe en me faisant passer pour une collègue à vous, du journal. Je suis allée lui parler et elle m'a raconté ce qui s'était passé entre Adam et elle. Je voulais savoir, c'était plus fort que moi, et je n'ai pas trouvé de meilleur moyen. Mais c'était une erreur. Je m'en veux beaucoup. »

Joanna écrasa sa cigarette avant d'en rallumer une. Elle se passa la main dans les cheveux. Elle était encore en chemise de nuit. « Mais vous avez pété les plombs ou quoi ?

— Je voulais mener l'enquête.

— Elle croyait parler à une journaliste. Elle pensait faire une déclaration courageuse au nom des victimes de viol, au lieu de quoi elle était en train de satisfaire votre curiosité malsaine, histoire d'apprendre où votre petit mari chéri — elle souligna ces derniers mots d'un mépris amer — allait fourrer sa queue avant votre mariage.

— Je n'essaie pas de me défendre. »

Joanna aspira une longue bouffée de cigarette. « Vous lui avez donné un faux nom ?

— Je lui ai dit que je m'appelais Sylvie Bushnell.

— Sylvie Bushnell ? Où est-ce que vous avez bien pu dégotter un truc pareil ? Vous... » Mais à ce point c'en était trop pour elle. Joanna se mit à glousser, incapable bientôt de maîtriser ses rires. Elle posa la tête sur la table qu'elle heurta doucement de son front à deux reprises. Elle tira une nouvelle fois sur sa cigarette, puis se mit à tousser et à rire en même temps. Elle finit par reprendre le dessus. « Il n'y a pas à dire, vous avez le talent pour attaquer sur les points faibles. Vous devriez faire mon boulot. Il me faut un café. Vous en voulez ? »

Je fis oui de la tête. Elle mit de l'eau à bouillir et versa quelques cuillerées de café moulu dans la cafetière tandis que nous continuions notre conversation.

« Alors, qu'est-ce qu'elle vous a dit ? »

Je lui fis un résumé des propos de Michelle.

190

« Mmmm. » Joanna ne me parut pas particulièrement déconcertée. Elle remplit deux tasses de café avant de s'asseoir en face de moi à la table de la cuisine. « Et comment vous vous sentez après votre escapade ? »

J'avalai une gorgée de café. « J'essaie encore de débrouiller tout ça dans mon esprit. Secouée. C'est un des sentiments que j'éprouve. »

Joanna accueillit cela d'un air sceptique. « Vraiment ?

— Bien sûr. »

Elle alluma une troisième cigarette. « Est-ce très différent de ce que vous avez lu dans le journal ? D'après ce que vous m'avez dit, le verdict me semble tout à fait justifié. Je suis même étonnée que cette histoire soit arrivée devant un tribunal.

— Je n'ai que faire des détails juridiques. Tout ce qui m'intéresse c'est ce qui s'est passé. Ce qui s'est peut-être passé.

— Oh, pour l'amour du ciel, Alice, nous sommes adultes. » Elle avala son café d'un trait. « Écoutez, je ne me considère pas comme quelqu'un de particulièrement dévergondé. On en est tous là, pas vrai ? Mais il m'est arrivé de coucher avec des types pour m'en débarrasser, ou parce qu'ils n'arrêtaient pas d'insister. J'ai fait l'amour avec des types quand j'étais ivre avec qui je n'aurais jamais couché une fois sobre. Il m'est arrivé de le faire alors que je n'en avais pas vraiment envie, et j'ai regretté le lendemain, ou dix minutes après. Une fois ou deux je me suis humiliée au point d'en avoir la nausée. Ça ne vous est jamais arrivé ?

— À l'occasion.

— Tout ce que je veux dire, c'est que nous avons tous fréquenté cette zone grise, joué avec notre désir réel. Enfin, c'est compliqué, mais je veux simplement dire que ça n'a rien à voir avec le mec qui entre chez vous par effraction, affublé d'un masque et armé d'un couteau.

— Je suis désolée, Joanna, mais ça ne me satisfait pas tout à fait.

— Ce n'est pas censé nous satisfaire. Voilà bien le problème. Écoutez, je ne connais rien de votre histoire. Comment vous êtes-vous rencontrés ?

— Eh bien, disons que ce n'était pas exactement devant

191

une tasse de thé chez le pasteur. Ça n'avait rien d'un roman de Jane Austen.

— Bien. Quand j'ai rencontré Adam, il s'est montré grossier, susceptible, difficile. Je soupçonne que son attitude à mon égard s'explique par un mélange de facteurs, le manque d'intérêt, la suspicion, le mépris. Ça me l'a rendu attirant. Ce type est sexy, non ? » Cette dernière remarque tomba dans un silence que je ne fis pas le moindre effort pour combler.

« C'est vrai ou pas ?

— Il s'agit de mon mari, répondis-je, guindée.

— Bon sang, Alice, ne jouez pas les saintes nitouches avec moi. Ce type est un poème épique en soi. Il a sauvé à lui seul la vie de quasiment tous les membres de cette expédition. Klaus m'a raconté son parcours. Il a lâché Eton[1] à seize ans pour partir dans les Alpes. Il y a traîné un an ou deux avant de trouver un moyen de se rendre dans l'Himalaya où il a passé des années à faire de la randonnée et de l'escalade. Comment avez-vous osé mettre la main sur ce mec avant moi ?

— Je sais tout ça. C'est un choc de découvrir sa face cachée.

— Quelle face cachée ?

— Qu'il peut se montrer violent, dangereux.

— Est-ce qu'il a jamais fait preuve de violence à votre égard ?

— Eh bien... Vous comprenez... » Je haussai les épaules. « Oh, vous voulez parler d'une violence agréable.

— Je ne suis pas sûre qu'agréable soit le mot juste.

— Mmm, approuva Joanna, avec une moue presque carnivore. Vous avez un problème, Alice.

— Vraiment ?

— Vous êtes tombée amoureuse d'un héros, d'un homme extraordinaire qui ne ressemble à personne que je connaisse. Il est bizarre, imprévisible, et j'ai l'impression que parfois vous aimeriez le voir se mouler dans le rôle de l'attaché juridique qui rentre à la maison à six heures trente pour dîner et vous fait un câlin par semaine, dans la

---

1. Eton : prestigieux lycée privé fréquenté par l'aristocratie et la bourgeoisie aisée en Angleterre. (N.d.T.)

position du missionnaire. À quoi ressemblait votre liaison précédente ?

— J'ai quitté quelqu'un pour Adam.

— Comment était-il ?

— Il était sympa. Mais pas comme cet attaché dont vous parliez. Il était marrant, attentionné, nous étions amis, nous partagions les mêmes intérêts, nous passions du bon temps ensemble. Côté sexe, tout se passait à merveille. »

Joanna se pencha pour me regarder de près. « Il vous manque ?

— C'est tellement différent avec Adam. Il ne nous arrive jamais de "faire des trucs ensemble", selon la formule consacrée, comme c'était le cas avec mes petits copains précédents. Quand nous sommes tous les deux ce n'est jamais détendu, simple, comme avec Jake. C'est tellement... tellement intense, tellement épuisant en un sens. Pour ce qui est de l'amour, bien sûr c'est fabuleux, mais c'est aussi perturbant. Troublant. Je ne connais plus les règles.

— Jake vous manque ? » demanda à nouveau Joanna.

C'est une question que je ne m'étais jamais posée. Je n'en avais franchement jamais eu le loisir.

« Pas une seconde », m'entendis-je répondre.

23

Nous étions à la mi-mars, pas loin du passage à l'heure d'été. Les parcs regorgeaient de crocus et de jonquilles, les rues de visages illuminés. Le soleil s'élevait un peu plus à la verticale tous les jours. Joanna Noble avait raison. Je ne saurais jamais ce qui s'était produit dans le passé. Tout le monde a ses petits secrets, ses petites trahisons. Il n'existe pas de vie qui ne soit ternie par la honte. Mieux vaut laisser les zones d'ombre dans le noir, où elles peuvent se cicatriser puis s'estomper. Mieux vaut écarter les tourments de la jalousie et de la curiosité paranoïaque.

Je savais qu'Adam et moi ne pouvions passer le reste de notre vie enfermés derrière une porte à explorer nos corps dans d'obscures chambres inconnues. Il nous fallait laisser entrer un peu le monde extérieur. Tous les amis que nous avions snobés, la famille que nous avions abandonnée, les devoirs que nous avions remis à plus tard, les films que nous n'avions pas vus, les journaux que nous n'avions pas lus. Nous devions agir comme des gens normaux. Du coup, je sortis acheter de nouveaux vêtements. Je me rendis au supermarché pour faire provision de denrées ordinaires : des œufs, du fromage, de la farine, ce genre de produits. Je pris des engagements, ainsi que je l'avais fait dans ma vie d'avant.

« Je vais aller voir un film avec Pauline demain », déclarai-je au moment où Adam rentra.

Il haussa les sourcils. « Pourquoi ?

— J'ai besoin de voir des amis. Et je me suis dit que nous pourrions inviter des gens à dîner samedi. »

Il me scruta d'un regard inquisiteur.

« J'ai pensé à Sylvie et à Clive, continuai-je sans me laisser démonter. Et pourquoi pas Klaus aussi, ou Daniel, et peut-être Deborah ? Ou qui tu veux.

— Sylvie et Clive et Klaus et Daniel et Deborah ? Ici ?

— C'est si bizarre que ça ? »

Il me prit la main, commença à jouer avec mon alliance. « Pourquoi fais-tu ça ?

— Pourquoi je fais quoi ?

— Tu sais bien.

— On ne peut pas se contenter... (Je m'efforçai de trouver le mot juste.) ... d'intensité. Nous avons besoin d'une vie ordinaire.

— Pourquoi ?

— Tu n'as jamais envie de rester simplement devant la télé ? Ou de te coucher tôt avec un bouquin ? » Le souvenir de mon dernier week-end avec Jake me submergea soudain, tout ce bonheur domestique sans prétention que j'avais rejeté avec une telle euphorie. « Ou aller faire du cerf-volant ou bien encore une partie de bowling ?

— Du bowling ? Qu'est-ce que c'est que ces conneries ?

— Tu sais de quoi je parle. »

Il garda le silence. Je l'entourai de mes bras, je le serrai contre moi, mais il restait sur sa réserve. « Adam, tu es mon plus cher amour. Je me suis embarquée dans notre histoire pour la vie. Mais le mariage implique un tas de banalités : des tâches ménagères, des obligations emmerdantes, le boulot, les chamailleries, les réconciliations. Tout un tas de trucs. Il ne s'agit pas uniquement de, eh bien, de désir brûlant.

— Pourquoi ? » se contenta-t-il de répondre. Ce n'était pas une question. C'était une affirmation. « Qui a dit ça ? »

Je desserrai mon étreinte, puis j'allai m'asseoir dans le fauteuil. Je ne sais pas si j'éprouvais de la colère ou du découragement, s'il me fallait crier ou sangloter.

« Je veux avoir des enfants un jour, enfin, je crois. Je veux avoir une maison un jour, et la cinquantaine très ordinaire. Je veux être à tes côtés quand je serai vieille. »

Il traversa la pièce pour venir s'agenouiller à mes pieds et poser son visage sur mes genoux. Je caressai ses cheveux emmêlés, humant la sueur de sa journée de travail accrochée à sa peau. « Tu seras toujours à mes côtés », murmura-t-il, la voix étouffée.

La grossesse de Pauline commençait à se voir. Son visage, d'ordinaire pâle et sévère, était plus charnu, plus rose. Ses cheveux noirs, qu'elle attachait en arrière d'habitude, lui tombaient sur les épaules. Elle avait l'air jeune, jolie, heureuse. Nous étions intimidées, courtoises, chacune faisait un effort. Je tentai de me rappeler de quoi étaient faites nos conversations d'autrefois, avant que je ne rencontre Adam : de tout et de rien, il me semble, de potins insignifiants, de confidences à voix basse, de futilités intimes, qui constituaient autant de preuves verbales d'affection. À cette époque, nous éclations souvent de rire, nous restions silencieuses, nous nous disputions avant de nous rabibocher. Ce soir, cependant, il nous fallait nous efforcer d'empêcher la conversation de sombrer, et à la moindre pause, l'une ou l'autre nous précipitions pour combler le vide.

Après le film, nous allâmes au pub. Elle commanda un jus de tomate, moi un gin. Au moment où je sortis un billet de mon portefeuille pour régler les boissons, la photographie qu'Adam avait prise de moi le jour où il m'avait demandé de l'épouser s'échappa.

« Quelle photo bizarre, dit-elle en la ramassant. On dirait que tu viens de voir un fantôme. »

Je la fourrai à nouveau entre mes cartes de crédit et mon permis de conduire. Je ne voulais pas que quelqu'un d'autre la regarde, elle n'existait rien que pour mes yeux.

Nous discutâmes du navet que nous venions de voir sans beaucoup de conviction, jusqu'à ce que tout à coup la conversation me devienne intolérable. « Comment va Jake ? demandai-je.

— Bien, répondit-elle, interdite.

— Non, je veux dire vraiment, comment va-t-il ? Je veux savoir. » Pauline me dévisagea avec insistance. Je ne détournai pas la tête, pas plus que je n'esquissai un sourire de façade.

Quand elle commença à parler, j'eus la sensation d'avoir obtenu une sorte de victoire. « Il était prévu que vous vous mariiez, que vous ayez des enfants. Puis tout a changé. Il

196

m'a dit que tout allait bien, que c'était arrivé sans prévenir. C'est vrai ? »

J'acquiesçai. « À peu de chose près.

— Il est très secoué. Il s'est tellement trompé à ton sujet. » Je ne répondis pas. « C'est vrai, non ? L'as-tu aimé ? »

Je me replongeai dans les jours lointains de ma vie avec Jake. J'avais du mal à me souvenir de ses traits à présent. « Bien sûr. Et puis il y avait toi, l'Équipe, Clive, Sylvie, et tous les autres, comme une grande famille. Je crois que j'ai pensé la même chose que Jake. J'ai eu l'impression de vous trahir tous. Je n'ai pas changé d'avis. C'est comme si j'étais devenue une étrangère.

— C'est ça la clé, n'est-ce pas ?

— Quoi ?

— Devenir une étrangère. Choisir le héros solitaire, tout abandonner pour lui. Un joli fantasme. » Une touche de mépris transperçait dans la platitude de sa voix.

« Ce n'est pas ce que je souhaite.

— Est-ce que quelqu'un t'a dit que tu avais complète-ment changé en trois mois ?

— Non.

— Pourtant c'est la vérité.

— Changé en quoi ? »

Pauline me regarda d'un air songeur, une expression presque dure dans le regard. Se vengeait-elle de ce que j'avais fait ?

« Tu as maigri. Tu as l'air crevée. Tu n'es plus aussi apprêtée qu'autrefois. Tu portais toujours des tenues impeccables, tu avais les cheveux bien coupés, tout chez toi respirait l'ordre, la retenue. Aujourd'hui — elle m'observa, me remémorant avec gêne la marque sur mon cou — tu as l'air un peu..., comment..., ravagée. Malade.

— Je ne suis pas du genre réservée, répondis-je avec véhémence. Je ne crois pas l'avoir jamais été. Mais toi, en revanche, tu as l'air en pleine forme. »

Pauline sourit avec une satisfaction contenue. « C'est la grossesse, ronronna-t-elle. Tu devrais essayer, un jour. »

Quand je suis rentrée du cinéma, Adam n'était pas là. Vers minuit, je cessai de l'attendre et me mis au lit. Je restai éveillée jusqu'à une heure, à lire, l'oreille aux aguets, à écouter si je n'entendais pas ses pas gravir l'escalier. Puis je m'endormis d'un sommeil agité, me réveillant souvent pour consulter les aiguilles lumineuses du réveil. Il ne rentra pas avant trois heures. Je l'entendis envoyer promener ses vêtements et se doucher. Je n'allais pas lui demander où il était allé. Il grimpa dans le lit et s'installa en cuillère contre moi, la peau chaude et propre, parfumée au savon. Il posa les mains sur mes seins et m'embrassa dans le cou. Pour quelle raison quelqu'un se douche-t-il à trois heures du matin ?

« Où es-tu allé ? demandai-je.

— J'ai fait entrer un peu d'air dans notre couple, qu'est-ce que tu crois ? »

J'ai annulé le dîner. J'avais acheté toutes les provisions et les boissons, mais au final je me vis dans l'incapacité d'y faire face. Je rentrai les bras chargés des courses le samedi en question. Adam était assis dans la cuisine à boire une bière. Il se leva d'un bond pour m'aider à tout déballer. Il m'ôta mon manteau puis me massa les doigts, tout tétanisés d'avoir porté les sacs depuis le supermarché. Il m'invita à m'asseoir tandis qu'il rangeait le poulet rôti et les différentes sortes de fromages dans le petit réfrigérateur. Il me prépara du thé, me débarrassa de mes chaussures, me frotta les pieds. Il m'entoura de ses bras avec une sorte de vénération, m'embrassa les cheveux, puis dit, d'une voix si douce : « Es-tu sortie de Londres l'avant-dernière semaine ?

— Non, pourquoi ? » Ma surprise était telle que je me retrouvai soudain dans l'impossibilité de penser clairement. Mon cœur battait trop fort, j'étais sûre qu'il pouvait le sentir sous ma chemise de coton.

« À aucun moment ? » Il m'embrassa à la naissance de la mâchoire.

« J'ai travaillé toute la semaine, tu le sais bien. »

Il avait découvert quelque chose. Mon cerveau s'activait avec furie.

« Bien sûr. » Ses mains glissèrent dans mon dos, m'attrapèrent les fesses. Il me tenait très serré. Il m'embrassa à nouveau.

« Je me suis rendue à une réunion à Maida Vale un jour, mais c'est tout.

— Et quel jour était-ce donc ?

— Je ne m'en souviens plus. » Peut-être avait-il téléphoné au bureau ce fameux jour, ça devait être ça. Mais pourquoi me demander ça maintenant ? « Mercredi, oui, je crois que c'était mercredi.

— Mercredi. Quelle coïncidence.

— Qu'est-ce que tu veux dire ?

— Tu as la peau toute soyeuse aujourd'hui. » Il m'embrassa les paupières, puis commença très doucement à défaire les boutons de ma chemise. Je restai immobile tandis qu'il me l'enlevait. Et s'il avait trouvé ? Il dégrafa mon soutien-gorge, qu'il me retira également.

« Attention, Adam, les rideaux sont ouverts. Quelqu'un pourrait nous voir.

— Qu'est-ce que ça peut faire ? Enlève-moi ma chemise. Bien. Maintenant ma ceinture. Enlève la ceinture de mon jean. »

Je m'exécutai.

« À présent mets ta main dans ma poche. Allez, Alice. Non, pas celle-là. L'autre.

— Il n'y a rien dedans.

— Oh si ! Mais ce n'est pas gros, c'est tout. »

Mes doigts sentirent un bout de papier rigide. Je le sortis.

« Et voilà, Alice. Un billet de train.

— Oui.

— Pour mercredi dernier.

— Oui. Et alors ? » Où avait-il trouvé ça ? J'avais dû le laisser dans mon manteau ou dans mon sac.

« Le jour où tu ne t'es pas rendue au bureau pour aller à..., où ça déjà ?

— À Maida Vale.

— C'est ça, à Maida Vale. » Il commença à déboutonner mon jean. « Pourtant c'est un billet pour Gloucester.

— Qu'est-ce que ça signifie, Adam ?

— À toi de me dire.

— Qu'est-ce que c'est que cette histoire pour un billet de train ?

— Voilà. Enlève les pieds de ton jean. Il se trouvait dans la poche de ton manteau.

199

— Pour quelle bonne raison t'es-tu permis de fouiller dans les poches de mon manteau ?

— Pour quelle bonne raison es-tu allée à Gloucester ?

— Ne sois pas idiot, je n'ai jamais mis les pieds à Gloucester. » Il ne me vint pas une seconde à l'idée de lui dire la vérité. Au moins je n'avais pas perdu tout instinct de conservation.

« Enlève ta culotte.

— Non. Arrête.

— Pourquoi Gloucester, je me le demande ?

— Je n'y ai jamais mis les pieds, Adam. Mike y est allé il y a quelques jours, c'était peut-être mercredi, pour visiter un entrepôt. Ça doit être son billet. Mais qu'est-ce que ça peut faire ?

— Alors qu'est-ce qu'il faisait dans ta poche ?

— Je n'en ai pas la moindre idée. Merde à la fin ! Écoute, si tu ne me crois pas, appelle-le. Vas-y. Je vais te dicter le numéro. »

Je le défiai du regard. Je savais que Mike était parti pour le week-end, de toute façon.

« Oublions Mike et Gloucester, dans ce cas, d'accord ?

— J'ai déjà oublié », répondis-je.

Il me poussa par terre puis s'agenouilla par-dessus moi. On aurait dit qu'il allait pleurer. Je lui tendis le bras. Quand il me frappa de sa ceinture, quand la boucle me mordit la chair, la douleur ne fut même pas énorme. Pas plus la seconde fois. Était-ce la spirale dont mon médecin m'avait parlé ?

« Je t'aime tellement, Alice, gémit-il quand il eut fini. Tu n'as pas idée à quel point je t'aime. Ne me laisse jamais tomber. Je ne serais pas capable de le supporter. »

Je remis le dîner à plus tard, déclarant à tous ceux que je dus appeler que j'avais la grippe. Il est vrai que je me sentais aussi épuisée que si j'avais été malade. Dans le lit, nous mangeâmes le poulet que j'avais acheté puis nous nous endormîmes de bonne heure, serrés dans les bras l'un de l'autre.

24

PROMULGUÉ pour quelque temps héros et célébrité, Adam commença à recevoir des sollicitations du monde extérieur, relayées par les journaux et les éditeurs à qui elles avaient été adressées. Le prenant pour le docteur Livingstone ou pour Lawrence d'Arabie, certains lui envoyaient des pages et des pages de théories et de récriminations compliquées, griffonnées dans une écriture pattes de mouche avec des encres de couleur inhabituelle. Il recevait des missives enflammées de jeunes admiratrices qui me faisaient sourire, non sans une légère pointe d'inquiétude. Il y eut aussi une lettre de la veuve de Tomas Benn, une des victimes du Chungawat, mais elle était en allemand et Adam ne prit pas la peine de me la traduire. « Elle veut me voir, déclara-t-il d'une voix lasse en ajoutant la lettre à la pile.

— Pourquoi ?

— Pour parler, répondit-il sèchement. Pour entendre dire que son mari était un héros.

— Tu vas le faire ? »

Il secoua la tête. « Je ne peux lui être d'aucune aide. Tommy Benn était un type riche en dehors de sa catégorie, un point c'est tout. »

Et puis il y avait des gens qui voulaient partir en expédition. D'autres qui présentaient des projets, des idées, des obsessions, des fantasmes, beaucoup de fumée surtout. Adam rejeta quasiment toutes les requêtes. Une fois ou deux il accepta de se faire traîner jusqu'à un bar pour prendre un verre, et je le rejoignais dans le centre de Londres pour le voir se faire interroger par un éditorialiste de magazine ou un chercheur à l'œil acéré.

Tôt un mardi matin pluvieux, nous reçûmes un nouvel appel peu prometteur : la ligne était mauvaise, l'homme avait un accent étranger. C'est moi qui avais décroché. Découragée, j'avais tendu le bras de l'autre côté du lit pour passer le combiné à Adam, qui se montra carrément grossier. Mais l'interlocuteur insista et Adam finit par accepter de le rencontrer.

« Alors ? » demandai-je à Adam un soir. Il était rentré tard en traînant les pieds et avait pris une bière dans le frigo.

« Je ne sais pas. » Sur ce il décapsula la bouteille d'un coup viril sur le coin de la table, comme à son habitude. Il avait l'air perplexe, presque sonné.

« Qu'est-ce qu'il te voulait ?

— C'était un type en costume qui travaille pour une chaîne de télé allemande. Il s'y connaît un peu en alpinisme. Il m'a dit qu'ils voulaient faire un documentaire au sujet d'une ascension. Ils aimeraient bien que j'en sois le guide. À moi de choisir le lieu et le moment, ils se chargent des participants. Plus le défi sera grand, mieux ce sera. Et ce sont eux qui financeront le projet.

— Ça a l'air fabuleux. Non ?

— Il doit y avoir un hic. Il doit y avoir un truc qui déconne dans le projet, mais je n'ai pas encore trouvé quoi.

— Et Daniel ? Je croyais que tu partais avec lui l'année prochaine ?

— Qu'il aille se faire foutre ! C'est juste une histoire de pognon. Je n'arrive pas à croire que ce soit vrai. »

Pourtant, apparemment, ça l'était. Il y eut d'autres rendez-vous dans des bars, puis des réunions. Un soir, tard, alors que nous étions un peu éméchés, Adam me dit qu'il avait envie d'y aller. Il voulait grimper l'Everest, sans même essayer d'atteindre le sommet. C'était juste pour nettoyer la montagne de toute la merde qui s'y était accumulée, les bouts de tente et de corde râpée, les bouteilles d'oxygène vides, voire quelques-uns des corps qui s'y trouvaient encore, recroquevillés dans leurs derniers abris inutiles. J'ai trouvé l'idée belle, je l'ai tendrement encouragé à la griffonner sur un bout de papier, puis je l'ai tapée à la machine pour lui donner une forme présentable. La compagnie de télévision a dit oui à tout. Cela ferait un film fantastique. On y trouvait à la fois des montagnes et de l'écologie.

Ce fut un épisode fabuleux. Moi-même, je me sentais d'une humeur fabuleuse. Jusque-là Adam s'était comporté comme une bouilloire en ébullition, prise de hoquets et d'explosions soudaines. À présent c'était comme si on avait soudain baissé la flamme, le bouillonnement était devenu plus tranquille. La vie d'Adam, c'était l'escalade et moi ; or, durant quelques mois, il n'y avait presque eu que moi, et j'avais commencé à me demander si je n'allais pas me retrouver complètement usée, littéralement, par l'intensité de son attention. J'aimais Adam, je l'adorais, je le désirais, mais c'était parfois un soulagement de rester au lit à siroter un verre de vin pendant qu'il dissertait du nombre de gens qu'il devrait emmener, des dates à fixer, sans que j'intervienne. Je me contentais d'acquiescer de la tête et de profiter de son enthousiasme. C'était agréable, tout simplement, sans rien de transcendant, ce qui contribuait à mon plaisir, même si je pris bien garde de ne rien lui en dire.

Pour ma part, j'en venais aussi à me calmer petit à petit au sujet de son passé. Toute l'histoire de Michelle faisait à présent partie du paysage, rangée au rayon des incartades de jeunesse dans lesquelles on se fourvoie tous. Et Michelle avait un bébé et un mari aujourd'hui. Elle n'avait pas besoin de mon aide. Ses amies d'avant, celles avec qui il avait entretenu de longues liaisons, ne représentaient guère plus à mes yeux maintenant que, disons, les sommets qu'il avait conquis. Si, dans le cours d'une conversation avec Klaus, Deborah, Daniel, ou un autre de ses vieux compagnons d'escalade, un nom surgissait, je n'y prêtais plus une attention particulière. Mais bien sûr on s'intéresse toujours à tout ce qui concerne la personne qu'on aime, et ne rien dire du tout eût été un signe d'affectation. De sorte que je continuais à récolter des informations à leur sujet ici et là, ce qui me permit de commencer à me les imaginer, à les considérer par ordre chronologique.

Un soir, nous retournâmes dans l'appartement de Deborah à Soho, mais en qualité d'invités cette fois. Daniel devait nous rejoindre. J'avais suggéré qu'il fasse partie de l'expédition dans l'Everest. En règle générale, Adam était à peu près aussi enclin à suivre mes avis en matière d'escalade que ceux de la poignée de la porte de la chambre, mais à cette occasion il accueillit ma suggestion d'un air plus songeur que critique. Durant la plus grande partie de la soirée, Daniel et lui restèrent plongés dans leur conversation, nous laissant tout loisir à Deborah et à moi pour discuter entre nous.

Le dîner avait été simple, constitué de raviolis achetés en face accompagnés d'une salade venue du coin de la rue et de bouteilles de vin rouge italien servi dans des verres à la contenance traître. Le repas fini, Deborah s'empara d'une bouteille sur la table et nous allâmes nous asseoir par terre devant le feu. Elle remplit mon verre une nouvelle fois. Je n'avais pas l'impression d'être franchement ivre, mais je me sentais quelque peu cotonneuse, comme si je marchais sur un doux matelas. Deborah s'étira.

« J'ai parfois la sensation qu'il y a des fantômes dans cet appartement, dit-elle avec un sourire.

— Tu veux dire, ceux de gens qui ont habité ici ? »

Elle rit. « Non, c'est d'Adam et toi que je parle. C'est ici que tout a commencé. »

Je me dis que le vin et le feu camoufleraient la coloration de mes joues. « J'espère que nous n'avons pas laissé de désordre », fut tout ce que je pus répondre.

Elle alluma une cigarette et tendit le bras pour attraper un cendrier sur la table. Puis elle s'allongea à nouveau par terre. « Tu es bien pour Adam.

— Tu crois ? Je me demande parfois si je ne suis pas trop éloignée de son monde.

— C'est ce que je veux dire. »

Je jetai un coup d'œil en direction de la table. Adam et Daniel étaient en train de faire des diagrammes, ils en étaient même à envisager de recourir à un tableur. Deborah me fit un clin d'œil. « Ça va être la plus prestigieuse récolte d'ordures de toute l'histoire. » Elle éclata de rire.

Nouveau coup d'œil. Il n'y avait pas de risque qu'ils entendent notre conversation.

« Mais sa... enfin... sa dernière petite amie, Lily, elle ne faisait pas d'escalade il me semble. Tu l'as rencontrée ?

— Une ou deux fois. Mais elle ne représentait rien. Ce n'était qu'une phase transitionnelle. Elle était sympa, mais c'était une plaie, elle était toujours à gémir après Adam.

Quand il s'est réveillé et qu'il a vu à quoi elle ressemblait, il l'a laissée tomber.

— Et Françoise, elle était comment ?

— Ambitieuse. Riche. Une alpiniste chevronnée qui plus est.

— Elle était belle aussi.

— Belle ? demanda Deborah avec ironie. Seulement si on aime les femmes minces, bronzées et longues en jambes, parées de longs cheveux noirs très fins. C'est malheureusement le cas pour la plupart des mecs.

— Ça a été un coup terrible pour Adam.

— Un coup pire encore pour Françoise. Mais de toute façon — elle fit une grimace — c'était fini, pas vrai ? C'était une groupie de l'escalade. Elle aimait les grimpeurs. » Elle baissa un peu la voix. « Adam a peut-être mis un peu de temps à s'en rendre compte, mais il est grand. Il sait ce qui se passe quand on couche avec des médecins fanas d'alpinisme. »

À ce moment-là, je compris.

« Alors toi et... » et je fis un signe de tête en direction d'Adam.

Deborah se pencha et posa la main sur la mienne. « Alice, ça ne représentait rien, ni pour lui ni pour moi. C'est juste que je ne voulais pas qu'il y ait de secrets entre nous.

— Bien sûr. » Ce n'était pas grave. Pas plus que ça. « Et avant Françoise il y a eu une fille qui s'appelait Lisa, dis-je en guise d'appât.

— Tu veux vraiment qu'on en parle ? demanda Deborah, à la fois amusée et soupçonneuse. Adam a largué Lisa quand il est tombé amoureux de Françoise.

— Elle était américaine ?

— Non, britannique. Enfin galloise ou écossaise, je ne sais plus. Elle était alpiniste à temps partiel, je crois. Ils ont formé un couple du tonnerre — elle prononça ces mots comme s'ils recelaient un comique inhérent — pendant des années. Mais ne le prends pas mal. C'était un "couple du tonnerre" — elle dessina des doigts des guillemets invisibles dans l'air — mais ils n'ont jamais vécu ensemble. Adam n'a jamais été attaché à personne comme il t'est attaché. C'est autre chose. »

Je ne relâchai pas la pression. « Il y avait toujours quelqu'un à l'arrière-plan. Même s'il avait d'autres aventures qui ne signifiaient rien, selon tes propres mots, il y avait toujours une relation permanente. Quand une histoire s'achevait, une autre commençait. »

Deborah ralluma une cigarette en fronçant les sourcils, perdue dans ses réflexions. « Peut-être. Je ne me souviens plus avec qui il était, si l'on peut dire, avant Lisa. Je n'ai pas dû la rencontrer. Il y a eu une fille quelques années avant que je fasse sa connaissance. Comment c'était son nom déjà ? Penny. Elle a épousé un autre vieux copain à moi, un alpiniste nommé Bruce Maddern. Ils vivent à Sydney. Je ne les ai pas revus depuis une dizaine d'années. » Elle tourna la tête vers moi, puis jeta un nouveau coup d'œil dans la direction d'Adam. « Bon Dieu, qu'est-ce qu'on est en train de faire ? Ça ne sert à rien de revenir là-dessus. La seule chose importante est qu'Adam est resté lié à des femmes dont il n'était pas vraiment amoureux. » Elle sourit. « Tu peux compter sur lui. Il ne te laissera pas tomber. Et tu ne dois pas l'abandonner non plus. J'ai escaladé avec lui, je le connais. Il ne tolère pas qu'on échoue dans ce qu'on s'est engagé à faire.

— Voilà qui n'est guère rassurant ! m'exclamai-je gaiement.

— Et qu'est-ce que tu dirais de te mettre à l'escalade ? Tu as des ambitions dans ce domaine ? Hé, Adam, tu vas emmener Alice l'année prochaine ? »

Adam se tourna vers moi, souriant. « Peut-être devrais-tu le lui demander.

— Moi ! m'exclamai-je, alarmée. Je chope des ampoules. Je me fatigue et ça me fout de mauvais poil. Je ne tiens pas la forme. Et tout ce que j'aime en vérité c'est d'être bien au chaud, emmitouflée chez moi. Mon idée du bonheur, c'est un bain chaud et une chemise de soie.

— C'est bien pour ça que tu devrais te mettre à l'escalade », intervint Daniel en nous rejoignant avec deux tasses de café. Il s'assit par terre à côté de nous. « Tu sais, Alice, j'étais sur l'Annapurna il y a quelques années. Il y avait eu une merde dans l'équipement. Il y a toujours une merde quelque part. En général, c'est du genre où tu te retrouves à six mille mètres d'altitude avec deux moufles de la main gauche, mais cette fois, au lieu d'empaqueter cinq paires de chaussettes, quelqu'un en avait commandé cinquante. Ce qui voulait dire qu'à chaque fois que je rentrais dans la tente, je pouvais enfiler une paire de chaussettes toutes neuves et savourer ce luxe. Tu n'as jamais fait d'ascensions, du coup tu ne peux pas comprendre quel effet ça peut faire de glisser tes pieds mouillés dans des chaussettes chaudes et sèches. Mais imagine tous les bains chauds que tu as pris dans ta vie combinés en un seul.

— Et les arbres ? répondis-je.

— Quoi ?

— Pourquoi tu ne grimpes pas aux arbres ? Pourquoi faut-il que ce soient des montagnes ? »

Daniel se fendit d'un large sourire. « Je crois que je vais laisser au célèbre alpiniste sans peur et sans reproche, Adam Tallis, le soin de répondre à cette question. »

Adam réfléchit quelque temps. « On ne peut pas poser pour une photo au sommet d'un arbre, finit-il par trancher. C'est pour ça que la plupart des gens préfèrent les montagnes. Pour poser au sommet.

— Mais pas toi, mon chéri », rétorquai-je. Mais le sérieux de ma remarque me remplit d'embarras.

Un silence s'ensuivit. Nous restâmes tous allongés à contempler le feu. Je sirotai mon café par petites gorgées. Puis, sur une impulsion soudaine, j'étendis le bras, j'attrapai la cigarette de Deborah, j'en tirai une bouffée, puis je la lui rendis.

« Ce serait si facile de m'y remettre, dis-je. Surtout un soir comme celui-là, allongée par terre devant un feu, un peu pompette, en compagnie de copains après un dîner sympa. » Je cherchai les yeux d'Adam, qui me regardait, le visage caressé par les reflets des flammes. « Je ne crois pas vous avoir donné la vraie raison. J'aurais sans doute aimé tenter quelque chose dans ce genre avant de rencontrer Adam. C'est ça qui est drôle. C'est Adam qui m'a fait comprendre combien ça peut être extraordinaire d'escalader une montagne, mais en même temps il m'a coupé l'envie de le faire. Si je m'y mettais, ce serait avec le désir de prendre soin des autres. Je ne voudrais pas que ce soit à eux de le faire pour moi. » Je les regardai. « Si nous faisions une ascension ensemble, vous devriez tous me hisser.

Deborah finirait sans doute au fond d'une crevasse, Daniel devrait me passer ses gants. Je m'en tirerais bien. Mais c'est vous qui en paieriez le prix. »

« Tu étais belle ce soir.

— Merci, répondis-je dans un demi-sommeil.

— Et c'est drôle ce que tu as dit sur les arbres.

— Merci.

— Ça m'a presque permis de te pardonner d'avoir interrogé Debbie sur mon passé.

— Ah.

— Tu sais quel est mon souhait ? Je voudrais qu'on fasse comme si nos vies avaient commencé à l'instant où nos regards se sont croisés. Tu crois que c'est possible ?

— Oui », répondis-je. Et pourtant non, en vérité.

25

L'HISTOIRE que j'avais apprise à l'école, mais presque oubliée aujourd'hui, se distribuait en catégories très pratiques : le Moyen Âge, la Réforme, la Renaissance, la dynastie des Tudor puis celle des Stuart. Pour moi, la vie passée d'Adam se divisait à présent en catégories similaires : des bandes de temps distinctes, comme des strates de sable coloré dans une bouteille. Il y avait l'ère Lily, puis l'ère Françoise, l'ère Lisa, l'ère Penny. Je me gardais de mentionner son passé à Adam, c'était devenu un sujet tabou. Mais je ne cessais d'y penser. Je récoltais de menus détails au sujet des femmes qu'il avait aimées, pour les ajouter au tableau d'ensemble. Ce faisant, je me rendis compte qu'il y avait un trou dans la chronologie, une strate vide à une époque où il aurait dû y avoir une femme mais où il n'y en avait pas. Cela représentait quelque chose comme un an environ sans une relation stable, ce qui ne semblait pas coller avec le schéma que j'avais décelé dans la vie d'Adam.

C'était comme si j'observais une silhouette aimée venir à moi à travers champs, se rapprocher pas à pas, et se retrouver tout à coup avalée dans une nappe de brouillard. J'avais calculé que ce décrochement s'était produit il y avait environ huit ans. Je ne voulais interroger personne à ce sujet, mais le désir impérieux de combler ce vide se faisait de plus en plus pressant. J'avais demandé à Adam s'il possédait des photos de lui plus jeune, mais apparemment la réponse était non. J'avais tenté de découvrir, par des questions anodines, ce qu'il faisait à l'époque. Je m'imaginais au final pouvoir joindre les points épars pour voir se dessiner une réponse claire. Mais tandis que je découvrais les noms de pics et de courses périlleuses, aucune femme ne surgissait pour occuper la place entre Lisa et Penny. Cependant, j'étais la spécialiste mondiale pour tout ce qui touchait à Adam. Je voulais être sûre.

Un week-end de la fin mars, nous retournâmes dans la vieille maison familiale. Adam désirait récupérer du matériel qu'il avait entreposé dans une des grandes dépendances, raison pour laquelle il avait loué une camionnette. « Je peux la garder jusqu'à dimanche. On pourrait peut-être trouver un hôtel pour samedi soir.

— Avec service à l'étage », répondis-je. Il ne me vint pas une seconde à l'idée de suggérer que nous dormions chez son père. « Et une chambre avec salle de bains, s'il te plaît. »

Nous partîmes de bon matin. Il faisait un temps merveilleux de début de printemps, d'une limpidité glacée. Certains arbres étaient couverts de fleurs, des rouleaux de brume s'estompaient dans les champs que nous traversions en direction du nord. Une nouvelle impatience emplissait l'air. Nous fîmes un arrêt sur une aire d'autoroute pour prendre le petit déjeuner. Adam but un café mais ne toucha pas à son pain aux raisins ; pour ma part, j'avalai un gros sandwich au bacon, dont les fins rubans roses s'étalaient entre deux tranches de pain blanc imbibé de graisse, ainsi qu'une tasse de chocolat chaud.

« J'aime les femmes qui ont de l'appétit », remarqua-t-il. Du coup, je fis également un sort à son pain aux raisins.

Nous arrivâmes à onze heures environ. Comme dans un conte de fées, rien n'avait changé depuis notre dernière visite. Il n'y avait personne pour nous accueillir. Pas le moindre signe de son père non plus. Dans le hall obscur, où l'horloge du grand-père montait la garde, nous nous débarrassâmes de nos manteaux. Nous pénétrâmes dans la salle de séjour glaciale pour y trouver un seul verre vide sur la table. Adam appela son père mais n'obtint aucune réponse. « On ferait mieux de s'y mettre, conclut-il. Ça ne devrait pas être long. »

Nous reprîmes nos manteaux avant de sortir par la porte de derrière. Il y avait plusieurs vieilles bâtisses derrière la maison, de tailles différentes parce que, m'expliqua Adam, une exploitation agricole se trouvait autrefois attachée au domaine. Elles étaient délabrées pour la plupart, à l'exception d'une ou deux qui avaient été retapées, les toitures ayant été recouvertes d'ardoises neuves et les abords immédiats désherbés. Au passage, je jetai un coup d'œil à l'intérieur. Dans l'une d'entre elles, j'aperçus des meubles défoncés, des caisses de bouteilles vides, de vieux radiateurs d'appoint et, planquée dans un coin, une table de ping-pong à laquelle il manquait le filet. Des raquettes de tennis avaient été entreposées sur une grande étagère, à côté de quelques battes de cricket. De nombreux pots de peinture occupaient l'étagère supérieure, dégoulinants de teintes diverses. Une autre cabane contenait des outils. Je distinguai une tondeuse à gazon, quelques râteaux, une faux rouillée, des bêches, des fourches, des binettes, de grands sacs de compost ou de mélange à ciment, des scies dentelées.

« Qu'est-ce que c'est que ça ? » demandai-je en désignant un assortiment d'ustensiles en métal rutilant pendus à de gros crochets vissés au mur.

« Des pièges à écureuils. »

Il y avait un bâtiment dans lequel j'aurais aimé entrer parce que, par une fenêtre brisée, j'avais remarqué une grosse théière en porcelaine sans bec qui émergeait d'un carton et, pendu à un crochet, un cerf-volant éventré inutilisable. C'était apparemment l'endroit où on avait remisé tous les effets de famille usagés, les choses dont personne ne voulait mais que personne ne pouvait se résoudre à jeter. Il y avait des malles par terre ainsi que des caisses entassées. Tout paraissait si bien ordonné, si triste. Était-ce dans cette remise qu'on avait déposé tout ce qui avait appartenu à la mère d'Adam, il y a longtemps, pour ne plus jamais y retoucher ? J'interrogeai Adam, mais il m'écarta de la fenêtre. « Laisse ça tranquille. Il s'agit juste de trucs dont on aurait dû se débarrasser il y a des années.

— Tu ne vas jamais y fouiller ?

— Pour quelle raison ? Voilà, c'est ici que sont mes affaires. »

Je n'aurais jamais cru qu'il puisse y en avoir tant. Son matériel remplissait presque l'intégralité de la longue pièce trapue. Tout était emballé avec soin et bien rangé. Il y avait un tas de cartons et de sacs, agrémentés d'étiquettes sur lesquelles on pouvait lire l'écriture penchée d'Adam au marqueur. Il y avait des cordes, de couleurs et de diamètres différents, en rouleaux bien serrés. Un piolet à glace pendait à une poutre. Il y avait deux ou trois sacs à dos vides, repliés pour les protéger de la poussière. Un fin tube de nylon contenait une tente, un autre, plus court, un sac de couchage en Gore-Tex. Une boîte de crampons jouxtait une boîte de longs clous effilés. Une autre comprenait un assortiment de systèmes d'attache, de pitons et de mousquetons. Une petite étagère contenait des bandes dans leur emballage de Cellophane, une autre, plus large, supportait un réchaud Calor, quelques cartouches de gaz, des tasses en étain et plusieurs bouteilles d'eau. Deux paires de chaussures d'escalade qui avaient beaucoup servi étaient posées sur un côté.

« Qu'est-ce qu'il y a là-dedans ? demandai-je en enfonçant un orteil dans un sac de nylon mou.

— Des gants, des chaussettes, des sous-vêtements chauds, ce genre de choses.

— Tu ne voyages pas léger.

— Autant que possible, répondit-il en embrassant la pièce du regard. Ce n'est pas pour le plaisir que je transporte tout ce matériel.

— Qu'est-ce qu'on est venus chercher ?

— Ça, pour commencer. » Il sortit un sac relativement important. « C'est une Portaledge. Une espèce de tente qu'on peut arrimer à une paroi verticale. Une fois il m'est arrivé de passer quatre jours là-dedans, dans une tempête déchaînée.

— C'est effrayant ! m'exclamai-je en frissonnant.

— Très confortable.

— Pourquoi tu la veux maintenant ?

— Ce n'est pas pour moi. C'est pour Stanley. »

Il farfouilla dans une boîte Tupperware remplie de tubes de crème, en sélectionnant quelques-uns qu'il fourrait dans les poches de sa veste. Il décrocha un des piolets à glace de la poutre et le déposa à côté de la tente. Puis, s'accroupissant, il commença à sortir plusieurs boîtes et des cartons dont il examinait les étiquettes. Il paraissait totalement absorbé par sa tâche.

« Je vais faire un tour », finis-je par dire. Il ne leva pas la tête.

Dehors, il faisait suffisamment doux pour enlever mon manteau. Je me dirigeai vers le potager, où quelques choux piteux se balançaient au vent, tandis que les mauvaises herbes envahissaient les treilles destinées aux haricots grimpants. Quelqu'un avait laissé goutter le robinet d'arrosage, de sorte qu'une grande mare de boue s'était formée au milieu du jardin. Tout cela était assez déprimant. Je fermai le robinet, puis me retournai pour voir si le père d'Adam était dans les environs, avant de me diriger d'un pas ferme vers la bâtisse délabrée dans laquelle j'avais aperçu la théière en porcelaine et le cerf-volant. Je voulais fouiner dans les cartons, tenir les objets qu'Adam avait possédés enfant, trouver des photos de lui et de sa mère.

Il y avait une grande clé dans la serrure, qui tourna sans difficulté. La porte s'ouvrait vers l'intérieur. Je la refermai sans bruit derrière moi. Quelqu'un était venu ici assez récemment, parce qu'une épaisse couverture de poussière recouvrait quelques-uns des cartons et des malles, tandis que d'autres étaient presque intacts. Dans un coin je découvris un squelette d'oiseau. Une lourde odeur de renfermé flottait dans l'air.

Je ne m'étais cependant pas trompée : c'était bien là que les vieux effets de la famille avaient été entreposés. La théière faisait partie d'un service à thé en porcelaine. On devinait encore des cercles brunâtres effacés dans les tasses, souvenir de vieilles marques de niveau. Une caisse était remplie à ras bord de bottes en caoutchouc, dont quelques paires plus petites. Elles avaient dû appartenir à Adam quand il était enfant. La malle noire la plus grande portait les initiales dorées *V. T.* sur le couvercle. Comment sa mère s'appelait-elle déjà ? Je ne me souvenais plus s'il me l'avait dit. Je l'ouvris comme une voleuse. Je me disais que je ne faisais rien de mal, je farfouillais, sans plus, mais j'étais sûre qu'Adam ne le verrait pas d'un tel œil. La malle était pleine de vêtements, dégageant une forte odeur de vieux et de boules antimites. Je caressai des doigts une robe à pois bleu marine, un châle au crochet, un cardigan lavande orné de boutons de nacre. Des tenues élégantes mais pratiques, sans chichis. Je refermai le couvercle, puis j'ouvris la valise blanche cabossée qui se trouvait à côté. Elle contenait des vêtements de bébé, les affaires d'Adam. Des pulls tricotés à la main décorés de bateaux ou de ballons, des salopettes à rayures, des bonnets de laine, une combinaison à capuche pointue, de minuscules collants. Il s'en fallut de peu que je ne me mette à susurrer des bêtises. Je découvris également une robe de baptême, qui jaunissait à présent. La commode adjacente, à laquelle il manquait plusieurs poignées et dont un côté était entièrement rayé, était pleine de brochures qui, après plus ample inspection, se révélèrent être des journaux scolaires et des bulletins de notes. Ceux d'Adam, datant de son séjour à Eton, et de ses deux sœurs. J'en ouvris un au hasard, de l'année 1976. Il avait douze ans. C'était l'année où sa mère était morte. En mathématiques : *Si Adam consacrait ses grandes capacités à apprendre ses leçons plutôt qu'à déranger la classe,* constataient les italiques bien nets à l'encre bleue, *il obtiendrait des résultats. Dans le cas présent...* Je refermai le bulletin. Ce n'était plus simplement un coup d'œil anodin : j'avais l'impression d'espionner.

Je me dirigeai vers l'autre coin de la pièce. Je voulais mettre la main sur des photos. À la place, dans une petite boîte fermée à double tour avec un élastique pour l'empêcher de s'ouvrir, je tombai sur des lettres. Au début je crus qu'il s'agissait de lettres écrites par la mère d'Adam, je ne sais pour quelle raison. Peut-être parce que je recherchais des traces de son existence, ou peut-être parce que quelque chose dans l'écriture me convainquit qu'il s'agissait d'une femme. Mais en sortant le premier paquet pour les feuilleter, je me rendis immédiatement compte qu'elles émanaient de correspondants très différents, vu la variété des écritures. En jetant les yeux sur la première, griffonnée au Bic bleu, je ne pus réprimer un choc.

« Mon Adam chéri », disaient les premiers mots. C'était une lettre de Lily. Un reste de scrupule me retint d'aller plus loin. Je reposai le paquet pour le reprendre aussitôt. Je ne lus pas les lettres, même si je ne pus m'empêcher de remarquer certaines expressions mémorables, dont je savais que je ne pourrais plus les oublier. Je me contentai de relever leurs auteurs. J'avais l'impression d'être une archéologue occupée à creuser les strates de l'histoire d'Adam, à reprendre le fil de toutes ces « ères » si bien connues de moi.

D'abord, il y avait les lettres, courtes et décousues, de Lily. Puis, à l'encre noire, tracées avec l'élégance ronde et dynamique des cursives françaises, des lettres de Françoise. Elles étaient longues en général. Pas enflammées, comme celles de Lily, mais l'intimité sans détour dont elles témoignaient me noua l'estomac. Son anglais était exceptionnellement vif, charmant même dans ses dérapages occasionnels. Sous le courrier de Françoise se trouvaient quelques lettres diverses. Une missive rédigée par une Bobbie passionnée, une autre de la main d'une femme qui signait « T », puis une succession de cartes postales de Lisa. Lisa aimait les points d'exclamation et les mots soulignés.

Puis, sous Lisa, ou avant Lisa, apparut une série de lettres provenant d'une femme dont je n'avais jamais entendu parler. Je plissai les yeux pour déchiffrer la signature : Adèle. Je m'accroupis, l'oreille aux aguets. Pas un bruit ne me parvenait. Je n'entendais que le crépitement du vent dans les ardoises lâches. Adam devait toujours être occupé à trier son matériel. Je comptai les lettres d'Adèle. Il y en avait treize, courtes pour la plupart. En dessous je découvris six lettres de Penny. J'avais trouvé la femme entre Lisa et Penny, Penny et Lisa. Adèle. En commençant par la dernière, sans doute la première qu'elle lui avait écrite, je me mis à les lire.

Les premières sept ou huit lettres étaient courtes et directes : elle prenait des dispositions pour retrouver Adam, indiquant un lieu, une heure, lui demandant instamment d'être prudent. Adèle était mariée, voilà donc la raison pour laquelle il n'avait rien dit. Il continuait à garder leur secret même aujourd'hui. Les lettres suivantes étaient plus longues et plus tourmentées. Adèle éprouvait à l'évidence des remords vis-à-vis de son mari, qu'elle appelait son « fidèle Tom », mais aussi par rapport à un tas d'autres gens, ses parents, sa sœur, ses amis. Elle ne cessait d'implorer Adam de lui faciliter la tâche. Sa dernière lettre était un adieu. Elle écrivait qu'elle ne pouvait continuer à trahir Tom. Elle déclarait à Adam qu'elle l'aimait et qu'il ne saurait jamais ce qu'il représentait pour elle. Elle disait qu'il était l'amant le plus extraordinaire qu'elle ait jamais connu.

Mais elle ne pouvait pas quitter Tom. Il avait besoin d'elle, ce qui n'était pas le cas d'Adam. Lui avait-elle jamais demandé quoi que ce soit ?

Je posai les treize lettres sur mes genoux. Ainsi Adèle avait quitté Adam pour préserver son mariage. Peut-être ne s'en était-il jamais remis, ce qui pouvait être la raison de son silence. Il s'était peut-être senti humilié. Je repoussai mes cheveux derrière mes oreilles, les mains légèrement moites de nervosité. À nouveau, je tendis l'oreille. Était-ce une porte que j'entendis se fermer ? Je remis les lettres en pile et les replaçai sur celles de Penny.

Juste avant de poser le reste du paquet par-dessus, pour recouvrir cette strate ancienne de couches temporelles plus récentes, je remarquai qu'Adèle avait rédigé sa dernière lettre, contrairement aux autres, sur du papier à lettre formel, à en-tête familial, comme pour souligner les liens qui la retenaient. Tom Funston et Adèle Blanchard. Je sentis mes souvenirs remuer, envoyant des picotements le long de ma colonne vertébrale. Blanchard : le nom m'était vaguement familier.

« Alice ? »

Je fermai la boîte que je remis à sa place sans l'entourer de l'élastique.

« Alice, où es-tu ? »

Je me relevai d'un bond. J'avais de la poussière plein les genoux de mon pantalon, mon manteau était sale.

« Alice ? »

Il m'appelait tout près, il se rapprochait. Je me dirigeai aussi silencieusement que possible vers la porte fermée, tout en me lissant les cheveux. Il valait mieux qu'il ne me trouve pas ici. Un fauteuil éventré caché sous une haute pile de rideaux de damas jaune se trouvait dans le coin de la pièce, à gauche de la porte. Je le tirai légèrement pour m'accroupir derrière, en attendant que s'éloignent les bruits de pas. Tout cela était ridicule. Si Adam me trouvait au milieu de ce foutoir je pourrais me contenter de dire que je jetais un coup d'œil. S'il me trouvait cachée derrière un fauteuil, je serais bien en peine de trouver une explication. Il ne s'agirait pas seulement d'une situation embarrassante : la confrontation serait violente. Je connaissais mon mari. J'allais me relever quand la porte s'ouvrit ; je l'entendis entrer dans la pièce.

« Alice ? »

Je retins mon souffle. Peut-être pourrait-il m'apercevoir derrière la pile de rideaux.

« Alice, tu es là ? »

La porte se referma. Je comptai jusqu'à dix avant de me lever. Je retournai jusqu'à la boîte de lettres, l'ouvris, et en retirai la dernière lettre d'Adèle, ajoutant le vol à la liste de mes délits matrimoniaux. Puis je remis le couvercle ainsi que l'élastique cette fois. Je ne savais pas où mettre la lettre. Certainement pas dans une de mes poches. Je tentai de la fourrer dans mon soutien-gorge. Malheureusement je portais un pull côtelé près du corps, qui laissait apparaître la boule de papier. Dans mon slip ? Finalement, je retirai une chaussure pour la glisser à l'intérieur.

Je pris une profonde inspiration et me dirigeai vers la porte. Elle était verrouillée. Adam avait dû la fermer en sortant, par habitude. Je la tirai de toutes mes forces, mais elle ne bougea pas. Paniquée, je cherchai des yeux un outil quelconque. Je détachai le vieux cerf-volant du mur, puis j'en retirai le montant central de la toile déchirée. Je l'enfonçai dans la serrure, sans savoir vraiment quel résultat je cherchais à obtenir. J'entendis la clé heurter le sol derrière la porte.

Le premier panneau de la fenêtre était cassé. Si j'enlevais les pointes de verre restantes, j'arriverais à m'y faufiler. Enfin, peut-être. Je commençai à retirer les aiguilles de verre restées fixées au panneau. Puis j'ôtai mon manteau que je glissai dans l'ouverture. Je traînai une malle sous la fenêtre. Cela fait, je montai dessus et j'enjambai le chambranle. La fenêtre était trop haute, je ne touchais pas le sol de l'autre côté. Non sans peine, je me tortillai pour m'enfoncer plus avant jusqu'à ce que mes doigts de pied effleurent une surface ferme. Je sentis une écharde de verre que j'avais oublié d'enlever transpercer mon jean et me piquer la cuisse. Je me repliai pour passer le corps dans le cadre, et ma tête émergea dans la lumière vive. Si quelqu'un m'attrapait à présent, que dire ? L'autre jambe prit le même chemin. Voilà. Je me penchai pour ramasser mon manteau.

J'avais la main gauche qui saignait. J'étais couverte de saletés, de toiles d'araignée et de poussière.

« Alice ? »

J'entendis sa voix au loin. Je respirai profondément. « Adam ! » Ma voix était suffisamment calme. « Où es-tu Adam ? Je t'ai cherché partout. » Je chassai la poussière à grandes claques, me léchai l'index pour retirer des saletés de mon visage.

« Où étais-tu fourrée ? » Il surgit au coin de la bâtisse, si beau, si impatient.

« C'est plutôt à toi de me dire où tu étais !

— Tu t'es coupé la main.

— Rien de grave. Mais je ferais quand même mieux de nettoyer ça. »

Dans le vestiaire, un cagibi à l'ancienne mode où étaient entreposés les fusils, les vieilles casquettes en tweed et les bottes de caoutchouc vertes, je me rinçai les mains et m'aspergeai le visage.

Le père d'Adam était assis dans un fauteuil dans le séjour. À le voir, on aurait cru qu'il n'avait jamais quitté sa place, que nous avions simplement regardé trop vite. Il avait un nouveau verre de whisky à côté de lui. J'allai lui serrer la main, sentant les os fins sous la peau détendue.

« Alors comme ça tu t'es trouvé une femme, dit-il. Vous restez déjeuner ?

— Non, répondit Adam. Alice et moi partons maintenant pour l'hôtel. » Il m'aida à enfiler le manteau que je tenais toujours ramassé en boule sous mon bras. Je levai vers lui un visage souriant.

26

Un soir, une quinzaine d'amis vinrent jouer au poker à l'appartement. Assis par terre, sur des coussins, nous passâmes la soirée à engloutir de grandes quantités de bière et de whisky. Toutes les soucoupes débordaient de mégots. Vers deux heures du matin, je me retrouvai avec trois livres de dettes ; Adam, en revanche, avait vingt-huit livres devant lui.

« Comment se fait-il que tu sois si fort ? lui demandai-je une fois tout le monde parti, à l'exception de Stanley, qui s'était écroulé sur notre lit, ses dreadlocks éparses sur les oreillers et les poches vides.

— C'est que j'ai de longues années de pratique. » Il rinça un verre qu'il déposa sur l'égouttoir.

« Ça me paraît bizarre parfois de penser à toutes ces années où nous n'étions pas ensemble... », remarquai-je. Je ramassai un verre qui traînait et le passai sous l'eau. « ... Que pendant que je vivais avec Jake, tu étais avec Lily. Et puis avec Françoise, Lisa, et... » Je m'arrêtai. « Qui était la fille avant Lisa ? »

Il me toisa, pas démonté pour un sou. « Penny.

— Oh. » Je m'efforçai de conserver un ton badin. « Il n'y a eu personne entre Lisa et Penny ?

— Personne en particulier. » Il haussa les épaules, comme à chaque fois.

« À ce propos, il y a un homme dans notre lit. » Je me levai en bâillant. « Ça t'ira le canapé ?

— Tout m'ira du moment que tu es là. »

Il y a une grande différence entre ne pas révéler un fait et s'évertuer à le dissimuler. Je l'appelai du bureau, entre deux réunions houleuses consacrées au retard pris dans le projet Drakloop. Ce serait la dernière fois, me promis-je intérieurement, la toute dernière fois, que j'allais fouiller dans le passé d'Adam. Il y avait juste ce dernier détail, après quoi je rangerais le tout au placard.

Je fermai la porte, pivotai sur ma chaise de façon à me retrouver face à la fenêtre, avec une vue imprenable sur un mur, puis je composai le numéro qui figurait sur l'en-tête de la lettre. Aucune tonalité. J'essayai une deuxième fois, au cas où. Rien. J'appelai les renseignements pour leur demander de vérifier la ligne. Ils me répondirent qu'elle n'était plus en service. Du coup, je leur demandai le numéro de Blanchard A., dans le West Yorkshire. Il n'y avait aucun Blanchard dans cette région. Et T. Funston ? Rien sous ce patronyme non plus. « Désolé, madame », conclut l'employé d'une voix blanche. Je me retins de hurler ma frustration.

Comment doit-on s'y prendre pour retrouver quelqu'un ? Je relus la lettre, en quête d'indices dont je savais déjà qu'ils ne s'y trouvaient pas. C'était une lettre bien tournée, aussi directe que profondément sincère. Tom, écrivait-elle, était son mari. C'était aussi l'ami d'Adam. Ils ne pouvaient faire abstraction de sa présence. Un jour, fatalement, Tom finirait par découvrir ce qui se passait ; or elle n'était pas disposée à lui causer autant de peine. Et elle ne voulait plus vivre avec la culpabilité qu'elle éprouvait alors. Elle déclarait à Adam qu'elle l'adorait, mais qu'elle ne pouvait plus le voir. Elle lui écrivait qu'elle allait passer quelques jours chez sa sœur. Il ne devait pas tenter de la faire changer d'avis, ni même d'entrer en contact avec elle. Elle était résolue. Cette histoire resterait leur secret, il ne devait en parler à personne, pas même à ses plus proches amis, pas même à la femme qui viendrait après elle. Elle disait qu'elle ne l'oublierait jamais, tout en espérant qu'il lui pardonne un jour. Elle lui souhaitait bonne chance.

C'était la lettre d'une femme adulte. Je la reposai sur mon bureau et me frottai les yeux. Peut-être ferais-je mieux de laisser tomber maintenant. Adèle avait imploré Adam de ne rien révéler à personne, pas même à des maîtresses futures. Adam ne faisait rien de plus qu'honorer sa requête. Cela cadrait bien avec son caractère. Il était le genre d'homme à tenir une promesse. Il y avait même quelque chose de terriblement littéral chez lui.

Je fixai à nouveau la lettre, laissant les mots se brouiller. Pourquoi ce nom me titillait-il ? Blanchard. Où l'avais-je entendu auparavant ? Peut-être avait-il été mentionné par un ami d'Adam. Tout portait à croire qu'elle et son mari pratiquaient l'escalade. Je me creusai encore quelques minutes les méninges avant de me rendre à la réunion suivante avec le département marketing.

Je n'arrivais pas à me sortir Adèle de la tête. Une fois que la jalousie vous prend, elle se nourrit du moindre détail. On peut établir le bien-fondé de soupçons, mais jamais le contraire. Je me persuadai qu'une fois Adèle retrouvée, je serais libérée de l'étau de ma curiosité sexuelle. J'appelai Joanna Noble pour lui demander si je pouvais faire appel à ses compétences professionnelles.

« Qu'est-ce que c'est cette fois ? Un nouveau problème de paranoïa conjugale ? » Je perçus une certaine lassitude à mon égard.

« Pas du tout. » Je laissai échapper un rire bref. « Ça n'a rien à voir avec cette histoire. C'est juste que... je cherche à retrouver les coordonnées d'une femme. Et il me semble qu'elle a été mentionnée dans les journaux récemment. Je sais que vous avez accès aux archives.

— Oui, répondit-elle sans s'avancer. Ça n'a rien à voir, dites-vous ?

— En effet. Absolument rien. »

J'entendis un bruit saccadé à l'autre bout de la ligne. Elle devait marteler un crayon sur son bureau. « Si vous arrivez très tôt demain matin, finit-elle par dire, disons, à neuf heures, nous pourrons entrer le nom dans l'ordinateur et imprimer tout ce qu'il nous sort d'intéressant.

— Je vous revaudrai ça.

— D'accord. » Un silence s'installa. « Tout va bien sur le front matrimonial ? » On aurait dit qu'elle parlait d'une bataille dans la Somme.

« Oui, oui, répondis-je d'une voix enjouée. Rien à signaler.

— À demain, alors. »

J'arrivai au journal avant neuf heures. Joanna n'y était pas encore. Je m'installai à la réception pour l'attendre. Je l'aperçus avant qu'elle ne me voie. Elle avait l'air fatigué, préoccupé, mais quand elle me vit assise là, elle ne perdit pas une minute. « Bon, eh bien, allons-y. La bibliothèque se trouve au sous-sol. Je n'ai qu'une dizaine de minutes à vous consacrer. »

La bibliothèque se composait de rangées d'étagères coulissantes remplies de dossiers bruns classés par catégorie, puis par ordre alphabétique. Catastrophes naturelles, Diana, Diététique, et ainsi de suite. Joanna m'emmena au fond de la pièce, jusqu'à un ordinateur assez imposant. Elle tira une seconde chaise, me fit signe de m'asseoir, puis prit place devant l'écran. « Donnez-moi le nom en question.

— Blanchard. Adèle Blanchard. B. L... » Mais elle avait déjà fini de taper.

L'ordinateur émit quelques bips puis s'anima. Des chiffres emplirent la droite de l'écran tandis que, sur l'icône de l'heure, l'aiguille tournait. Nous attendîmes en silence.

« Adèle, avez-vous dit ?

— Oui.

— Rien n'apparaît sous ce nom. Désolée.

— Ce n'est pas grave. Au moins j'aurai essayé. Je vous suis vraiment très reconnaissante. » Je me levai.

« Attendez, voilà une autre Blanchard qui apparaît. Il me semblait bien que ce nom me disait quelque chose. »

Je regardai par-dessus l'épaule de Joanna. « Tara Blanchard.

— Oui, il s'agit juste d'un entrefilet à propos d'une jeune femme qu'on a repêchée d'un canal dans le quartier d'East London il y a quelques semaines. »

Voilà pourquoi ce nom me paraissait aussi familier. J'éprouvais un pincement de déception. Joanna appuya sur une touche afin d'obtenir un supplément d'information. Il n'y avait qu'un seul autre article, plus ou moins identique.

« Vous voulez que je l'imprime ? demanda-t-elle, une légère inflexion ironique dans la voix. Adèle pourrait être son deuxième prénom.

— Pourquoi pas ? »

Tandis que l'imprimante sortait en hoquetant l'unique feuille concernant Tara Blanchard, je demandai à Joanna si Michelle l'avait contactée. « Non, Dieu merci. Voilà. »

Elle me tendit la feuille. Je la pliai en deux, puis encore en deux. J'aurais vraiment dû la mettre à la poubelle, pensai-je. Pourtant je n'en fis rien. Je la glissai dans ma poche puis je pris un taxi pour me rendre au bureau.

Je ne ressortis pas la coupure de presse avant l'heure du déjeuner. J'étais descendue m'acheter un sandwich au fromage et à la tomate ainsi qu'une pomme dans un café tout proche, avant de remonter avec mes vivres jusqu'à mon bureau. Je relus les quelques lignes : le corps de Tara Blanchard, une réceptionniste de vingt-huit ans, avait été découvert par un groupe d'adolescents dans un canal à East London le 2 mars dernier.

La lettre d'Adèle avait bien fait mention d'une sœur. Je tirai l'annuaire local de l'étagère pour le feuilleter, sans grand espoir de trouver quoi que ce soit. Pourtant j'avais tort. Blanchard, T. M., 23*b* Bench Road, Londres EC2. Je décrochai le téléphone mais changeai aussitôt d'avis. J'informai Claudia que je sortais et lui demandai de prendre mes appels. Je n'en avais pas pour longtemps.

Le 23*b* Bench Road était une étroite maison de ville recouverte de crépi beige, coincée entre ses voisines. Elle dégageait une impression générale d'abandon. Une plante morte occupait une fenêtre ; à côté, un bout de tissu tenait lieu de rideau. Je sonnai à la lettre B, puis j'attendis. Il n'était qu'une heure et demie. Si Tara avait partagé son appartement avec quelqu'un, son ou sa colocataire était sans doute sorti. Je m'apprêtais à appuyer sur les autres sonnettes dans l'espoir de dénicher un voisin éventuel quand j'entendis des pas. Par l'épais carreau de verre dépoli, j'aperçus une silhouette qui s'avançait vers moi. La porte s'entrouvrit, bloquée par une chaîne, et une femme passa un œil dans l'ouverture. Je l'avais à l'évidence sortie du lit : les yeux gonflés, elle serrait une robe de chambre contre elle. « Qu'est-ce que c'est ?

— Je suis désolée de vous déranger, mais je suis une amie de Tara. Vu que j'étais dans le coin... »

La porte se ferma, j'entendis qu'on dégageait la chaîne, puis elle se rouvrit en grand. « Entrez donc. » C'était une jeune femme petite et potelée, dont la tignasse rousse laissait apparaître des oreilles menues. Elle me gratifia d'un regard enjoué.

« Je me présente, Sylvie, dis-je.

— Moi c'est Maggie. »

Je la suivis dans l'escalier. Nous entrâmes dans la cuisine.

« Ça vous dirait une tasse de thé ?

— Pas si je vous dérange.

— Je suis réveillée maintenant, pas vrai ? dit-elle sans ressentiment apparent. Je suis infirmière, je travaille de nuit cette semaine. »

Elle remplit la bouilloire puis s'assit en face de moi à la table de cuisine crasseuse. « Ainsi vous étiez une amie de Tara ?

— En effet, répondis-je avec aplomb. Je ne suis jamais venue ici.

— Elle n'invitait personne.

— En fait, je suis une amie d'enfance. » Maggie se leva pour s'occuper du thé. « J'ai appris sa mort dans les journaux, et je voulais savoir ce qui s'était passé.

— Ça a été affreux », dit Maggie, qui s'apprêtait à plonger deux sachets de thé dans une théière avant d'y verser l'eau bouillante. « Vous prenez du sucre ?

— Non. La police sait-elle ce qui s'est passé ?

— C'était une agression. On n'a pas retrouvé son sac à main. Je lui avais toujours dit de ne pas passer par le canal quand il faisait nuit. Mais elle n'en faisait qu'à sa tête. Ça réduisait le trajet de moitié depuis la station de métro.

— Quelle horreur ! » Je frissonnai en songeant au canal dans la pénombre. « En fait, j'étais plus proche d'Adèle.

— Sa sœur ? » Une vague d'allégresse m'envahit. Ainsi Tara était bien la sœur d'Adèle. Maggie déposa bruyamment ma tasse sur la table. « La pauvre ! Sans parler de ses parents. Imaginez ce qu'ils doivent ressentir. Ils sont venus chercher ses affaires il y a une semaine ou deux. Je ne savais pas quoi leur dire. Ils se sont montrés si courageux, mais que peut-il y avoir de pire que de perdre un enfant ?

— En effet. Ont-ils laissé une adresse, un numéro de téléphone ? J'aimerais reprendre contact avec eux, leur dire combien je suis désolée. » Je devenais trop douée pour le mensonge, pensai-je.

« Je l'ai quelque part. Mais je ne crois pas l'avoir écrit sur

224

mon carnet. Je ne pensais pas en avoir besoin un jour. Il doit être sur la pile. Attendez. » Elle commença à fouiller dans un tas de papiers posé à côté du grille-pain, entre les factures à l'encre noire et rouge, les cartes postales, les prospectus de restauration à emporter. Elle finit par retrouver le numéro griffonné sur l'annuaire. Je le recopiai sur un bout d'enveloppe usagée avant de le glisser dans mon portefeuille.

« Quand vous leur parlerez, dites-leur que j'ai jeté les quelques affaires qu'ils avaient laissées, comme ils m'avaient demandé de le faire, sauf les vêtements, que j'ai donné à une organisation caritative.

— Ils n'avaient donc pas tout emporté ?

— Si, presque : ses effets personnels, bien entendu, ses bijoux, ses livres, ses photos. Enfin, je vous laisse imaginer. Mais ils avaient laissé quelques trucs. C'est fou le fatras qu'on accumule, vous ne trouvez pas ? Je leur avais dit que je m'en occuperais.

— Je peux voir ce qu'il y avait ? » Elle écarquilla les yeux de surprise. « Juste au cas où je retrouverais un souvenir, ajoutai-je faiblement.

— C'est dans la poubelle, à moins que les éboueurs ne soient déjà passés.

— Je peux y jeter un coup d'œil en vitesse ? »

Maggie fit une moue dubitative. « Si vous n'êtes pas dégoûtée à l'idée d'aller farfouiller dans des pelures d'orange, les boîtes de nourriture pour chat et les sachets de thé, alors je n'y vois pas d'objection. Les poubelles se trouvent juste à côté de la porte d'entrée, vous avez dû les voir en rentrant. La mienne porte le numéro 23*b* peint en blanc.

— Bon, eh bien, je jetterai un œil en sortant. Et merci beaucoup.

— Vous ne trouverez rien là-dedans. Ce ne sont que des vieilleries. »

Je devais avoir l'air d'une folle, une femme en beau tailleur gris occupée à fourrager dans une poubelle. Mais qu'attendais-je de tout cela ? Que me valait de grappiller quelques informations au sujet de Tara, qui n'était rien d'autre pour moi qu'un moyen incertain de retrouver ses

225

parents ? Parents dont j'avais déjà les coordonnées, et qui ne m'étaient rien non plus, si ce n'est un moyen de remonter à une femme qui pourrait être Adèle. Adèle qui n'aurait rien dû représenter à mes yeux. Elle n'était qu'un fragment perdu dans le passé d'un autre.

Des os de poulet, des boîtes de thon ou de nourriture pour chat vides, quelques feuilles de laitue, un vieux journal ou deux. J'allais sentir bon de retour au bureau ! Un bol cassé, une ampoule. Je ferais mieux de m'y prendre avec méthode. Je commençai à empiler sur le couvercle les ordures que je retirais de la poubelle. Un couple passa sur le trottoir ; je tentai de donner le change, comme si j'accomplissais là la chose la plus normale au monde. Des bâtons de rouge à lèvres, des tubes d'eye-liner. Ils avaient sans doute appartenu à Tara. Une éponge, un bonnet de bain déchiré, plusieurs magazines de mode. Je les déposai sur le trottoir, à côté de la pile qui commençait à déborder sur le couvercle. Puis je repris l'examen de la poubelle presque vide. Un visage me rendit mon regard. Un visage familier.

Très lentement, comme dans un cauchemar, j'avançai la main pour retirer la coupure de journal. Des feuilles de thé y adhéraient. « LE HÉROS EST DE RETOUR ! » s'exclamait le gros titre. À côté de la poubelle, ramassé dans un coin, j'aperçus un sac à provisions en plastique. Je le dépliai pour y déposer la feuille de journal. Je continuai à fouiller le fond de la poubelle à l'aveuglette, d'où je tirai quelques articles supplémentaires. Ils étaient sales et humides, mais j'y retrouvai le nom d'Adam, son visage. J'extirpai encore quelques bouts de journaux détrempés ainsi que des enveloppes que je fourrai en bloc dans le sac, pestant contre leur odeur et leur humidité.

Une petite vieille qui promenait deux énormes chiens au bout d'une double laisse m'adressa un regard dédaigneux au passage. Je lui répondis par une grimace. J'en étais même à me parler à voix haute à présent. Une folle, le nez dans les poubelles, qui se donnait la peur de sa vie.

27

J'AVAIS les mains huileuses et noires de crasse. Je ne pouvais pas retourner au bureau, pas dans cet état. Je n'avais qu'une envie : rentrer chez moi me nettoyer de cette expérience, frotter mon corps, mes cheveux, m'en libérer l'esprit. Je ne pouvais pas rapporter ce sac plein de journaux imbibés à l'appartement. Il fallait que je trouve un endroit où m'asseoir et me remettre les idées en place. J'avais tellement fabriqué de mensonges, tellement caché de choses à Adam, qu'il m'était à présent impossible de venir à lui avec spontanéité. À chaque fois, il me fallait repenser à ce que je lui avais dit auparavant, quelle histoire je lui avais racontée, afin de cadrer avec mes mensonges précédents. C'est l'avantage qu'il y a à dire la vérité. Il n'est pas nécessaire de se concentrer chaque minute. Les détails vrais s'emboîtent les uns dans les autres de façon automatique. À considérer ce fossé que j'avais creusé entre moi et Adam, le jour gris m'apparut soudain encore plus sombre, encore moins supportable.

J'errai sans but dans ce quartier d'habitation à la recherche d'un café, d'un endroit quelconque où il me serait possible de me poser pour réfléchir, pour planifier les mesures à prendre. Je ne trouvai rien d'autre qu'un petit magasin d'alimentation ici et là. Cependant, au bout d'un moment je finis par tomber sur un carré de verdure attenant à une école, pourvu d'une fontaine et d'une structure de jeux. Quelques jeunes mamans y étaient installées en compagnie de bébés dans des landaus ou de bambins tapageurs accrochés aux barreaux. Je me dirigeai vers la fontaine, à laquelle je bus quelques gorgées d'eau. Puis je rinçai mes mains répugnantes dans le débit insuffisant et les essuyai sur l'intérieur de ma veste.

Il y avait un banc de libre. Je m'y assis. Selon toutes probabilités, ce devait être Tara qui avait passé les coups de téléphone, laissé les messages et trafiqué le lait, mue par l'amour dérangé qu'elle vouait à Adam, sans doute un reliquat de l'aventure qu'il avait eue avec sa sœur. Autrefois, j'aurais sans doute jugé une telle attitude inconcevable, sans commune mesure avec l'émotion ressentie, mais aujourd'hui c'était moi l'experte en matière d'obsession. Je tentai de me calmer. Pendant quelques minutes j'osai à peine regarder dans le sac.

Au lycée, un de mes petits copains avait un cousin qui jouait dans un groupe punk dont on entendit parler un an ou deux. De temps à autre je tombais sur son nom ou même sur une photo de lui dans un magazine, et il m'arrivait parfois de la déchirer pour la montrer à quelques amis. Qu'y avait-il de plus normal à ce que Tara éprouve de l'intérêt pour les articles de journaux concernant Adam ? Qu'elle les découpe ? Après tout, presque tous les gens que je connaissais, quels qu'ils soient, s'étaient montrés fascinés par cet Adam dont ils avaient entendu parler dans la presse. Tara l'avait connu en personne. Je portai les doigts à mon nez. Une odeur fétide, douceâtre et rance s'y accrochait encore. Je repensai au tableau que j'avais formé, une femme en train de fouiller en secret dans une poubelle appartenant à la sœur décédée d'une ex-petite amie de son mari. Je songeai combien j'avais pu tromper Adam, sans répit. Était-ce très différent de la façon dont j'avais trahi Jake quelques semaines plus tôt ?

Il me vint à l'esprit que le mieux serait de fourrer ce sac dans la poubelle la plus proche puis de rentrer trouver Adam, lui avouer tout ce que j'avais fait, tout ce que j'avais découvert, tout confesser et demander sa compréhension. Ou si j'étais trop lâche pour reconnaître ce que j'avais fait, peut-être pourrais-je au moins tirer un trait dessus et nous permettre de poursuivre notre existence comme si de rien n'était. Chiche. Je me levai, cherchai des yeux une poubelle. Il y en avait une. Mais je ne pus me résoudre à tout jeter.

Sur le chemin de la maison je m'arrêtai dans une papeterie

228

pour acheter quelques chemises en carton. À peine sortie du magasin, je les sortis de leur emballage et inscrivit sur la première : « Drakloop. Conf. avril 1995, notes. » Voilà qui serait propre à décourager n'importe qui. D'une main délicate, je tirai les misérables petites coupures de presse de Tara du sac à provisions, attentive à ne pas répandre de gras sur mes vêtements. Je les déposai dans la chemise puis me débarrassai du sac. Un réflexe paranoïaque supplémentaire me poussa à inscrire d'autres titres absurdes sur trois autres chemises. Quand je franchis le seuil de l'appartement, je les tenais tranquillement en main. Elles avaient tout à fait l'aspect de dossiers professionnels.

« Tu as l'air tendue », remarqua Adam. Il s'était approché dans mon dos avant de poser les mains sur mes épaules. « Je sens un muscle contracté ici. » Il se mit à pétrir la région en question, m'arrachant un gémissement de plaisir. « Qu'est-ce qui te crispe à ce point ? »

Qu'est-ce qui me crispait à ce point ? Une idée me traversa l'esprit. « Je ne sais pas. Peut-être ces appels et ces messages. Ils me fichent le bourdon. » Je me retournai pour le prendre dans mes bras. « Mais en fait je me sens mieux maintenant. Ils ont cessé.

— C'est bien le cas, non ? » Adam fronça les sourcils.

« Oui. Je n'ai rien reçu depuis plus d'une semaine.

— En effet. Tu te faisais vraiment du souci pour ça ?

— C'était la gradation dans les messages. Mais je me demande pourquoi ils se sont arrêtés de la sorte.

— Voilà ce qu'on gagne à avoir son nom dans le journal. »

Je l'embrassai. « Adam, j'ai une suggestion.

— Quoi ?

— Une année d'ennui. Pas entièrement, bien entendu. Mais en dessous de huit mille mètres, si je me souviens de la limite. Je veux que tout ce qui me concerne soit absolument sans relief. »

Sur ce, j'émis un hurlement. Ce fut plus fort que moi. Adam venait de me soulever un peu à la manière d'un pompier. Il me porta jusqu'à l'autre bout de l'appartement avant de me jeter sur le lit. Il baissa les yeux vers moi, un sourire aux lèvres. « Je vais voir ce que je peux faire. Quant à toi — il ramassa Sherpa, qu'il embrassa sur le nez — ce qui va suivre n'est pas un spectacle convenable pour un chat encore jeune. » Il le déposa avec douceur sur le seuil de la chambre dont il ferma la porte.

« Et moi ? Faut-il que je sorte moi aussi ? »

Il secoua la tête.

Le lendemain matin, nous sortîmes à la même heure et nous rendîmes ensemble jusqu'au métro. Adam passait la journée en province. Il ne serait pas de retour avant huit heures. Une journée chargée de réunions m'attendait au bureau, qui occupa toute mon attention. Quand je ressortis des locaux conditionnés de Drakon pour retrouver l'air libre, plissant des yeux sous le choc, j'eus l'impression qu'un essaim d'abeilles me bourdonnait dans la tête. Sur le chemin du retour j'achetai une bouteille de vin et un dîner tout préparé qu'il faudrait simplement réchauffer puis sortir de son récipient de plastique.

Quand j'arrivai devant la maison, la porte d'entrée n'était pas fermée, ce qui n'avait en soi rien d'inhabituel. Un professeur de piano vivait au rez-de-chaussée ; elle laissait la porte entrebâillée les jours où elle donnait ses leçons. Par contre, arrivée devant notre appartement, rien n'allait plus. Je laissai tomber les provisions. Quelqu'un avait forcé la porte peu épaisse. On y avait scotché quelque chose. C'était l'enveloppe brune que je connaissais bien. La bouche sèche, les doigts tremblants, je la détachai et en déchirai le rabat à la hâte. Elle contenait un message en majuscules grossières :

DURE JOURNÉE ADAM ? VA PRENDRE UN BAIN.

Je poussai la porte en douceur, l'oreille tendue. Pas un bruit.

« Adam ? » chuchotai-je en vain. Pas de réponse. Je me demandai s'il ne valait pas mieux que je sorte, que j'appelle la police, que j'attende le retour d'Adam, tout plutôt que d'entrer. Je passai encore quelques instants l'oreille aux aguets, mais à l'évidence il n'y avait personne. Quelque curieux souci d'ordre automatique me poussa à ramasser les courses tombées par terre. Je m'avançai dans l'appartement. Je posai le sac sur la table de la cuisine. L'espace de quelques secondes, j'essayai presque de me persuader que je ne savais pas ce que je devais faire. La salle de bains. Il fallait que j'aille regarder dans la salle de bains. L'inconnu était allé plus loin cette fois, il était venu faire un canular, il avait laissé quelque chose, juste histoire de montrer qu'il pouvait entrer comme bon lui semblait. Qu'il pouvait nous faire voir ce qu'il voulait.

Je jetai un coup d'œil autour de moi. Rien n'avait été touché. Du coup, inévitablement, je me rendis dans la salle de bains, les jambes en coton. Je m'arrêtai devant la porte. Pouvait-il s'agir d'un piège ? Je la poussai avant de reculer d'un bond. Rien. J'entrai. C'était sans doute un truc idiot, une peccadille. Puis je regardai dans la baignoire. D'abord, je crus à une mauvaise blague : on aurait dit que quelqu'un avait pris un chapeau de fourrure qu'il avait badigeonné de peinture cramoisie avant de le jeter dans la baignoire. Mais en me penchant je compris qu'il s'agissait de Sherpa, notre chat. Je le soulevai très doucement. Du sang me coulait entre les doigts. Je le déposai sur le tapis de bain. Je me rendis dans la cuisine. Je vidai un carton rempli de vieux journaux, que je ramenai près du pauvre cadavre, mou et poisseux. Je le disposai au fond de la boîte de façon à ce qu'il ait l'air de dormir, pas d'un chat mort. Puis, témoignage d'une sentimentalité absurde, j'ajoutai la balle en mousse qu'il faisait souvent rouler entre ses pattes. Comme il avait encore les yeux ouverts, je refermai doucement ses paupières de mon pouce taché de sang. Je lui fis une caresse, avant de recouvrir le carton d'une serviette de bain. Ensuite je lavai la baignoire au jet. Ce n'est qu'après que je m'autorisai à pleurer, prostrée au-dessus de la boîte couverte d'un linceul, versant des sanglots jusqu'à en avoir mal au crâne.

Quand Adam me trouva, cela devait faire une heure ou deux que j'étais allongée sur le lit, tout habillée, la tête sous l'oreiller. J'avais perdu la notion du temps. Je vis son visage intrigué. « La salle de bains. La note est par terre. »

Je l'entendis entrer puis ressortir. Son visage était de glace, mais quand il s'allongea à côté de moi pour me prendre dans ses bras, je vis qu'il avait les yeux pleins de larmes. « Je suis tellement désolé, mon amour.

— Oui, sanglotai-je. Enfin, ce n'est pas ta faute. »

Il secoua la tête. « Non, je veux dire... je... » Sa voix se brisa. Il me serra contre lui. « Je ne t'ai pas écoutée, j'ai été... La police. Il faut juste faire le 999 ? »

Je haussai les épaules. Les larmes inondaient mes joues. J'étais incapable de parler. J'entendis vaguement une assez longue conversation avec la police. Adam dut insister. Le temps que deux agents arrivent, une heure et demie plus tard, je m'étais reprise. Deux armoires à glace, ou alors c'est l'appartement qui paraissait étriqué. Ils entrèrent d'un pas maladroit, comme s'ils craignaient de renverser quelque chose. Adam les conduisit dans la salle de bains. L'un d'eux lâcha un juron. Quand ils ressortirent, ils secouaient tous deux la tête.

« Bon sang ! dit le premier. Les salauds.

— Vous pensez qu'ils étaient plusieurs ?

— Ce sont des gamins, dit le second. Des gosses déjantés. »

Ainsi ce n'était pas Tara, en fin de compte. Je n'y comprenais plus rien. J'étais tellement sûre d'avoir trouvé la coupable. Je levai les yeux vers Adam.

« Tenez, dit Adam en leur tendant la dernière lettre. Cela fait une ou deux semaines que nous recevons ce genre de messages. Et aussi des coups de fil. »

Les agents examinèrent la lettre sans beaucoup d'intérêt.

« Vous n'allez pas relever les empreintes ? » demandai-je.

Ils échangèrent un regard.

« Nous allons prendre votre déclaration », répondit le premier en sortant un petit carnet de sa veste imposante. Je lui dis que j'avais retrouvé notre chat découpé dans la baignoire. Qu'on avait forcé notre porte. Que nous avions reçu des coups de fil anonymes et des messages que nous n'avions pas pris la peine de déclarer ou même de conserver. Que dernièrement ils paraissaient avoir cessé. Il écrivit tout cela d'une main laborieuse. À mi-chemin, il se trouva à court d'encre ; je lui passai un Bic trouvé dans ma poche.

« Ce sont des mômes », déclara-t-il quand j'eus fini.

Au moment de sortir, ils jetèrent un œil critique à la porte.

« Il vous faudrait quelque chose de plus solide, déclara l'un d'eux d'un air songeur. Mon fils de trois ans pourrait vous ouvrir ça d'un coup de pied. » Après quoi ils s'en allèrent.

Deux jours plus tard Adam reçut une lettre de la police. En haut était écrit à la main : « Cher Mr. Tallis », mais la suite n'était qu'une photocopie floue.

Nous vous informons que votre plainte a bien été enregistrée. Nous n'avons encore procédé à aucune arrestation, mais l'enquête se poursuit. Si vous souhaitez nous apporter des informations supplémentaires, veuillez contacter l'agent de service à l'antenne de police de Wingate Road. Si vous souhaitez obtenir le soutien d'un groupe d'Aide aux victimes de délits, contactez l'agent de service de l'antenne de police de Wingate Road. Sincères salutations.

La signature était un gribouillis. Un gribouillis photocopié.

28

MENTIR devient de plus en plus facile. C'est en partie une question d'entraînement. J'étais devenue une actrice consommée, parfaitement à l'aise dans le rôle de Sylvie Bushnell, la journaliste ou l'amie attentionnée. J'avais aussi découvert que les gens tendent à prendre ce qu'on leur dit pour argent comptant, en particulier si l'on n'essaie pas de leur vendre une police d'assurance ou un aspirateur.

Ainsi, trois jours après l'épisode des fouilles dans les poubelles d'une jeune femme assassinée que je n'avais jamais rencontrée, je me retrouvais en plein cœur de l'Angleterre, installée dans un salon à boire une tasse de thé que m'avait préparée sa mère. Il m'avait été tellement facile de l'appeler, de lui raconter que j'avais connu Tara, que j'étais dans les parages, que je souhaitais venir leur présenter mes condoléances. La mère de Tara s'était montrée impatiente de me voir, presque enthousiaste.

« C'est très gentil à vous, Mrs. Blanchard, dis-je.

— Appelez-moi Jean. »

Jean Blanchard était une femme proche de la soixantaine, à peu près de l'âge de ma mère, vêtue d'un pantalon large et d'un cardigan. Ses cheveux mi-longs étaient striés de gris. De profondes rides lui creusaient le visage, qu'on aurait dit ciselé dans un bois dur, et je me demandais à quoi pouvaient ressembler ses nuits. Elle me présenta une assiette garnie de biscuits. J'en pris un tout petit dont je grignotai le bout, tout en m'efforçant de remiser dans un coin reculé de mon esprit l'idée que j'étais en train de la gruger.

« Comment avez-vous connu Tara ? »

Je pris une profonde inspiration. Mais j'avais déjà tout prévu. « Je ne la connaissais pas très bien. Je l'ai rencontrée par l'intermédiaire d'un groupe d'amis communs à Londres. »

Jean Blanchard fit un petit signe de tête. « Nous étions inquiets à son sujet, quand elle a décidé de partir à Londres. C'était la première de la famille à s'éloigner de la région. En même temps, je savais qu'elle était adulte, capable de prendre soin d'elle. Quelle impression vous a-t-elle faite ?

— Londres est une grande ville.

— C'était exactement mon sentiment, répondit Mrs. Blanchard. Je n'ai jamais pu supporter cette atmosphère. Christopher et moi sommes allés la voir mais, pour être franche, nous n'avons pas beaucoup apprécié notre séjour, avec tout ce bruit, cette circulation et tout ce monde. Nous n'aimions pas beaucoup l'appartement qu'elle louait. Nous avions projeté de l'aider à trouver mieux, mais maintenant... » Sa voix se brisa.

« Qu'est-ce qu'Adèle en disait ? » demandai-je.

Mrs. Blanchard parut interloquée. « Pardon ? Je ne comprends pas. »

Je m'étais fourvoyée quelque part. Je me sentis vaciller, presque prise de vertige, comme si je venais de trébucher au bord d'une falaise. Je tentai désespérément de comprendre où j'avais pu commettre une erreur. M'étais-je trompée de famille alors ? Adèle et Tara pouvaient-elles n'être qu'une seule et même personne ? Non, j'avais parlé d'Adèle à la femme de l'appartement. Dit quelque chose de neutre.

« Tara parlait beaucoup d'Adèle. »

Mrs. Blanchard hocha la tête, trop émue pour parler. J'attendis, sans oser ajouter un mot de plus. Elle sortit un mouchoir de sa poche, s'essuya les yeux, puis se moucha. « Bien sûr, c'est pour cette raison qu'elle est partie pour Londres. Elle ne s'est jamais remise du choc. Et puis après il y a eu la mort de Tom. »

Je me penchai pour poser la main sur la sienne. « Je suis tellement désolée. Ça a dû être absolument affreux pour vous. Vous avez connu une catastrophe après l'autre. » Il me fallait plus d'informations. « Quand cela s'est-il passé ?

— La mort de Tom ?

— Non, pour Adèle. »

Mrs. Blanchard sourit tristement. « J'imagine que cela paraît loin pour les autres. Janvier 1990. À une époque, je comptais les jours.

— Je n'ai jamais connu Adèle. » C'était quasiment la première vérité que j'exprimais en présence de Mrs. Blanchard. « Mais j'ai connu, enfin, il y a longtemps, corrigeai-je par prudence, certains de ses amis. Des grimpeurs. Deborah, Daniel, Adam... je ne me souviens plus de son nom.

— Tallis ?

— Oui, je crois. C'était il y a longtemps.

— Oui, Tom a fait quelques courses avec lui. Mais nous le connaissions déjà quand il était enfant. Nous étions amis avec ses parents, dans le passé.

— Vraiment ?

— Il est devenu assez célèbre. Il a sauvé la vie de plusieurs personnes sur une montagne. On en a parlé dans la presse.

— Vraiment ? Je n'ai rien su de cette histoire.

— Il pourra vous raconter tout ça en personne. Il doit venir prendre le thé cet après-midi. »

C'est avec un intérêt presque scientifique que je me suis vue garder la pause, sans rien perdre de mon expression concentrée, au moment même où il me sembla que le plancher ciré s'avançait vers moi pour venir me frapper en plein visage. Je n'avais que quelques secondes pour trouver une issue. Ou alors devais-je simplement me détendre, baisser la garde, laisser le désastre se produire ? Un recoin enfoui de mon cerveau, quelque part au plus profond de moi, survivait, qui refusait de lâcher prise.

« J'aurais beaucoup aimé, m'entendis-je dire. Malheureusement je dois rentrer. J'ai bien peur de devoir y aller. Merci beaucoup pour le thé.

— Mais vous venez à peine d'arriver ! protesta Mrs. Blanchard d'une voix alarmée. Avant que vous partiez je veux vous montrer quelque chose. J'ai trié les affaires de Tara, et je me dis que son album de photos pourrait vous intéresser. »

Je regardai son visage rongé de tristesse. « Bien sûr. J'aimerais beaucoup le voir. » Je jetai un coup d'œil rapide à ma montre. Il était trois heures moins vingt-cinq. Les trains arrivaient à Corrick à l'heure pile, et il m'avait fallu dix minutes pour arriver de la gare à pied, ce qui voulait dire qu'Adam n'avait pas pris le train précédent. Se pouvait-il qu'il vienne en voiture ? Cela paraissait peu probable. « Savez-vous quand le train repart pour Birmingham ? demandai-je à Mrs. Blanchard qui rentrait dans la pièce en serrant l'album de photos sous son bras.

— Oui, à quatre minutes après l'heure. » Elle consulta sa montre. « Le prochain sera donc à trois heures quatre.

— Eh bien cela veut dire que j'ai tout mon temps, répondis-je avec un sourire forcé.

— Voulez-vous encore un peu de thé ?

— Non merci. Mais j'aimerais beaucoup voir les photos. Si ce n'est pas trop dur pour vous.

— Bien sûr. »

Elle approcha son fauteuil du mien. Pendant qu'elle parlait, je calculais frénétiquement dans ma tête. Si je partais à trois heures moins le quart, j'arriverais à la gare avant Adam, à moins, bien sûr, qu'il n'arrive pas à quatre heures, mais dans ce cas je serais déjà de toute façon à l'abri sur l'autre quai, où je pourrais trouver un endroit où me cacher. Mrs. Blanchard lui dirait qu'une femme qui le connaissait venait de partir, mais rien de ce que j'avais dit ou fait, me semblait-il, ne pouvait trahir ma véritable identité. Aux yeux d'Adam, je ne représenterais rien de plus qu'une de ces dizaines, de ces centaines de filles sorties de son passé.

Et si je m'étais trompée ? Que se passerait-il si Adam arrivait pendant que j'étais encore ici ? J'envisageai quelques médiocres amorces d'alibis, avant de tout écarter tant ils semblaient potentiellement dévastateurs. Il me fallait toute ma concentration ne serait-ce que pour rester droite, pour continuer la conversation. Je ne savais rien de Tara Blanchard hormis le fait qu'on avait retrouvé son corps dans un canal d'East London. À présent je la découvrais sous les traits d'une enfant joufflue dans le bac à sable de sa crèche. D'une écolière coiffée de couettes, vêtue d'un blazer. Puis en maillot de bain et en robe de soirée. Adèle figurait aussi souvent sur les photos. Enfant, elle paraissait courtaude et bourrue, mais au fil des pages elle se transformait en une belle jeune femme aux longues jambes. Je dus admettre qu'Adam se montrait cohérent dans ses choix. Mais nous avancions trop lentement. Je ne cessais de regarder ma montre. À trois heures moins dix-huit minutes, nous n'avions parcouru qu'une moitié de l'album. Puis Mrs. Blanchard marqua une pause pour raconter une histoire que je ne pus me résoudre à écouter. Je fis semblant d'être tellement intéressée qu'il me fallait tourner les pages pour découvrir la suite. Moins le quart. Nous n'étions pas encore à la fin. Plus que treize minutes.

« Voilà Adam », dit Mrs. Blanchard.

Je me forçai à regarder. Il n'y avait pas beaucoup de différence avec l'homme que je connaissais. Il avait les cheveux plus longs. Il n'était pas rasé. Il figurait au milieu d'un groupe souriant, en compagnie d'Adèle, de Tara, de Tom, ainsi que quelques autres visages inconnus. Je cherchai un signe de complicité entre lui et Adèle mais n'en trouvai aucun. « Non, dis-je. J'ai dû le confondre avec quelqu'un d'autre. »

Je pouvais même me débrouiller pour que Mrs. Blanchard ne mentionne pas ma visite à Adam. Mais il ne fallait pas en faire trop. Dix minutes. C'est avec un soulagement soudain, désespéré, que je vis Mrs. Blanchard parvenir à une page blanche sur l'album. Il n'était pas terminé. Il fallait me montrer ferme. Je lui pris la main. « Jean, j'ai été... » Je ne finis pas, comme submergée par un flot d'émotions trop puissantes. « Mais je dois partir.

— Laissez-moi vous raccompagner en voiture.

— Non, dis-je en m'efforçant de contenir ma voix au bord du hurlement. Après... après tout cela, je préfère marcher seule. »

Elle me prit dans ses bras. « Revenez me voir, Sylvie. »

J'acquiesçai. Quelques secondes plus tard, je me retrouvai dans l'allée. Mais l'épisode avait pris plus longtemps que prévu. Il était trois heures moins six. J'envisageai de partir dans la direction opposée, mais cela me sembla encore pire. À peine sur le trottoir, je me mis à courir. Mon corps n'était pas entraîné pour ce genre d'exercice. Après une centaine de mètres, le souffle coupé, je ressentis des douleurs cuisantes dans la poitrine. Je tournai à nouveau et j'aperçus enfin la gare devant moi, trop loin. Je me forçai à courir, mais au moment d'entrer dans le parking, occupé par les nombreuses voitures des voyageurs qui travaillaient à Londres, je vis un train s'avancer sur le quai. Je ne pouvais pas prendre le risque d'entrer dans la gare pour tomber sur Adam. Je fouillai les alentours d'un œil affolé. Pas le moindre abri à l'horizon, semblait-il. Il n'y avait qu'une cabine téléphonique. En désespoir de cause, je m'y précipitai et décrochai le téléphone. Je pris soin de tourner le dos à la gare, mais je me trouvais juste à côté de l'entrée. Je regardai ma montre. Trois heures une. J'entendis le bruit du train qui repartait. Le mien arriverait dans une minute ou deux. J'attendis. Et si en sortant de la gare Adam avait l'idée de passer un coup de téléphone ?

Je me comportais sans doute comme une idiote. J'étais certaine à présent qu'Adam n'avait pas pris ce train. La tentation de me retourner devint presque irrésistible. J'entendis les pas de plusieurs passagers qui sortaient de la gare puis s'avançaient sur le gravier du parking. Un bruit de pas s'arrêta derrière moi. J'apercevais dans la vitre devant moi le reflet morcelé d'un homme debout devant la cabine à attendre que j'aie fini. Je ne parvenais pas à distinguer clairement ses traits. Il frappa quelques coups à la porte. Reprenant mes esprits, je prononçai des phrases sans queue ni tête dans le combiné. Je tournai imperceptiblement la tête. Il était là, habillé avec un peu plus de soin que d'habitude. Il avait mis une veste. Peut-être aussi une cravate, mais je ne distinguais pas bien. Il s'était maintenant avancé dans le parking. Il arrêta une vieille femme pour lui demander quelque chose. Elle se tourna et lui indiqua du doigt le bout de la rue. Il s'éloigna.

J'entendis un nouveau train arriver. Le mien. Je me souvins avec horreur qu'il arrivait sur le quai d'en face. Il me faudrait prendre une passerelle. Ne te retourne pas, Adam, ne te retourne pas. Je remis le combiné en place et sortis d'un bond de la cabine. Au passage, je bousculai la vieille dame. Elle laissa échapper une exclamation courroucée. Elle commença à dire quelque chose mais j'étais déjà loin. Adam s'était-il retourné ? Les portes automatiques du train se refermèrent au moment où j'arrivai sur le quai. Je précipitai les bras entre leurs mâchoires véloces. Je me disais que quelque cerveau électronique central noterait cette perturbation et commanderait leur réouverture. À moins que le train ne reparte sans autre forme de procès. Je m'imaginai soudain aspirée sous les roues pour être découverte, horriblement désarticulée, à la gare suivante. Voilà qui donnerait à Adam matière à conjecturer.

Les portes se rouvrirent. Il me sembla que c'était plus que je n'en méritais. Je m'assis au fond du wagon, loin des autres voyageurs, et me mis à pleurer. Puis je regardai mon bras. Le caoutchouc de la porte y avait laissé une marque noire bien nette, comme un bandeau de deuil. Cela me fit rire. Je ne pus m'en empêcher.

29

J'ÉTAIS seule. Je réalisai enfin combien j'étais seule à présent, et cette prise de conscience me remplit de peur.

Bien sûr, Adam n'était pas à la maison à mon retour de chez Mr. et Mrs. Blanchard. Cependant je soupçonnais qu'il n'allait pas tarder. J'enfilai à la hâte un vieux T-shirt et m'enfouis sous les couvertures comme un animal coupable. Je restai allongée dans la pénombre. Comme je n'avais rien mangé de la journée, mon estomac se mettait à gargouiller de temps à autre, mais je ne voulais pas me lever pour me rendre dans la cuisine. Que pouvais-je lui dire ? Je n'avais rien d'autre que des questions, mais des questions qu'il m'était impossible de lui poser. Chaque nouveau mensonge avait contribué à m'acculer dans un coin dont je ne voyais pas comment m'échapper. Mais lui aussi m'avait trompée. Je tremblais au souvenir de cette minute où je m'étais retrouvée coincée dans une cabine téléphonique tandis qu'il passait à deux pas de moi. Quelle épouvantable farce ! Notre mariage tout entier était fondé sur le désir et le mensonge.

Quand il rentra, sifflotant à mi-voix, je m'efforçai de ne pas bouger et fis semblant de dormir. Je l'entendis ouvrir la porte du frigo, en sortir quelque chose, puis la refermer. J'entendis le bruit d'une canette de bière qu'on débouche, qu'on boit. À présent il se déshabillait, laissant tomber ses vêtements par terre au pied du lit. Quand il souleva la couette en se glissant à mes côtés, je sentis de l'air froid. Ses mains chaudes m'entourèrent par-derrière. Je soupirai, comme plongée dans le plus profond des sommeils, en m'écartant légèrement de lui. Il se rapprocha pour calquer son corps sur les contours du mien. Je continuai à inspirer profondément à un rythme régulier. Il ne fallut pas longtemps à Adam pour s'endormir, le souffle chaud contre mon cou. Ensuite je m'efforçai de réfléchir.

Qu'avais-je appris ? Je savais qu'Adam avait eu une liaison secrète avec une femme à qui, c'était maintenant certain, il était arrivé quelque chose. Je savais que cette femme avait une sœur qui avait collectionné les coupures de presse concernant Adam, et qu'on avait retrouvé cette dernière dans un canal il y avait quelques semaines. Je savais, bien sûr, qu'une autre de ses maîtresses, cette Françoise aux longs cheveux noirs, était morte sur un flanc de montagne, et qu'Adam n'avait pas réussi à la sauver. Je songeai à ces trois femmes tandis qu'il reposait à côté de moi. Cinq personnes dans un lit.

Toute sa vie, Adam avait vécu entouré de violence et de disparitions. Mais après tout, il appartenait à un monde où les hommes et les femmes savaient qu'ils pouvaient mourir avant l'heure, un monde où le risque faisait partie du jeu. Après m'être libérée de son étreinte avec précaution, je me tournai dans le lit pour l'observer. Dans la lumière que répandaient les réverbères de la rue j'arrivais tout juste à distinguer son visage, dont les lèvres pleines se gonflaient doucement avec chaque expiration. Un vif élan de pitié me transperça le cœur. Pas étonnant qu'il se montre parfois sombre et renfermé, et que son amour ne puisse s'exprimer que dans la hargne.

Je me réveillai de nouveau au moment où le jour commençait à pointer et me glissai hors du lit. Les lattes de plancher craquèrent mais Adam ne broncha pas. Il avait passé un bras par-dessus la tête. Il paraissait si confiant, allongé ainsi nu, plongé dans ses rêves, mais je découvris que je ne pouvais plus rester là à côté de lui. J'attrapai les premières nippes qui me tombèrent sous la main — un pantalon noir, des bottines, un col roulé orange pelé aux coudes — puis m'habillai dans la salle de bains. Je ne pris pas la peine de me brosser les dents ni de me laver. Je le ferais plus tard. Il fallait juste que je m'éloigne, que je me retrouve seule avec mes pensées ; je ne voulais pas être là quand il se réveillerait avec le désir de me prendre. Quand je sortis de l'appartement, le claquement que fit la porte en se fermant me fit grincer des dents.

Je ne savais pas où j'allais. Je marchais d'un pas vif, sans blouson dans le petit matin froid, inspirant profondément. Je me sentais plus calme maintenant que le jour était revenu : j'allais m'en sortir, d'une façon ou d'une autre. Au café, près de Shepherd's Bush, je m'arrêtai pour prendre un expresso, noir et amer. L'odeur de gras et de bacon me donna légèrement la nausée. Il était presque sept heures. Déjà la circulation engorgeait les rues. Je repris mon chemin, forte des instructions que m'avait prodiguées Adam lors de notre randonnée dans le Lake District. Prends un rythme, un pas après l'autre, respire bien, ne regarde pas trop loin. Je ne pensais à rien, je me contentais d'avancer. Les marchands de journaux étaient ouverts, de même que quelques épiceries. Au bout d'un certain temps, je me rendis compte de l'endroit où mes pieds me menaient, mais je ne fis rien pour m'arrêter, même si je ralentis progressivement le pas. Après tout, peut-être n'était-ce pas une si mauvaise idée. J'avais besoin de parler à quelqu'un, et il ne me restait vraiment pas grand monde.

J'y arrivai à huit heures dix. Je frappai à la porte d'une main ferme. Soudain, je me sentis terriblement nerveuse. Mais il était trop tard pour m'enfuir. J'entendis un bruit de pas dans l'escalier. Tout à coup, nous fûmes face à face.

« Alice. »

À sa voix, il ne paraissait pas frappé de me voir, mais pas très heureux non plus. Il ne me proposa pas d'entrer.

« Bonjour, Jake. »

Nous continuâmes à nous dévisager. La dernière fois que nous nous étions vus, je l'avais accusé d'avoir mis des araignées dans ma bouteille de lait. Il était encore en robe de chambre, mais une robe de chambre que je ne reconnaissais pas, de la période post-Alice.

« Tu passais dans le coin ? » J'entendis percer une pointe de sa vieille ironie.

« Je peux entrer ? Juste une minute. »

Il ouvrit plus grand la porte et se recula d'un pas.

« Tout a changé ici, dis-je en jetant un coup d'œil circulaire dans la pièce.

— Qu'est-ce que tu espérais ? »

Le canapé et les rideaux étaient nouveaux, ainsi que deux gros coussins posés près de la cheminée. Une ou deux photos que je n'avais jamais vues auparavant étaient accrochées aux murs, des murs repeints en vert à présent à la place de l'ancien blanc cassé. Il n'y avait plus aucune des vieilles photos de Jake et moi.

Je n'avais pas vraiment réfléchi à ce que je faisais, pas une seconde. Mais à présent, je comprenais qu'en un sens je m'étais imaginée pouvoir rentrer dans mon ancien foyer répudié et le retrouver qui m'attendait, après avoir établi avec une cruelle clarté que je n'y reviendrais jamais. Pour être tout à fait honnête avec moi-même, j'avais sans doute aussi imaginé que Jake serait encore à m'attendre, quel que soit le mal que je lui avais fait. Qu'il me passerait un bras autour des épaules, me ferait asseoir, me préparerait du thé et des toasts, et m'écouterait déverser mes infortunes conjugales.

« Je me suis trompée, finis-je par dire.

— Tu veux une tasse de café, maintenant que tu es là ?

— Non. Enfin si, d'accord. »

Je le suivis dans la cuisine : une nouvelle bouilloire, un nouveau grille-pain, de nouvelles tasses assorties pendues à de nouveaux crochets, une ribambelle de nouvelles plantes posées sur le rebord de la fenêtre. Des fleurs sur la table. Je m'assis sur une chaise.

« Tu es venue récupérer le reste de tes affaires ? »

Je compris à présent qu'il avait été vain de revenir jusqu'ici. L'idée saugrenue m'était venue hier soir que, même si tout le monde m'avait tourné le dos, je n'avais pas pu perdre Jake. Je ne sais pourquoi. Je tentai de maintenir encore l'illusion, le temps de quelques répliques aussi anodines qu'épouvantables.

« Je suis un peu à côté de mes pompes. »

Jake haussa les sourcils en me tendant une tasse de café. Parce qu'elle était trop chaude, je la posai devant moi. Je la fis tourner sur la table, renversant quelques gouttes. « Tout est devenu un peu bizarre.

— Bizarre ?

— Je peux utiliser ta salle de bains ? »

Je me dirigeai jusqu'à la toute petite pièce, le pas mal assuré. Je me dévisageai dans la glace. J'avais les cheveux gras, les joues plâtreuses et amaigries. De grandes ombres me cernaient les yeux. Comme je ne m'étais lavée ni hier soir ni ce matin, j'avais les joues barbouillées de mascara et de saletés. J'avais enfilé mon pull orange à l'envers, mais ne pris pas la peine de le remettre comme il fallait. Qu'est-ce que cela pouvait faire ?

Je me lavais la figure, enfin. Au moment de tirer la chasse, j'entendis un grattement dans la pièce au-dessus. La chambre. Il y avait quelqu'un d'autre.

« Désolée, dis-je en sortant. Je n'aurais pas dû venir.

— Qu'est-ce qui ne va pas, Alice ? » demanda-t-il, avec cette fois un soupçon d'inquiétude dans la voix. Mais pas l'inquiétude d'un homme encore amoureux. Plutôt la compassion qu'on porte à un chat errant qui souffrirait devant la porte.

« C'est juste une réaction un peu mélodramatique de ma part. » Une idée me traversa l'esprit. « Je peux utiliser ton téléphone, tu veux bien ?

— Tu sais où il se trouve. »

J'appelai directement les renseignements pour leur demander les coordonnées de l'antenne de police à Corrick. J'écrivis le numéro sur la paume de ma main avec un feutre qui traînait par terre. J'étais en train de composer le numéro quand je repensai aux appels qu'Adam et moi avions reçus. Il fallait que je sois prudente. Je reposai le combiné.

« Il faut que j'y aille.

— Quand as-tu mangé pour la dernière fois ? demanda Jake.

— Je n'ai pas faim.

— Tu veux que je t'appelle un taxi ?

— Je préfère marcher.

— Où vas-tu ?

— Comment ? Je n'en sais rien. »

À l'étage, quelqu'un prenait un bain. Je me levai. « Je suis désolée, Jake. Vraiment désolée. »

Il sourit. « Ça n'a plus d'importance. »

30

JE me procurai une carte de téléphone chez un marchand de journaux, la plus chère, puis je trouvai une cabine.

« Antenne de police », répondit une voix féminine aux inflexions métalliques.

J'avais préparé une phrase d'introduction, que je débitai d'une voix autoritaire. « Pourrais-je parler à la personne chargée de l'affaire Adèle Blanchard ?

— Dans quelle brigade ?

— Mon Dieu, je n'en sais rien. La brigade criminelle ? » hésitai-je.

Il y eut un silence à l'autre bout de la ligne. Était-ce de l'agacement ? De la perplexité ? Ensuite j'entendis des voix étouffées. À l'évidence, elle avait placé sa main sur l'écouteur. Puis elle revint à moi. « Voyons si je peux vous passer quelqu'un. »

Une tonalité indiqua qu'elle m'envoyait sur un autre poste.

« Que puis-je faire pour vous ? annonça une voix, masculine cette fois.

— Je suis une amie d'Adèle Blanchard, commençai-je sans me démonter. Je viens de passer quelques années en Afrique, et je voulais juste savoir où en était l'enquête à son sujet.

— Pourriez-vous me donner votre nom, s'il vous plaît ?

— Je m'appelle Pauline. Pauline Wilkes.

— Je crains de ne pas pouvoir vous fournir d'informations au téléphone.

— Avez-vous eu de ses nouvelles ?

— Je suis désolé, madame. Auriez-vous une information à nous communiquer ?

— Je... non, désolée. Au revoir. »

Je reposai le téléphone puis composai le numéro des renseignements. J'obtins les coordonnées de la bibliothèque municipale de Corrick.

Peu disposée à y retourner en train, j'avais emprunté la voiture de mon assistante, Claudia. Si je démarrais à neuf heures et que je me rendais d'un trait à Corrick, puis que j'en repartais aussi sec, je serais de retour à temps pour la réunion prévue à deux heures avec Mike, donnant ainsi l'impression d'avoir accompli une journée de travail effectif. Au moment d'entrer dans Corrick pour la deuxième fois, j'éprouvai un léger malaise. Et si je tombais sur Mrs. Blanchard ? Mais j'écartai cette idée. Qu'est-ce que cela pouvait bien faire ? Je mentirais, comme d'habitude. Je n'avais pas remis les pieds dans une bibliothèque municipale depuis mon enfance. Je me figurais des bâtiments municipaux vieillots, à l'instar des mairies, des salles sombres, équipées de lourds radiateurs de fonte, fréquentées par des clochards qui s'y réfugiaient par temps de pluie. La bibliothèque de Corrick était neuve et pimpante, voisine d'un supermarché. Elle me parut contenir autant de CD et de cassettes vidéo que de livres, ce qui me fit craindre d'avoir à me débattre avec une souris ou une microfiche. Mais après avoir demandé à la réception où je pouvais consulter d'anciens exemplaires du journal local, on m'envoya vers des rayonnages où se trouvaient consignés huit ans de *Corrick and Whitham Advertiser* dans de gros volumes reliés. J'extirpai le tome consacré à l'année 1990 que je déposai lourdement sur une table.

Je vérifiai les quatre couvertures pour le mois de janvier. J'y trouvai une polémique au sujet d'une bretelle de contournement, une histoire de carambolage entre camions, le récit d'une fermeture d'usine, ainsi qu'un problème de décharge en relation avec le conseil régional, mais rien sur Adèle Blanchard. J'entrepris alors de feuilleter les pages intérieures sur tout le mois de janvier, depuis le début. Toujours rien. Je ne savais pas comment m'y prendre, d'autant que je n'avais pas beaucoup de temps devant moi.

Je n'avais pas prévu que mes recherches dans les journaux me prendraient aussi longtemps. Que fallait-il faire ? Peut-être Adèle était-elle partie vivre ailleurs. Sauf que, à en croire sa mère, Tara avait été la seule à quitter la région. Je parcourus le premier numéro de février. Toujours rien. Je consultai ma montre. Presque onze heures et demie. Je décidai de lire les journaux de février puis d'y aller, quel que soit le résultat de mes investigations.

En définitive, l'information se trouvait dans l'exemplaire du dernier vendredi du mois, le vingt-deux. Il s'agissait d'un entrefilet au bas de la page quatre :

DISPARITION D'UNE JEUNE FEMME

L'inquiétude grandit quant au sort d'une jeune habitante de Corrick, Adèle Blanchard, âgée de vingt-trois ans, dont on vient de signaler la disparition. Son mari, Thomas Funston, qui se trouvait en déplacement à l'étranger au moment des faits, a déclaré au journaliste de l'*Advertiser* qu'Adèle avait décidé de profiter de son absence pour partir quelques jours en randonnée dans un site indéterminé. « J'ai commencé à me faire du souci quand je n'ai plus reçu aucune nouvelle. » Avec son beau-père, Robert Blanchard, également de Corrick, il a exprimé l'espoir que Mrs. Funston ait simplement décidé de prolonger son congé. Le commissaire Horner s'est déclaré « relativement confiant ». « Si Mrs. Funston est sauve, je lui demande de bien vouloir nous contacter », a-t-il ajouté. Institutrice à l'école primaire de Saint Eadmund's à Whitham, Mrs. Funston est bien connue de la communauté.

Disparue. Je me retournai. Il n'y avait personne dans les environs. Aussi discrètement que possible, je déchirai l'article. Dégradation d'un bien public, songeai-je, peu fière.

31

J OANNA Noble alluma une cigarette. « Avant toute chose,
me permettez-vous de faire une remarque qui vous sem-
blera sans doute un peu dure ?

— Avant toute chose ? Vous parlez comme un médecin
ou un avocat.

— Justement, qu'attendez-vous de moi ? C'est bien ce
que je voudrais clarifier. Attendez, une petite seconde. »
Elle saisit la bouteille de blanc que j'avais commandée au
bar pour nous en servir deux verres.

« Santé ! » lançai-je, ironique.

Elle prit une gorgée de vin, puis pointa sa cigarette dans
ma direction. « Écoutez, Alice, j'ai interviewé un tas de
gens. Parfois, il arrive qu'ils me soient très antipathiques,
une ou deux fois, je me suis dit que nous pourrions devenir
amis mais, pour une raison ou pour une autre, ça ne s'est
jamais produit. Et maintenant, tout porte à croire que je
sois en train de me lier avec la femme de quelqu'un que
j'ai interviewé, je vous demande un peu. Sauf que...

— Sauf que quoi ? »

Elle tira sur sa cigarette. « Sauf que je ne sais pas ce que
vous traficotez. Vous voulez me voir, mais en qualité de
quoi ? Pour vous soutenir, parce que je suis une femme
douce et rassurante, ou parce que vous ne voyez personne
d'autre à qui confier vos déboires conjugaux ? Ou alors est-
ce parce que vous pensez trouver auprès de moi une
compétence professionnelle à laquelle vous pouvez avoir
recours ? À quel jeu jouez-vous ? Je pense deviner ce que
vous allez me dire. Et je me demande si vous ne feriez pas

mieux pour cela de vous adresser à un ami, à un proche, ou...

— Ou à un psychiatre ? » interrompis-je avec colère, mais je me contins aussi sec. Je ne pouvais pas lui en vouloir de ses inquiétudes. Moi-même j'éprouvais des doutes à mon sujet. « Nous ne sommes pas amies, je le sais, mais il ne s'agit pas d'un problème dont je pourrais parler à une amie ou à un proche. Et vous avez raison de vous méfier de moi. Je me tourne vers vous parce que vous savez des choses que les autres ignorent.

— C'est donc ça qui nous lie ? demanda Joanna, une moue un brin sarcastique aux lèvres, bientôt remplacée cependant par un sourire plus compréhensif. Qu'à cela ne tienne. Je suis aussi contente, en un sens, que vous ayez tenu à me parler. Alors, quel est le problème ? »

Je pris une profonde inspiration avant de lui raconter à voix basse ce que j'avais fait durant les jours et les semaines précédentes. Je lui parlai des confessions qu'Adam et moi avions échangées au sujet de nos passés sexuels respectifs, des lettres de cette Adèle inconnue que j'avais découvertes, de la mort de sa sœur, de ma visite à sa mère. Ce dernier point provoqua un haussement de sourcils chez Joanna, mais elle ne dit rien. Ce fut pour moi une sensation très étrange que de traduire tout cela en mots, et je me pris à m'écouter raconter mon histoire comme s'il s'agissait de celle d'une inconnue. Ce faisant, je pris conscience de l'existence hermétique que j'avais menée, à force de ressasser ces événements sans personne à qui me confier. J'essayai d'ordonner l'ensemble à la manière d'une histoire, de façon à la fois chronologique et limpide. Une fois le récit terminé, je montrai à Joanna la coupure relatant la disparition d'Adèle. Elle la lut avec attention, les sourcils froncés par la concentration, puis me la rendit.

« Alors ? Suis-je folle ? »

Elle alluma une nouvelle cigarette. « Écoutez, dit-elle, sur un ton embarrassé. Si la situation s'est tellement dégradée, pourquoi ne pas le quitter, tout simplement ?

— Adèle a quitté Adam. J'ai la lettre dans laquelle elle lui annonçait sa décision. Elle est datée du 14 janvier 1990. »

Joanna parut franchement décontenancée. Elle fit un

effort visible pour rassembler ses pensées avant d'ouvrir la bouche.

« Laissez-moi récapituler, finit-elle par dire, histoire de bien prendre la mesure de ce que vous dites. Vous êtes en train de me raconter que quand cette Adèle a quitté Adam — votre mari, soit dit en passant — il l'a assassinée, puis s'est arrangé pour se débarrasser du corps avec un tel brio que personne ne l'a jamais retrouvé.

— Quelqu'un s'est débarrassé de son corps.

— À moins qu'elle ne se soit suicidée. Ou bien qu'elle soit juste partie sans donner de nouvelles à personne.

— On ne disparaît pas comme ça.

— Ah oui ? Savez-vous combien de gens figurent aujourd'hui dans le fichier des personnes recherchées ?

— Bien sûr que non.

— Autant que d'habitants à Bristol ou à Stockport ou dans n'importe quelle agglomération de taille moyenne. Il doit bien exister, quelque part en Grande-Bretagne, une ville fantôme qui abrite les personnes disparues ou dont on a perdu la trace. Il n'est pas rare du tout que des gens s'en aillent sans prévenir.

— La dernière lettre qu'elle avait adressée à Adam n'avait rien de désespéré. Il n'y était question que de son attachement pour son mari, de son désir de s'engager dans son existence. »

Joanna remplit de nouveau les verres. « Avez-vous la moindre preuve concernant Adam ? Comment savez-vous qu'il n'était pas parti en expédition à la même époque ?

— C'était l'hiver. Et puis de toute façon la lettre avait été envoyée à son adresse à Londres.

— Je n'en crois pas mes oreilles ! Sans parler du fait que vous n'avez pas l'ombre d'une preuve, est-ce que vous croyez vraiment qu'il serait capable de tuer une femme de sang-froid, puis de poursuivre son existence comme si de rien n'était ? »

Je réfléchis un instant. « Je crois que rien ne peut arrêter Adam une fois qu'il est décidé. »

Joanna sourit. « Je n'arrive pas à vous comprendre. C'est la première fois dans cette conversation que vous donnez l'impression de l'aimer.

— Bien sûr que je l'aime. Ce n'est pas la question. Mais que pensez-vous de ce que je vous ai dit ?

— Comment, ce que j'en pense ? Quelle réponse attendez-vous ? Je me sens un peu responsable de toute cette histoire. C'est moi qui vous ai parlé de cette affaire de viol, qui vous ai plongée dans cette enquête abracadabrante. J'ai l'impression de vous avoir mis cette pression sur les épaules, du coup vous cherchez à prouver quelque chose, n'importe quoi, simplement pour être sûre. Écoutez... » Elle fit un geste d'impuissance. « Les gens ne commettent pas des actes pareils.

— Ce n'est pas vrai », répondis-je. Bizarrement, je me sentais très calme. « Vous devriez être la première à le savoir. Mais que dois-je faire ?

— Même si c'était vrai, ce qui n'est pas le cas, il n'y a aucune preuve, et aucun moyen d'en trouver. Vous devez faire avec ce que vous savez aujourd'hui, et ce n'est pas grand-chose. Ça vous laisse donc deux options. La première est de quitter Adam.

— C'est impossible. Je n'en aurais pas le courage. Vous ne le connaissez pas. Si vous étiez à ma place vous sauriez que c'est impossible.

— Si vous choisissez de rester avec lui, vous ne pouvez pas passer le reste de votre vie à jouer les agents doubles. Vous empoisonneriez tout. Au cas où vous vous décideriez dans ce sens, alors vous vous devez, pour vous comme pour lui, de tout lui raconter. De lui faire part de vos craintes. »

J'éclatai de rire. Cela n'avait rien de drôle, mais je ne pus m'en empêcher.

« Tout ce qu'il faut, c'est mettre un peu de glace dessus.

— Et où ça ? J'ai mal partout. »

Bill rit. « Pensez juste à tout le bien que vous venez de faire à votre système cardio-vasculaire. »

Bill Levenson avait peut-être l'allure d'un garde du corps à la retraite, mais en fait c'était lui l'administrateur de Pittsburgh chargé de superviser notre division. Il était arrivé au début de la semaine, pour enchaîner réunions et évaluations. J'avais redouté le moment où je serais convoquée pour un interrogatoire en règle dans la salle de conférence, au lieu de quoi il m'avait invitée à le retrouver à son club de gym pour une partie d'un truc appelé racketball. Je lui avais dit que je n'avais jamais entendu parler de ce sport.

« Vous avez déjà fait du squash ?

— Non.

— Au moins du tennis alors ?

— Au lycée.

— C'est la même chose. »

Je m'y présentai habillée d'un short à carreaux tout à fait seyant. Je le retrouvai devant ce qui ressemblait fort à un court de squash traditionnel. Il me tendit un bandeau et une raquette semblable à celles qu'on utilise pour marcher sur la neige. En fait, le racketball se révéla n'avoir rien à voir avec le tennis. J'avais quelques lointains souvenirs de ce sport à l'époque où je le pratiquais au lycée : il s'agissait en gros d'effectuer de gracieux allers et retours en sautillant sur la ligne de fond de court, ponctués de quelques délicats mouvements de raquette, le tout agrémenté de force ricanements entre filles et de flirts avec l'entraîneur. Le racketball consistait en une série de plongeons et de sprints désespérés qui m'inondèrent de sueur et eurent vite fait de me réduire à l'état de soufflet phtisique, à mesure que mes muscles multipliaient hoquets et spasmes localisés dans les recoins jusque-là inconnus de mes cuisses et de mes épaules. J'appréciai pendant quelques minutes de me consacrer à une activité propre à reléguer tous mes soucis loin de mon esprit. Si seulement mon corps pouvait en tolérer la charge.

Après vingt minutes de la demi-heure prévue je m'effondrai à genoux, demandant grâce, et Bill m'escorta vers la sortie du court. Au moins n'étais-je pas en état de remarquer la réaction des membres souples et bronzés de son club. Il me conduisit jusqu'à la porte des vestiaires réservés aux femmes. Quand je le retrouvai au bar j'avais meilleure mine, c'était toujours ça de pris. Si seulement mes jambes n'avaient pas perdu toute leur efficacité ! Il me fallait soudain toute ma concentration pour mettre un pied devant l'autre, comme quelqu'un qui vient d'apprendre à marcher.

« Je nous ai commandé une bouteille d'eau, dit Bill en se levant pour m'accueillir. Il faut vous réhydrater. »

J'aurais préféré un double gin-tonic sur canapé, mais

j'acceptai l'eau, que je bus avec avidité. Bill ôta sa montre pour la poser sur la table entre nous. « J'ai lu votre rapport. Nous allons expédier ça en cinq minutes précises. »

J'ouvris la bouche pour protester, mais pour une fois rien ne me vint à l'esprit.

« C'est un paquet de conneries. Et vous le savez bien. Le Drakloop s'enfonce à toute vitesse dans un trou noir et ça nous coûte cher. À en croire le ton, disons, détaché, de votre rapport, j'aurais tendance à penser que vous en êtes tout à fait consciente. »

La seule réponse honnête eût été d'avouer qu'au cours des derniers mois j'avais eu d'autres problèmes en tête. En conséquence je gardai le silence.

Bill poursuivit : « Le nouveau modèle n'a pas encore fait ses preuves. Je ne crois pas qu'il y arrivera jamais. Vous-même n'y croyez pas un instant d'ailleurs. Ce que je devrais faire, c'est fermer cette division. S'il y a une autre solution, je vous demande de me le dire tout de suite. »

Je m'enfouis la tête dans les mains. Pendant une seconde, j'eus la tentation de ne plus la relever jusqu'à ce que Bill s'en aille. Ou peut-être valait-il mieux que je m'en aille, moi. L'autre pan de ma vie virait lui aussi à la catastrophe. Et puis merde, me dis-je. Je relevai la tête et considérai le visage un brin surpris de Bill. Il avait peut-être cru que je m'étais endormie. « Eh bien, commençai-je pour me donner le temps de réfléchir, nous avons perdu notre temps avec le projet de cuivre imprégné. Cela ne représentait qu'un atout négligeable, et ça n'a pas marché. Mettre l'accent sur la facilité de pose du stérilet était également une erreur. Ça l'a rendu moins fiable comme moyen de contraception. » Je pris une gorgée d'eau. « La conformation du Drak III n'est pas en cause. Le problème, c'est la forme du col auquel il doit s'adapter.

— Bon, dit Bill. Et que doit-on faire ? »

Je haussai les épaules. « Laisser tomber le Drak IV. Faire quelques ajustements mineurs sur le Drak III et le rebaptiser Drak IV. Ensuite, dépenser ce qu'il faut en campagnes publicitaires dans les magazines féminins. Mais pas à coups de photos romantiques montrant des couples qui regardent le soleil couchant sur une plage. Il faut expliquer en détail à quelles femmes s'adressent les contraceptifs intra-utérins, et qui doit les éviter. Surtout, il faut leur conseiller de faire appel à un médecin en ce qui concerne la pose du stérilet. Les progrès dans ce domaine devraient apporter une amélioration plus substantielle que ne l'aurait fait la mise au point de Drak IV, même si ce dernier avait fonctionné. » Une idée me vint. « Et demander à Giovanna d'organiser des sessions de formation des médecins généralistes sur le processus d'insertion du stérilet. Voilà. J'ai fini. »

Bill se gratta la gorge et attrapa sa montre. « Les cinq minutes sont de toute façon écoulées », dit-il en la rattachant à son poignet. Puis il souleva une petite mallette de cuir qu'il posa sur la table et l'ouvrit d'une pression. J'étais persuadée qu'il allait me présenter les documents relatifs à mon licenciement. Au lieu de cela, il en sortit un magazine. C'était une édition intitulée *Guy*, un journal à l'évidence destiné aux hommes. « Regardez-moi ça. Je sais quelque chose à votre sujet. » Résignée, je m'efforçai de continuer à sourire. Je savais ce qui m'attendait. « Bon Dieu, vous avez un mari incroyable ! » Il ouvrit le magazine. J'aperçus un défilé de pics rocheux, des visages affublés de lunettes de montagne, dont certains m'étaient connus : Klaus, le joli portrait de Françoise, apparemment le seul que les journalistes soient arrivés à se procurer, une photo superbe d'Adam prise à l'improviste, alors qu'il se trouvait en grande conversation avec Greg.

« Oui, en effet, répondis-je.

— J'ai fait de la randonnée quand j'étais au lycée, et puis un peu de ski aussi, mais ces alpinistes, c'est autre chose. Voilà ce qu'on aimerait tous être capables de faire.

— Beaucoup sont morts, vous savez.

— Ce n'est pas ce que je veux dire. Je parle de ce que votre mari a fait. Vous savez, Alice, je donnerais tout, ma carrière, vraiment tout pour pouvoir me connaître, pour avoir réussi à m'éprouver de la sorte. Il s'agit d'un article impressionnant. Ils ont interviewé tout le monde et il n'y en a que pour lui. Adam est le héros de cette histoire. Écoutez, je ne connais pas votre programme, mais pour ma part je prends l'avion dimanche. Que diriez-vous de dîner ensemble tous les trois d'ici là ?

— Ce serait une bonne idée, répondis-je, sur mes gardes.

— J'en serais très heureux, insista Bill.

— Je peux vous emprunter ceci ? demandai-je en désignant le magazine.

— Bien sûr. Vous allez adorer. »

32

Je l'avais réveillé, à l'évidence, quoiqu'il fût onze heures passées : vêtu d'un pyjama douteux boutonné de travers, il plissait des yeux bouffis de sommeil. Sa tignasse dressée en épis dans tous les sens lui donnait l'air encore plus chevelu que dans mon souvenir.

« Greg ?

— Qu'est-ce que c'est ? » À la façon dont il me dévisageait depuis le perron, il était manifeste qu'il ne me reconnaissait pas du tout.

« C'est Alice. Je suis désolée de vous déranger.

— Alice ?

— Oui, Alice, vous vous souvenez, Adam et Alice. Nous nous sommes rencontrés pour le lancement du livre de Klaus.

— En effet, j'y suis. » Il y eut une pause. « Entrez donc. Comme vous pouvez le constater, je n'attendais pas franchement de visites ce matin. » Mais soudain il sourit. Ses yeux bleus d'enfant s'éclairèrent d'une lueur très douce dans son visage froissé, pas lavé.

Je m'étais imaginé que Greg vivait dans un foutoir, au lieu de quoi je découvris une petite maison très ordonnée, où chaque objet était bien à sa place, chaque surface dégagée et dépoussiérée. Et il y avait des photos de montagnes partout, représentant de formidables sommets enneigés, en noir et blanc ou en couleurs, accrochées sur chaque mur blanc. Me retrouver dans cette maison trop soignée, entourée de vues aux dimensions aussi épiques, me procura une sensation un peu bizarre.

Il ne m'avait pas proposé de m'asseoir, mais je le fis tout

de même. J'avais traversé tout Londres pour le voir, sans bien savoir pourquoi. Peut-être m'étais-je juste rappelé l'avoir apprécié lors de notre brève rencontre, m'accrochant à ce souvenir. Comme je m'éclaircissais la gorge, je le vis prendre un air amusé. « Je vais vous dire, Alice. Vous vous sentez mal à l'aise parce que vous venez vous présenter chez moi sans y avoir été invitée, et vous ne savez pas par où commencer. Je suis tout aussi embarrassé, d'une part parce que je suis encore en pyjama à une heure indécente, de l'autre parce que j'ai une gueule de bois de tous les diables. Alors, pourquoi ne pas aller à la cuisine ? Vous pourrez nous préparer quelques œufs brouillés, je vous montrerai où ils se trouvent, ainsi que du café, le temps que je m'habille. Ensuite vous pourrez me dire ce qui vous amène. Ce n'est pas simplement une visite de courtoisie, si je ne m'abuse ? »

Je me levai sans dire un mot.

« Et vous avez l'air de quelqu'un qui n'a pas mangé depuis un bout de temps.

— En effet, confessai-je.

— Des œufs, alors ?

— Ce serait une excellente idée. »

Je battis quatre œufs dans une casserole que je posai sur une flamme modérée, sans cesser de remuer. Les œufs brouillés doivent cuire très lentement pour être servis moelleux, et non caoutchouteux. Même moi je le savais. Je préparai le café, un café beaucoup trop fort, mais une décharge de caféine nous ferait du bien à tous les deux. Puis je fis griller quatre tranches de pain rassis. Quand Greg reparut dans la cuisine, le petit déjeuner était prêt. Je découvris que je mourais de faim, faim que calmèrent les œufs salés bien crémeux et les toasts beurrés. Je repris pied dans la réalité, le monde cessa de tanguer devant mes yeux. J'avalai des gorgées de café amer entre deux bouchées. En face de moi, Greg mangeait avec un plaisir méticuleux, étalant une couche d'œuf uniforme sur ses toasts, dont il faisait ensuite glisser des carrés bien découpés sur sa fourchette. Une étrange atmosphère de solidarité amicale s'était instaurée, malgré les circonstances. Nous gardâmes le silence.

Une fois qu'il eut vidé son assiette, il reposa son couteau

et sa fourchette et repoussa le tout loin de lui. Il m'adressa un regard interrogateur. Je pris une profonde inspiration, lui sourit, mais à ma grande consternation je sentis des larmes chaudes s'écraser sur mes joues. Greg me fit passer une boîte de mouchoirs puis attendit. « Vous allez croire que je suis folle. » Je me mouchai. « Mais j'ai pensé que vous pourriez peut-être m'aider à comprendre.

— À comprendre quoi ?

— Adam, j'imagine.

— Je vois. »

Il se leva brusquement. « Sortons marcher un peu.

— Je n'ai pas de manteau. Je l'ai laissé au bureau.

— Je vous prêterai un blouson. »

Dehors, nous nous engageâmes d'un bon pas dans la rue animée qui menait à Shoreditch puis, plus loin, à la Tamise. Soudain, Greg prit un petit escalier et nous nous retrouvâmes sur un chemin de halage. À présent que nous avions laissé la circulation derrière nous, nous retrouvions un calme digne de la campagne. Le lieu avait un aspect rassurant, mais je songeai à Tara. Était-ce dans ce canal qu'on avait repêché son corps ? Je ne savais pas. Greg marchait aussi vite qu'Adam, d'une même foulée pleine d'aisance. Il s'arrêta et me regarda. « Mais enfin pourquoi me demander ça à moi ?

— Tout est allé tellement vite. C'est-à-dire, entre moi et Adam. J'ai cru que le passé n'avait pas d'importance, que rien n'en avait. Mais les choses ne se passent pas comme ça. » Je m'arrêtai à nouveau. Je ne pouvais pas confier toutes mes craintes à Greg. C'était l'homme à qui Adam avait sauvé la vie. Il était son ami, d'une certaine manière. Je baissai les yeux vers l'eau. Elle ne bougeait pas. Les canaux ne coulent pas comme les fleuves. Je voulais parler d'Adèle, de Françoise, de Tara. Au lieu de quoi, je lui demandai : « Ça ne vous fait rien que tout le monde le considère comme le héros et vous comme le méchant ?

— Le méchant ? Je croyais n'être que le couard, la mauviette, le Elisha Cook Junior du groupe.

— Qui ça ?

— C'était un acteur spécialisé dans les rôles de lâches et de poules mouillées.

— Désolée, je ne voulais pas...

259

— Ça ne me dérange pas que les gens le considèrent comme un héros, parce que c'est bien la vérité. Il a fait preuve d'un courage, d'une endurance, d'un calme extraordinaires ce jour-là. Et de bien d'autres qualités encore. » Il glissa vers moi un coup d'œil de biais. « C'est ça que vous voulez entendre ? Pour ce qui est du reste, je ne suis pas sûr de vouloir évoquer avec vous le sentiment d'échec qui me hante. Vous, la femme du héros et que sais-je encore.

— Ce n'est pas comme ça qu'il faut envisager les choses.

— Si, je crois. Et c'est précisément pour cette raison que vous m'avez retrouvé en pyjama ce matin, à soigner une gueule de bois. Mais je n'arrive pas à comprendre, c'est ça qui me tourmente. Qu'est-ce qu'Adam dit de toute cette histoire ? »

J'inspirai profondément. « Je crois qu'à son avis certains membres de l'expédition n'auraient jamais dû se retrouver sur les pentes du Chungawat. »

Greg laissa échapper un rire qui se mua en forte toux. « Tu m'étonnes, dit-il une fois la toux passée. Carrie Frank, la dermato, était une randonneuse bien entraînée, mais elle n'avait jamais fait d'escalade. Elle ne savait pas mettre ses crampons. Et je me rappelle avoir dû crier à Tommy Benn de faire attention un jour qu'il s'était mal arrimé à la cordée. Il était à deux doigts de dévisser. Il n'a pas répondu. Je me souviens qu'il ne comprenait pas un mot d'anglais. Pas un traître mot. Putain, mais qu'est-ce qu'il faisait avec nous ? J'ai dû descendre lui rattacher son mousqueton. Pourtant il m'avait semblé que j'avais tout prévu, que j'avais mis au point un système infaillible. Mais tout a foiré, et cinq personnes placées sous ma protection y ont perdu la vie. » Je posai la main sur son bras, mais il poursuivit. « Au final, Adam s'est comporté en héros, pas moi. Il y a des choses que vous ne comprenez pas dans votre vie ? Bienvenue au club !

— Mais j'ai la trouille.

— Bienvenue au club ! » répéta-t-il en s'esclaffant à demi.

Soudain, un petit jardin incongru surgit sur l'autre rive du canal, strié de rangées de tulipes rouges et pourpres.

« Est-ce une chose en particulier qui vous a fait peur ? finit-il par demander.

— Tout son passé, j'imagine. Tout est tellement dans l'ombre.

— Et si peuplé de femmes, ajouta Greg.

— En effet.

— J'imagine que ça doit être difficile à supporter. »

Nous nous assîmes sur un banc.

« Parle-t-il de Françoise ?

— Non.

— J'avais une liaison avec elle, vous savez. » Il avait détourné les yeux, et j'eus l'impression qu'il ne l'avait jamais avoué à personne auparavant. Ce fut pour moi un choc, un coup tout à fait inattendu.

« Une liaison avec Françoise ? Non. Non, je n'étais pas au courant. Mon Dieu, Adam le savait-il ? »

Greg ne répondit pas tout de suite. Puis il reprit. « Tout a commencé avec l'expédition. Elle était très drôle. Très belle.

— C'est ce que tout le monde dit.

— C'était terminé entre Adam et elle. Elle le lui avait signifié à notre arrivée au Népal. Elle ne supportait plus ses infidélités à répétition.

— C'est elle qui avait mis fin à leur liaison ?

— Adam ne vous en a pas parlé ?

— Non, répondis-je avec lenteur. Il ne m'en a pas dit un mot.

— Il accepte mal le rejet.

— Que tout cela soit bien clair. Françoise a mis fin à sa liaison prolongée avec Adam, puis quelques jours plus tard elle et vous avez commencé à sortir ensemble ?

— Oui. Et ensuite, si vous voulez tout savoir, quelques semaines plus tard elle est morte pas loin du sommet parce que j'avais merdé avec les rampes fixes, et Adam m'a sauvé, moi l'ami qui avais usurpé sa place. »

Je tentai de trouver un mot de réconfort plausible. En désespoir de cause, je gardai le silence.

« Je dois y aller, dit Greg.

— Attendez. Adam savait-il ce qui se passait entre Françoise et vous ?

— Nous ne lui avons pas annoncé tout de suite. Nous avions peur de le déconcentrer. Remarquez, lui-même

n'observait pas franchement l'abstinence. Et puis après... »
Il laissa la phrase en suspens.

« Il n'a jamais abordé le sujet ?

— Non. Vous allez en parler avec lui ?

— Non. »

Ni de ça ni de rien d'autre non plus. Il y avait longtemps que nous avions dépassé le stade des confidences.

« Ne gardez pas le silence pour m'épargner. Ça n'a plus d'importance aujourd'hui. »

Nous rebroussâmes chemin, je me défis de son blouson pour le lui rendre. « Je vais prendre un bus ici. Merci, Greg.

— Je n'ai rien fait. »

Sur une impulsion, je lui passai les bras autour du cou et lui embrassai les lèvres, sentant les picotements de sa barbe sur mes joues.

« Prenez soin de vous, dis-je.

— Adam a de la chance.

— Je croyais que c'était moi la chanceuse dans cette histoire. »

33

J'AVAIS parfois eu l'impression, en compagnie d'Adam, d'être tellement éblouie qu'il m'était impossible de bien le voir, encore moins d'analyser son comportement ou de le juger. Notre relation voyait se succéder étreintes, nuits de sommeil, conversations fragmentaires, repas et à l'occasion amorces de réconciliation, mais même ces dernières se déroulaient dans une atmosphère d'urgence, comme si nous faisions notre possible avant que le bateau ne coule, avant que le feu ne consume la maison dans laquelle nous nous trouvions. Je m'étais contentée de baisser les bras par impuissance, ravie au début de ne plus avoir à penser, de ne plus avoir à parler, de pouvoir fuir mes responsabilités. Je ne pouvais espérer le cerner de façon rationnelle que par l'entremise des autres, au travers ce qu'ils disaient de lui. Cet Adam plus distant constituait un soulagement mais aussi une ressource utile, comme une photo du soleil qu'on peut regarder en face afin de nous renseigner sur cette chose au-dessus de nous, inaccessible à la vision directe, qui darde sur nous ses rayons.

À mon retour de ma visite chez Greg, Adam était assis à regarder la télévision. Il fumait en sirotant un whisky. « Où étais-tu ? demanda-t-il.

— Au boulot.

— J'ai appelé. Ils m'ont dit que tu avais quitté ton bureau.

— J'avais une réunion », répondis-je vaguement.

L'important dans un mensonge est de ne pas recourir à des détails inutiles qui sont susceptibles de se retourner contre vous. Adam tourna la tête dans ma direction mais ne répondit pas. Il y avait quelque chose de bizarre dans son geste, soit qu'il fût trop lent soit trop rapide. Peut-être était-il un peu ivre. Il zappait d'une chaîne à l'autre, accordant quelques minutes à une émission avant de passer à la suivante, qu'il regardait quelques minutes avant de changer à nouveau.

Je me remémorai le magazine que j'avais emprunté à Bill Levenson.

« Tu as vu ça ? demandai-je en le lui brandissant devant les yeux. Encore un article à ton sujet. »

Il y jeta un bref coup d'œil mais ne dit pas un mot. Je n'ignorais plus rien de la catastrophe du Chungawat, pourtant je voulais lire ce qu'on en disait à la lumière de ce que j'avais appris au sujet d'Adam, de Françoise et de Greg pour voir si elle apparaissait sous un jour nouveau. En conséquence, je m'assis à la table de la cuisine et me mis à feuilleter avec impatience les pages remplies de publicités vantant les mérites de chaussures de course, d'eaux de Cologne, de costumes italiens, des pages et des pages de fanfreluches pour hommes. Je finis par tomber sur ce qui m'intéressait, un long article de fond intitulé « La zone mortelle : rêves et désastre à 8 500 mètres d'altitude. »

L'article était plus long et beaucoup plus détaillé que celui de Joanna. Son auteur, Anthony Kaplan, avait parlé à tous les survivants de l'expédition dont, découvris-je non sans surprise, Adam lui-même. Pourquoi ne me disait-il jamais ces choses-là ? L'interview avait dû faire l'objet d'une de ces interminables conversations téléphoniques ou d'un de ces rendez-vous dans un bar qui l'avaient tellement accaparé durant les derniers mois.

« Je ne savais pas que tu avais parlé à ce journaliste, remarquai-je sur un ton que j'espérais léger.

— Il s'appelle comment ? demanda Adam en se servant un nouveau whisky.

— Anthony Kaplan. »

Adam but une gorgée, puis une seconde. Il se crispa un peu. « C'était un connard. »

Je me sentais trompée. Il est banal de ne connaître de la vie d'un collègue ou d'un ami que des détails triviaux et insignifiants, tandis que les remous de sa vie intérieure restent dans l'ombre. Avec Adam c'était tout ce à quoi j'avais accès. Je connaissais son imaginaire, son univers fantasmatique, ses rêves, mais ce qu'il faisait effectivement pendant ses journées ne me parvenait que par fragments accidentels. Du coup, je chassais avec voracité tout ce qu'on écrivait sur lui, sur sa capacité à porter l'équipement des clients réduits à ramper à quatre pattes, vaincus par le mal de l'altitude. Tout le monde évoquait sa considération, sa prudence, sa lucidité.

Il y avait un détail nouveau à son sujet. Laura Tipler, une architecte d'intérieur qui avait aussi fait partie de l'expédition, avait déclaré à Kaplan avoir partagé une tente avec lui durant quelques jours lors de la montée vers le camp de base. Ce devait être à elle que Greg faisait allusion quand il m'avait dit qu'Adam n'était pas resté célibataire après sa rupture avec Françoise. Puis, sans raison apparente, Adam avait repris ses propres quartiers. Pour économiser ses ressources, j'imagine. Je n'allais pas lui en tenir rigueur. Après tout, l'épisode avait été réglé de façon adulte et consensuelle, sans rancune de part et d'autre. D'après Laura Tipler, Adam avait à l'évidence l'esprit ailleurs. Il était préoccupé par la préparation des différentes étapes de l'ascension, le calcul des divers risques encourus et des capacités de chaque membre de l'expédition à les surmonter, mais elle s'était satisfaite de son corps. La salope. Elle décrivait l'affaire avec une certaine désinvolture, comme s'il s'était agi d'une prestation optionnelle sélectionnée sur la brochure. Mais avait-il donc couché avec toutes les femmes qu'il avait rencontrées sans exception ? Je me demandai ce qu'il aurait pensé si j'avais eu la même conduite sexuelle par le passé.

« Vingt questions, lançai-je. Qui est Laura Tipler ? »

Adam réfléchit un instant avant d'éclater d'un rire sec. « Un sacré boulet, tu peux me croire !

— Tu as partagé une tente avec elle. C'est ce qu'elle raconte.

— Qu'est-ce que c'est que ces sous-entendus ? Qu'est-ce que tu cherches ?

— Rien. C'est juste que je n'arrête pas d'apprendre des choses à ton sujet dans les magazines.

— Tu n'apprendras rien sur moi dans ce torchon. » Je

le sentis courroucé. « Pourquoi tu t'embêtes avec ça ? Pourquoi tu n'arrêtes pas de fourrer ton nez partout ?

— Ce n'est pas vrai, répondis-je, sur la défensive. Je m'intéresse à ta vie, c'est tout. »

Adam se resservit. « Je ne vois pas en quoi ça te regarde. C'est à moi que j'aimerais que tu t'intéresses. »

Je lui jetai un coup d'œil inquiet. Savait-il quelque chose ? Mais il s'était de nouveau tourné vers la télévision, recommençant à zapper de chaîne en chaîne, clic, clic, clic.

Je continuai ma lecture. J'avais espéré, ou craint, trouver plus d'informations concernant la rupture entre Adam et Françoise, les tensions qui avaient pu naître entre eux sur la montagne. Mais Kaplan se contentait de mentionner en passant qu'ils avaient vécu ensemble. À part cela elle ne figurait presque nulle part dans l'article, sauf à la fin, au moment de sa disparition. Les deux femmes qui avaient rejeté Adam étaient mortes. Cette idée ne me quittait pas. Était-il possible qu'il se soit montré moins empressé à venir au secours du groupe de Françoise ? Mais cette éventualité ne tenait pas, vite balayée par l'évocation de la situation sur le flanc de montagne durant la tempête. Greg et Claude Bresson s'étaient trouvés tous les deux hors de combat. À en croire le journaliste, le plus remarquable n'était pas que cinq membres de l'expédition aient péri, mais bien que quelqu'un en soit sorti vivant, ce qui était presque entièrement à mettre au crédit d'Adam et de ses efforts répétés pour repartir dans la tempête. Cependant le doute continuait de me tirailler, et je me demandai si cela tenait au calme avec lequel il évoquait ce cauchemar.

Adam n'avait pas déclaré grand-chose, comme d'habitude. À un moment, Kaplan lui demandait s'il s'inscrivait dans la grande tradition romantique des explorateurs britanniques, à l'image du capitaine Scott. « Scott y a laissé la vie, avait répondu Adam. Et ses hommes avec lui. C'est Amundsen que j'admire. Il a préparé son expédition pour le pôle Sud à la manière d'un avoué qui rédigerait un document juridique. Il est facile de tuer de façon glorieuse les gens dont on a la responsabilité. En revanche, ce qui est difficile, c'est de s'assurer que les nœuds sont solidement attachés et de ramener tout le monde à bon port. »

À partir de cette citation, Kaplan évoquait le problème

des nœuds qui s'étaient défaits. Ainsi qu'il le soulignait, le paradoxe cruel dans ce désastre était que l'innovation dont s'était prévalu Greg McLaughlin avait balayé toute incertitude dans l'attribution des responsabilités une fois l'expédition terminée. Claude Bresson était chargé de la rampe rouge, Adam de la rampe jaune, et Greg s'était alloué l'ultime responsabilité de la rampe bleue, celle qui suivait l'arête des Gémeaux jusqu'au col juste en contrebas du sommet.

L'ensemble était d'une effroyable simplicité, une simplicité d'autant mieux soulignée qu'un schéma détaillé montrait la disposition de la rampe bleue le long de l'arête ouest et l'endroit où elle s'était détachée au beau milieu de la tempête, provoquant l'égarement d'un groupe d'alpinistes qui étaient redescendus à tâtons par l'arête est pour y trouver la mort. Pauvre Greg. Je me demandai s'il avait eu vent de cette dernière éruption de publicité.

« Pauvre Greg ! m'exclamai-je.

— Hein ?

— J'ai dit "Pauvre Greg !". Le revoilà sous les feux de l'actualité.

— Les vautours », répondit Adam avec amertume.

Il n'y avait quasiment rien dans l'article de Kaplan qui divergeât, ne serait-ce que dans le point de vue adopté, de ce que j'avais lu dans l'article de Joanna ou, avec une perspective plus personnelle, dans le livre de Klaus. Je lus l'article une seconde fois à la recherche d'une différence notable. Je n'y trouvai qu'une correction mineure. Dans le livre de Klaus, c'était Pete Papworth qu'on avait retrouvé le lendemain matin entre la vie et la mort, à marmonner « *Help ! Help !* ». Kaplan avait recoupé les déclarations de toutes les personnes impliquées avant de conclure, pour ce que cela changeait, que Papworth était mort durant la nuit et que c'était Tomas Benn qu'on avait retrouvé moribond. La belle affaire ! À part cela, les récits convergeaient en tout point.

Je m'approchai d'Adam, m'assis sur le bras de son fauteuil et lui ébouriffai les cheveux. Il me tendit son verre auquel je bus une gorgée avant de le lui rendre.

« Tu y penses souvent ?

— À quoi ?

« — Au Chungawat. Est-ce que tu y reviens sans cesse ? Est-ce que tu te demandes si ça n'aurait pas pu se passer différemment, si tu n'aurais pas pu sauver ceux qui sont morts ? Est-ce qu'il te vient à l'idée que tu aurais pu y laisser la peau ?

— Non.

— Moi, si. »

Adam se pencha pour éteindre la télévision d'un coup. La pièce fut envahie d'un silence brutal. J'entendis les bruits de la rue, un avion qui passait au-dessus de nous. « Et pourquoi à la fin ?

— La femme que tu aimais est morte sur cette montagne. Cette idée me hante. »

Adam plissa les yeux. Il posa son verre sur la table. Il se leva et me prit le visage entre ses mains. Elles étaient grandes, très puissantes. J'eus la sensation qu'il pouvait me briser la nuque d'un coup, si l'envie lui en venait. Il me fixait avec intensité. Qu'essayait-il de lire dans mon regard ?

« C'est toi la femme que j'aime, dit-il sans me quitter des yeux. C'est toi la femme en qui j'ai confiance. »

34

« C'EST pour vous. Bill Levenson. » Claudia me tendait le téléphone avec l'air navré de quelqu'un qui me livrait au bourreau.

Non sans une grimace, je saisis le combiné qu'elle me présentait. « Bonjour, ici Alice.

— Très bien, très bien. » Il paraissait fort gai pour quelqu'un qui s'apprêtait à me réduire en miettes. « Vous avez carte blanche.

— Pardon ? » Je levai les sourcils en direction de Claudia qui s'attardait à la porte, dans la crainte de me voir me décomposer.

— Vous avez carte blanche, répéta-t-il. Allez-y ! Le Drakloop IV, le projet est à vous.

— Mais...

— Vous n'êtes pas revenue sur votre idée, j'espère ?

— Absolument pas. »

Je n'y avais pas accordé la plus petite minute. Le Drakloop avait été très loin de mes préoccupations ces derniers jours. Même à la minute présente, j'arrivais à peine à rassembler l'énergie nécessaire pour paraître intéressée.

« Alors vous n'avez plus qu'à vous y mettre. Dressez une liste de tout ce dont vous avez besoin, établissez un calendrier, puis envoyez-moi le tout par e-mail. J'ai agité quelques caboches et tout le monde est prêt. À présent, je vous ai passé le ballon, Alice. À vous de monter à l'attaque.

— Parfait », répondis-je. S'il espérait me tirer des exclamations d'enthousiasme ou de gratitude, il allait être déçu. « Que va-t-il se passer pour Mike, Giovanna et les autres ?

— Les réjouissances, c'est mon rayon.

269

— Ah.

— Bien joué, Alice. Je suis sûr que nous allons faire du Drakloop IV un franc succès. »

Je quittai le bureau plus tard que d'habitude, afin de ne pas me retrouver face à face avec Mike. Dans quelque temps, me disais-je, je l'emmènerai prendre un pot et nous nous prendrons une bonne cuite tous les deux, nous maudirons la Direction générale et leurs machinations dégueulasses, comme si elles ne nous avaient pas même effleurés. Mais pas aujourd'hui. J'avais d'autres soucis, je n'étais pas en mesure de prendre les devants sur le soutien qu'il me faudrait lui apporter. J'avais mis ce côté-ci de ma vie en attente. Je me brossai les cheveux que je ramassai dans un nœud bas sur la nuque, puis je vidai dans la poubelle l'intégralité de mon cendrier qui débordait.

Klaus m'attendait derrière les portes coulissantes. Il mangeait un beignet tout en lisant le journal de la veille, qu'il replia quand il me vit.

« Alice ! » Il m'embrassa sur les deux joues, puis me scruta attentivement. « Tu as l'air un peu fatiguée. Tu vas bien ?

— Qu'est-ce que tu fais là ? »

Il faut avouer à son crédit qu'il parut un peu embarrassé par ma question. « Adam m'a demandé si je pouvais te raccompagner. Il était inquiet à ton sujet.

— Je vais très bien. C'est une perte de temps pour toi. »

Il me passa le bras sous le sien. « Ça me fait plaisir. Je ne faisais rien de toute façon. Tu pourras m'offrir une tasse de thé une fois chez toi. »

J'hésitai, affichant pleinement mon mécontentement.

« J'ai promis à Adam », dit Klaus. Sur ce il entreprit de m'escorter jusqu'à la station de métro.

« Je veux rentrer à pied.

— À pied ? D'ici ? »

Tout cela commençait à devenir irritant. « Je vais très bien et je rentre à pied. Tu viens ?

— Adam ne cesse de dire que tu es têtue.

— C'est le printemps. Regarde le ciel. On peut traverser le West End puis passer par Hyde Park. Ou alors tu peux foutre le camp et je rentrerai seule.

— Tu as gagné, comme toujours.

— Et Adam, qu'est-ce qui l'a empêché de venir en personne me raccompagner ? demandai-je, une fois sur le trottoir d'en face, après avoir traversé la rue à l'endroit même où j'avais pour la première fois posé les yeux sur lui, et lui sur moi.

— Je crois qu'il devait retrouver un cameraman qui pourrait nous accompagner dans l'expédition.

— Tu as lu l'article sur le Chungawat dans *Guy* ?

— J'ai parlé avec Kaplan au téléphone. Il m'avait donné l'impression d'être un pro.

— Il ne raconte pas grand-chose de nouveau.

— C'est ce qu'il m'avait dit.

— Sauf un truc. Tu as écrit que c'était Pete Papworth qui avait survécu pendant la nuit et qu'on avait retrouvé à demi mourant en train d'appeler au secours, alors que Kaplan déclare qu'en fait il s'agissait de Tomas Benn.

— L'Allemand ? » Klaus fronça les sourcils, comme s'il tentait de rassembler ses souvenirs, puis il sourit. « Kaplan doit avoir raison. Je n'avais pas franchement l'esprit très clair à l'époque.

— Et tu n'as pas mentionné le fait que Laura Tipler avait partagé la tente d'Adam. »

Il me jeta un coup d'œil intrigué, sans rompre son allure. « Ça me paraissait relever de leur vie privée.

— Elle était comment ? »

Une légère désapprobation se lisait à présent dans son regard. Il paraissait considérer que j'étais en train d'enfreindre une règle tacite. « C'était avant qu'il te rencontre, finit-il par déclarer.

— Je sais. Et ça voudrait dire que je n'ai pas le droit de savoir quoi que ce soit à son sujet ? » Il ne répondit pas. « Ni au sujet de Françoise ? Je ne dois rien savoir des autres non plus ? » Je m'interrompis. « Désolée. Je n'avais pas l'intention d'insister de la sorte.

— Debbie m'a dit que tu avais légèrement tendance à t'appesantir sur le passé.

— Vraiment ? Elle aussi a eu une aventure avec lui à une époque ! » lançai-je, presque en criant, d'une voix anormalement stridente. Je commençais à me faire peur.

« Bon Dieu, Alice ! »

271

— On ferait peut-être mieux de s'arrêter. Je vais peut-être prendre un taxi. Je me sens un peu fatiguée. »

Sans un mot, Klaus s'engagea sur la chaussée pour héler un taxi qui passait. Il m'ouvrit la porte puis s'installa à côté de moi malgré mes protestations.

« Désolée », répétai-je.

Nous roulâmes d'abord dans un silence de plus en plus gêné à mesure que le taxi avançait en zigzaguant dans la circulation du soir.

« Tu n'as aucune raison d'être jalouse, finit-il par dire.

— Je ne suis pas jalouse. J'en ai ma claque des secrets, des mystères, d'apprendre des choses sur Adam dans les articles que je lis dans les journaux, ou par les miettes que les uns et les autres laissent échapper sans réfléchir. J'ai l'impression de passer mon temps en embuscade. Je ne sais jamais d'où la surprise va venir.

— D'après ce que j'ai cru comprendre, on ne peut pas exactement dire que les surprises te sautent dessus. Il semblerait plutôt que tu n'arrêtes pas de creuser pour les débusquer. » Il posa une main chaude et calleuse sur la mienne. « Fais-lui confiance. Arrête de te tourmenter. »

Je commençai à rire, mais me retrouvais bientôt secouée de sanglots et de hoquets. « Désolée, répétai-je encore une fois. Je ne suis pas comme ça d'habitude.

— Peut-être devrais-tu te faire aider », dit Klaus.

Je restai bouche bée. « Tu crois que je perds la tête ? C'est ça que tu penses ?

— Non, je crois juste que ça pourrait t'aider de parler de tout ça avec quelqu'un d'extérieur. Écoute, Adam est mon pote, mais je sais ce qu'il peut être tête de lard par moments. Si tu as des problèmes, fais-toi aider pour les régler.

— Tu as peut-être raison. » Mes yeux me brûlaient. Je m'enfonçai dans mon siège et les fermai. Je me sentais absolument vidée, gagnée par une épouvantable morosité. « Je me suis sans doute conduite comme une idiote.

— Ça nous arrive à tous. » Ma reddition soudaine parut le soulager.

Une fois le taxi arrivé, je ne l'invitai pas à prendre la tasse de thé qu'il s'était promise, mais je ne crois pas qu'il m'en tint rigueur. Il m'étreignit à la porte avant de s'éloigner d'un pas rapide, le manteau au vent. Je montai les marches d'un pas lourd, abattue et quelque peu honteuse. Je me rendis dans la salle de bains pour m'examiner dans la glace. Ce que j'y vis ne me plut guère. Puis je jetai un coup d'œil à l'appartement, qui n'avait pas bougé depuis ce matin. Des assiettes s'accumulaient dans l'évier depuis quelques jours, les tiroirs n'étaient pas fermés, des pots de miel et de confiture traînaient, sans couvercle, il y avait du pain en train de rassir sur la planche à découper, des sacs-poubelle pleins entassés par terre sur le lino crasseux couvert de miettes. Le salon était jonché de tasses sales, de journaux et de magazines jetés par terre au milieu de bouteilles de vin ou de whisky vides. Un bouquet de jonquilles qui avait viré au brun achevait de se flétrir dans un pot de confiture. On aurait dit que le tapis n'avait pas été aspiré depuis des semaines. Tout bien réfléchi, cela faisait des semaines que nous n'avions pas changé les draps ni fait de lessive.

« Eh merde ! m'exclamai-je, prise de dégoût. J'ai une sale gueule et je vis dans un taudis. Parfait. »

Je me relevai les manches puis j'attaquai par la cuisine. J'allais remettre ma vie en ordre. Une fois la table et les plans de travail dégagés, je me sentis mieux. Je fis la vaisselle, jetai toutes les denrées qui s'abîmaient ou qui pourrissaient à la poubelle, avec tous les rogatons de bougie et les tas de prospectus accumulés, puis je frottai le sol à l'eau savonneuse chaude. Je rassemblai toutes les bouteilles et les vieux journaux pour les mettre au panier, sans même m'arrêter pour lire les nouvelles de la semaine écoulée. Je me débarrassai du bol de Sherpa, en essayant de ne pas me rappeler la dernière image que j'avais de lui. Je défis le lit et déposai les draps dans le coin de la chambre, prêts pour la lessive. Je rangeai les chaussures par paire, je mis les livres en piles nettes. J'éliminai les marques de niveau sur la baignoire et nettoyai le fond de la douche. J'ajoutai les serviettes à la pile de linge.

Ensuite je me préparai une tasse de thé avant de m'attaquer aux boîtes en carton glissées sous notre lit surélevé, dans lesquelles Adam et moi avions pris l'habitude de fourrer tout ce dont nous n'avions pas l'intention de nous occuper mais que pour autant nous n'étions pas encore décidés à jeter. L'espace d'une seconde, j'envisageai de tout déposer dehors à côté des poubelles sans même prendre la peine d'y jeter un œil. Mais à ce moment j'aperçus un bout de papier sur lequel j'avais gribouillé le numéro professionnel de Pauline. Il ne fallait pas que je jette ça. Je commençai à fourrager dans les vieilles factures, les plus récentes, les cartes postales, les revues scientifiques que je n'avais toujours pas lues, les photocopies d'éléments concernant le Drakloop, les morceaux de papier couverts de messages que j'avais laissés pour Adam, ou qu'il avait laissés pour moi. « Je serai de retour à minuit. Ne t'endors pas. » À mesure que je les relisais des larmes vinrent une nouvelle fois me picoter les paupières. Des enveloppes vides. D'autres qui n'avaient pas été ouvertes, adressées au propriétaire de l'appartement. Je les portai jusqu'au secrétaire dans le coin de la chambre puis entrepris de les classer en trois piles. Une pile à jeter, une pour les affaires à régler sans plus attendre, une troisième à remettre dans le carton. L'une d'elles s'écroula, faisant glisser plusieurs feuilles derrière le bureau. Je tentai de les attraper en me penchant sur le côté mais l'interstice était trop étroit. J'eus la tentation de les laisser là, mais non, j'avais décidé de tout nettoyer dans l'appartement. Même les recoins invisibles. Du coup, au prix d'un gros effort, j'écartai le bureau du mur. Je retirai les papiers tombés. Bien entendu, je trouvai là un échantillon de ce qui vient aussi s'échouer derrière un meuble : un trognon de pomme rabougri, un trombone, un capuchon, une vieille enveloppe déchirée. J'examinai cette dernière pour voir si je pouvais la jeter. Elle était adressée à Adam. Puis je la retournai. Le coup que je ressentis à l'estomac fut si brutal que j'en eus le souffle coupé.

« La journée a été dure ? » demandait le message. C'était l'écriture minuscule d'Adam, son tracé épais à l'encre noire. Puis, de nouveau, sur la ligne suivante : « La journée a été dure, Adam ? » Puis « Dure journée, Adam ? Va prendre un bain. » Ensuite, au-dessous, s'étalait en majuscules familières la formule : DURE JOURNÉE.

Les mots étaient répétés à la manière d'un exercice scolaire : DURE JOURNÉE DURE JOURNÉE DURE JOURNÉE DURE JOURNÉE DURE JOURNÉE.

Puis : ADAM ADAM ADAM ADAM ADAM ADAM ADAM

Et enfin : DURE JOURNÉE ADAM ? VA PRENDRE UN BAIN.

Je ne devais pas perdre la tête. Je ne devais pas me laisser gagner par mon obsession. Je m'efforçai de trouver l'explication sensée, rassurante, j'essayai de tout cœur. Adam avait pu griffonner d'une main absente, en pensant au message, recopiant les mots les uns à la suite des autres. Mais ce n'était pas cela que je trouvais sur cette enveloppe. Il ne s'agissait pas de griffonnages. C'était Adam en train d'imiter l'écriture des notes précédentes, celles de Tara, jusqu'à ce qu'il y parvienne, afin de briser les liens entre Tara et le harcèlement dont nous avions été victimes. À présent je savais. Pour Sherpa comme pour tout le reste. Je savais ce que j'avais deviné depuis longtemps. La seule vérité qui m'était insupportable.

Je ramassai l'enveloppe. Mes mains ne tremblaient pas. Je la cachai dans le tiroir qui contenait mes dessous, avec la lettre d'Adèle, puis je retournai au pied du lit pour remettre là où je les avais trouvés tous les papiers que j'avais ôtés des cartons pour les trier. Je repoussai les cartons sous le lit, puis je m'appliquai même à effacer les rainures qu'ils avaient creusées sur la moquette.

J'entendis le bruit de pas qui montaient l'escalier. Je me dirigeai sans me presser vers la cuisine. Il entra et vint se planter devant moi. Je l'embrassai sur les lèvres avant de le serrer fort dans mes bras. « J'ai fait un grand nettoyage de printemps », dis-je, d'une voix tout à fait ordinaire.

Il me rendit mon baiser et me regarda dans les yeux. Je restai de marbre, je ne détournai pas le regard.

35

ADAM avait compris. Du moins il savait quelque chose. Parce qu'il était là en permanence, l'œil sans cesse braqué sur moi. Un observateur détaché aurait pu voir dans cette sollicitude extrême la même fougue qu'au début de notre aventure, quand ni l'un ni l'autre ne pouvions supporter physiquement de nous retrouver séparés. Cependant son attitude relevait plus de celle d'un médecin très consciencieux qui refuserait de quitter des yeux ne serait-ce qu'une seconde une patiente instable, de crainte qu'elle ne se mutile.

Il ne serait pas juste de dire qu'Adam me suivait partout où j'allais. Il ne m'accompagnait pas au bureau chaque matin sans exception, il ne venait pas non plus m'y chercher tous les soirs. Il ne m'y appelait pas en permanence. Mais la chose était suffisamment fréquente pour que je sache quel danger je courais à repartir dans une de mes enquêtes en sous-main. Il était constamment dans mes parages. J'étais même convaincue que parfois il se trouvait tout près de moi sans que je m'en rende compte. Par moments, alors que je marchais dans la rue, il m'arrivait de me retourner avec la sensation d'être observée ou d'avoir aperçu quelqu'un. Je ne le pris jamais sur le fait. Ce qui ne voulait pourtant pas dire que je m'étais trompée. Cela n'avait pas d'importance de toute façon. Il me semblait que je savais tout ce dont j'avais besoin. J'avais tous les éléments en tête. Je n'avais qu'à y réfléchir. Il fallait que je clarifie les événements.

Greg repartait pour les États-Unis pour quelques mois. Le samedi précédant son départ, quelques amis avaient organisé une soirée d'adieu. Il avait plu presque toute la journée et Adam et moi ne nous étions pas levés avant midi. Mais tout à coup Adam s'était habillé à la hâte, annonçant qu'il serait parti pour quelques heures. Il m'avait quittée après m'avoir apporté une tasse de thé et écrasé un baiser rude sur les lèvres. Je restai au lit et m'obligeai à repenser à toute l'histoire, clairement, point par point, comme si Adam représentait un problème que j'avais à résoudre. Tous les éléments étaient là, il fallait juste que je les mette dans le bon ordre. Sous la couette, en écoutant la pluie marteler le toit ou les voitures accélérer dans les flaques, je repris toute l'histoire jusqu'à en avoir mal à la tête.

Je retournai mentalement les événements du Chungawat dans tous les sens, la tempête, la maladie de l'altitude qui avait frappé Greg ainsi que Claude Bresson, l'exploit extraordinaire qu'Adam avait réalisé en guidant les randonneurs dans la descente de l'arête des Gémeaux, le décrochage de la dernière rampe et le tournant désastreux qu'avaient du coup pris les cinq disparus, Françoise Colet, Pete Papworth, Caroline Frank, Alexis Hartounian et Tomas Benn. Françoise Colet, qui venait de rompre avec Adam, qui vivait une aventure avec Greg.

Adèle Blanchard avait rompu avec Adam. Comment le Adam que je connaissais réagissait-il à l'abandon ? Il avait sans doute voulu sa mort et elle avait disparu. Françoise Colet avait rompu avec Adam. Il avait sans doute voulu sa mort et elle s'était éteinte sur la montagne. Ce qui ne voulait pas dire qu'il l'avait tuée. Imaginons que je veuille la mort d'un autre et que cette personne meure, cela signifierait-il que je doive me sentir responsable, même si je n'avais rien fait ? Je revenais sans cesse à cette question. Et s'il n'avait pas mis assez de volonté à la sauver ? Mais, à en croire tous les autres, il en avait déjà fait plus qu'il n'était humainement possible dans des circonstances similaires. Et quand bien même il aurait rejeté son groupe au bas de la liste de ses priorités tandis qu'il sauvait la vie des autres ? Cela le rendait-il responsable de sa mort et de celle des autres membres de l'expédition ? Il avait bien fallu que quelqu'un établisse des priorités. On ne pouvait mettre les morts sur le compte de Klaus, par exemple, parce qu'il n'avait même pas été physiquement en mesure de se sauver lui-même, encore moins de décider dans quel ordre secourir les autres. Tout cela était idiot. Adam n'aurait de toute façon pas pu prévoir l'orage.

Pourtant il y avait quelque chose qui me gênait, comme une petite démangeaison si légère qu'on n'arrive même pas à la localiser précisément, dont on ne peut dire si elle se trouve à la surface de la peau ou quelque part en dessous, mais qui vous empêche de vous détendre. Peut-être était-ce un détail technique, mais aucun des experts en alpinisme n'avait rien mentionné de la sorte. Le seul détail technique pertinent était le fait que la rampe fixe installée par Greg s'était détachée au moment crucial, mais cela avait pareillement gêné tous les groupes qui descendaient. Le fait que le groupe de Françoise se soit trompé de voie ne relevait que du pur hasard. Cependant quelque chose me titillait. Pourquoi ne pouvais-je cesser d'y repenser ?

Je finis par renoncer. Je pris une longue douche puis j'enfilai un jean et une des chemises d'Adam, avant de me préparer un toast. Je n'eus pas le temps de le manger parce que la sonnette de la porte d'entrée retentit. Je n'attendais personne, je n'avais même aucune envie de voir du monde. Je pris donc d'abord le parti de ne pas répondre. Mais la sonnerie se fit entendre à nouveau, plus insistante cette fois. Du coup je dévalai les escaliers.

Une femme d'âge mûr se tenait devant la porte, sous un grand parapluie noir. C'était une femme relativement massive, aux courts cheveux grisonnants. Elle avait des rides autour des yeux. Un pli lui marquait la commissure des lèvres. Il m'apparut immédiatement qu'elle n'avait pas l'air heureuse. Je ne l'avais jamais vue.

« Oui ?

— Adam Tallis ? » demanda la femme. Elle avait un accent prononcé.

« Je suis désolée. Il n'est pas là pour l'instant. »

Elle parut ne pas comprendre.

« Pas là, répétai-je avec lenteur, observant son expression abattue et l'affaissement de ses épaules. Je peux vous aider ? »

Elle secoua la tête, puis posa la main sur sa poitrine sanglée dans un imperméable. « Ingrid Benn, dit-elle. Je suis la femme de Tomas Benn. » Je dus tendre l'oreille pour la comprendre, tant parler semblait lui coûter d'efforts. « Pardon, mon anglais pas... » Elle fit un geste d'impuissance. « Je veux parler à Adam Tallis. »

J'ouvris la porte en grand. « Entrez. Je vous en prie. » Je lui pris son parapluie que je refermai avec une secousse pour évacuer le trop-plein d'eau. Elle s'avança et je refermai la porte derrière elle d'une main ferme.

Je me souvenais à présent que quelques semaines plus tôt elle avait écrit à Adam et à Greg pour leur demander si elle pouvait venir les voir au sujet de la mort de son mari. Elle s'installa à la table de la cuisine, dans sa tenue chic et pratique, ses souliers impeccables, une tasse de thé à la main. Pourtant elle n'y toucha pas, fixant sur moi un regard désemparé, comme si elle attendait de moi une réponse quelconque, bien que comme Tomas elle parlât à peine anglais, tandis que je ne connaissais pas un mot d'allemand.

« Je suis terriblement navrée, dis-je. Pour votre mari. Je suis vraiment désolée. »

Elle hocha la tête et se mit à pleurer. Les larmes dégoulinaient sur ses joues mais elle ne les essuyait pas, elle restait là sans faire le moindre geste, une fontaine de tristesse. Il y avait quelque chose d'impressionnant dans son chagrin muet, sans résistance. Elle n'y mettait aucun obstacle. Au contraire, elle le laissait la submerger. Je lui tendis un mouchoir en papier qu'elle garda dans sa main, comme si elle en ignorait la fonction. « Pourquoi ? finit-elle par dire. Pourquoi ? Tommy disait... » Elle chercha le mot avant d'abandonner.

« Je suis désolée, dis-je très lentement. Adam n'est pas là. »

Cela ne semblait plus avoir tellement d'importance. Elle sortit une cigarette, je lui dégottai une soucoupe, et elle resta là à fumer en pleurant, mélangeant des bribes d'anglais et d'allemand. Je restai là à regarder ses grands yeux bruns tristes, ponctuant ses paroles de haussements d'épaules et de hochements de tête. Puis, petit à petit, elle se calma et nous passâmes quelques instants assises en silence. Était-elle déjà allée voir Greg ? Je n'imaginai pas leur rencontre sous de très bons auspices. L'article sur le désastre dans *Guy* s'étalait sur la table. Ingrid l'aperçut et s'en empara. Elle examina la photo de groupe de l'expédition et caressa le visage de son mari décédé. Elle me regarda, un sourire esquissé sur les lèvres. « Tomas », déclara-t-elle d'une voix à peine audible.

Elle tourna la page. Elle s'arrêta sur le croquis de la montagne, qui montrait l'installation des rampes fixes. Elle se mit à le marteler du doigt. « Tomas a dit parfait, oui, parfait. Pas de problème. »

Puis elle se remit à parler en allemand. J'étais perdue à nouveau, jusqu'à ce que j'entende un mot familier, répété plusieurs fois. « Oui, interrompis-je. *Help !* » Ingrid parut troublée. Je soupirai. « *Help*, répétai-je d'une voix lente. C'est le dernier mot de Tomas. *Help !*

— Non, non, corrigea-t-elle avec insistance. *Gelb*.

— Help.

— Non, non. *Gelb*. » Elle désigna le schéma. « *Rot*, ici. *Blau*, ici. *Und Gelb*. »

Mon regard se figea. « *Rot* veut dire, euh, rouge, n'est-ce pas ? Et *Blau* c'est...

— Bleu.

— Et *Gelb*. »

Elle balaya l'appartement des yeux. Elle pointa le doigt vers un coussin posé sur le canapé.

« Jaune, dis-je.

— Oui. Jaune. »

Je ne pus retenir un rire devant ce galimatias. Ingrid me répondit d'un sourire triste. Puis ce fut comme si on avait tourné un mécanisme dans ma tête. Comme si le dernier numéro d'une combinaison de cadenas s'insérait dans son encoche avec un cliquetis métallique. Les portes s'ouvrirent d'un coup. Jaune. *Gelb*. Bien sûr. Pourquoi se serait-il mis à parler anglais alors qu'il était à l'article de la mort ? C'était absurde. Pas l'homme qui avait freiné l'expédition parce qu'il ne savait pas un mot d'anglais. Son dernier mot avait été une couleur. Pourquoi ? Qu'essayait-il de dire ? Dehors, la pluie tombait en un rideau égal. Puis je souris à nouveau. Comment avais-je pu être aussi stupide ?

« S'il vous plaît ? » Elle me regardait.

« Mrs. Benn, dis-je. Ingrid. Je suis tellement désolée.

— Oui.

— Je crois que vous feriez mieux de partir à présent.

— Partir ?

280

— Oui.

— Mais...

— Adam ne vous sera d'aucun secours.

— Mais...

— Rentrez chez vous, allez retrouver vos enfants. » Peut-être n'en avait-elle pas, toujours est-il qu'elle avait l'allure d'une mère à mes yeux. En fait, elle ressemblait un peu à ma propre mère.

Elle se leva sans broncher et s'empara de son imperméable.

« Je suis vraiment navrée », répétai-je une dernière fois en lui fourrant le parapluie entre les mains, et elle sortit.

Greg était ivre quand nous arrivâmes. Il m'étreignit avec un peu trop d'effusion, puis ce fut le tour d'Adam. Je retrouvai les mêmes visages familiers : Daniel, Deborah, Klaus, ainsi que d'autres alpinistes. J'eus soudain l'impression frappante d'être en présence de militaires en permission qui se rencontraient dans des refuges sélectionnés parce qu'ils savaient que les civils ne pourraient pas comprendre ce qu'ils avaient traversé. Cette soirée n'était qu'un interlude entre deux champs de manœuvres, qu'il fallait juste supporter avant de retourner à la vraie vie, une vie d'efforts extrêmes et de dangers. Une fois de plus, je me demandai ce qu'ils pensaient de moi. N'étais-je qu'une folie à leurs yeux, comme ces virées insensées qu'effectuaient les soldats durant leurs week-ends de permission pendant la seconde guerre mondiale ?

L'atmosphère était assez gaie. Peut-être Adam avait-il l'air un peu ailleurs, mais cela tenait sans doute à mon excessive sensibilité. Il se trouva vite embrigadé dans la conversation. En revanche il ne pouvait y avoir de doute quant à l'humeur de Greg : il avait une mine épouvantable. Il dérivait de groupe en groupe, sans dire grand-chose. Il ne cessait de se resservir à boire. Au bout de quelque temps je me trouvai seule avec lui.

« Je n'ai pas vraiment l'impression d'avoir ma place ici, dis-je, mal à l'aise.

— Moi non plus, répondit-il. La pluie a cessé. Laissez-moi vous montrer le jardin de Phil et Marjorie. »

La soirée se tenait chez un ancien compagnon d'alpinisme

qui avait abandonné la partie une fois ses études terminées pour intégrer le monde des affaires. Alors que ses amis étaient encore des vagabonds occupés à arpenter la planète, toujours en quête de fonds à la petite semaine, flairant les sponsors éventuels, Phil possédait cette magnifique demeure à deux pas de Ladbroke Grove. Nous sortîmes dans le jardin. L'herbe était humide. J'eus bientôt les pieds froids et trempés, mais il était agréable de se trouver dehors. Nous allâmes jusqu'au muret au fond du jardin d'où nous regardâmes la maison voisine. Je me retournai. J'aperçus Adam derrière la fenêtre du rez-de-chaussée, au milieu d'un groupe d'invités. À une ou deux reprises il jeta un œil vers nous. Greg et moi levâmes nos verres dans sa direction. Il nous répondit de même.

« J'aime cette situation, remarquai-je. J'aime bien sentir que les jours rallongent, que ce soir il fait plus clair que la veille, et que demain la nuit tombera plus tard encore.

— Si Adam n'était pas là à nous regarder, j'aurais envie de t'embrasser, Alice, dit Greg. Je veux dire, j'ai envie de t'embrasser, mais si Adam n'était pas là à nous regarder, eh bien c'est ce que je serais en train de faire.

— Alors je suis contente qu'il soit là. Regardez. » J'agitai ma main gauche devant ses yeux, mon alliance bien en évidence. « Confiance, fidélité éternelle et le reste.

— Désolé, je sais. » Greg reprit son air morose. « Vous vous souvenez du *Titanic* ?

— J'en ai entendu parler, répondis-je dans un demi-sourire, consciente qu'il était très ivre.

— Tu sais... ? » Il s'interrompit. « Vous savez qu'aucun des officiers qui ont survécu au *Titanic* n'a jamais eu le commandement d'un navire.

— Non, je l'ignorais.

— C'est la malchance, voyez-vous. Ça faisait moche sur leur CV. Quant au capitaine, il a eu la chance de couler avec le navire. C'est ce que les capitaines sont censés faire. Tu sais pourquoi je pars aux États-Unis ?

— Pour une course.

— Non, répondit-il avec une vigueur excessive. Non. J'y vais pour liquider l'affaire. Voilà le travail. *Finito*. Une ligne tracée dans le sable. Je vais chercher un autre domaine d'activité. Au moins, le capitaine Achab a plongé avec la baleine. Des gens dont j'avais la responsabilité sont morts, c'était ma faute et je suis fini.

— Non, ce n'est pas vrai. Je veux dire, ce n'est pas votre faute.

— Comment ça ? »

Je jetai un coup d'œil alentour. Adam était toujours à l'intérieur. Aussi fou que cela puisse paraître, considérant l'état d'ébriété dans lequel se trouvait Greg, il fallait que je lui dise avant qu'il ne parte. Quoi que je décide de faire plus tard, je lui devais cela. Je n'en aurais sans doute plus jamais l'occasion par la suite. Peut-être étais-je aussi mue par l'illusion de trouver en lui un allié, de ne plus me sentir aussi seule si je le lui disais. J'entretenais l'espoir insensé qu'il sorte d'un coup de sa torpeur maussade pour venir à mon secours.

« Avez-vous lu le livre de Klaus ? lui demandai-je.

— Non, répondit-il en levant son verre de vodka.

— Arrêtez, dis-je en interceptant son geste. Ne buvez plus une goutte. Je veux que vous vous concentriez sur ce que je vais dire. Vous savez certainement que quand le groupe qui s'est perdu sur le Chungawat a été ramené au camp, l'un des malheureux conservait encore un souffle de vie. Vous souvenez-vous de qui il s'agissait ? »

Le visage de Greg s'était figé dans une expression lugubre. « Je n'étais plus franchement conscient à ce moment. C'était Peter Papworth, non ? Il appelait à l'aide, le pauvre bougre. Il demandait l'aide que j'ai été incapable de lui apporter.

— Non, repris-je. C'est ce qu'a cru Klaus, mais il s'est trompé. Ce n'était pas Papworth. C'était Tomas Benn.

— Oh, répondit Greg. Il n'y en avait pas un pour rattraper l'autre. Nous étions tous en piteux état.

— Et quelle était la principale caractéristique de Tomas Benn ?

— Il ne valait pas un clou comme alpiniste.

— Non, vous me l'avez dit vous-même. Il ne parlait pas un mot d'anglais.

— Et alors ?

— *Help ! Help ! Help !* C'est ce que les autres l'ont entendu dire au moment où il s'est éteint, quand il a sombré dans le coma. Drôle de moment pour se mettre à parler anglais. »

Greg haussa les épaules. « Peut-être l'a-t-il dit en allemand.

— "À l'aide" se dit *hilfe* en allemand. Ça n'a pas grand-chose à voir avec "*Help !*".

— C'était peut-être quelqu'un d'autre.

— C'est impossible. L'article de *Guy* cite trois sources différentes qui ont rapporté ses derniers mots. Deux Américains et un Australien.

— Alors pourquoi ont-il affirmé l'avoir entendu appeler à l'aide ?

— Parce que c'est ce qu'ils s'attendaient à l'entendre crier. Mais je ne crois pas que ce soit ce qu'il a dit.

— Et que pensez-vous qu'il a dit ? »

Je me retournai. Adam était toujours à l'intérieur, il n'y avait pas de danger. Je lui adressai un signe de main enjoué.

« Je crois qu'il a dit "*Gelb*".

— "*Gelb*" ? Et ça voudrait dire quoi ?

— Ça signifie jaune en allemand.

— *Jaune* ? Et pourquoi diable se serait-il mis à beugler "Jaune !" au moment de mourir ? Il hallucinait ou quoi ?

— Non. Je crois qu'il réfléchissait au problème qui avait provoqué sa mort.

— Que voulez-vous dire ?

— Il songeait à la couleur de la rampe que ce groupe avait suivie pour redescendre l'arête des Gémeaux. Le mauvais côté de l'arête. Une rampe jaune. »

Greg commença à répondre, mais s'interrompit. Je le regardai intégrer lentement ce que je venais de dire.

« Mais la rampe qui descendait l'arête des Gémeaux était bleue. C'était ma couleur. Ils ont pris par le mauvais côté de l'arête parce que la rampe s'est décrochée. Parce que je ne l'avais pas fixée correctement.

— Ce n'est pas mon opinion. Je crois que les deux pitons supérieurs de votre rampe se sont détachés parce que quelqu'un les a tirés. Et je crois que Françoise, Peter, Carrie, Tomas et le cinquième, comment s'appelait-il déjà ?...

— Alexis, murmura Greg.

— ... Ils ont pris par le mauvais côté parce qu'une rampe les y emmenait. Une rampe jaune. »

Greg parut abasourdi, en proie à une douleur diffuse.

« Comment pouvait-il y avoir une rampe jaune à cet endroit ?

— Parce qu'elle y avait été mise pour les égarer.

— Mais par qui ? »

Je me tournai pour lever les yeux vers la fenêtre une fois encore. Adam jeta un coup d'œil dans notre direction avant de revenir à la femme avec qui il parlait.

« C'était peut-être une erreur, dit Greg.

— Il est impossible qu'elle se soit trouvée là par erreur », répondis-je avec lenteur.

Un long, un très long silence s'ensuivit. À plusieurs reprises Greg croisa mon regard avant de se détourner. Soudain il s'assit à même le sol mouillé. Les branches du buisson se reculèrent, nous aspergeant tous deux de gouttes. Il était agité de spasmes, secoué de sanglots irrépressibles.

« Greg, le pressai-je dans un sifflement. Reprenez-vous. »

Il ne s'arrêtait plus de pleurer. « Je ne peux pas. Je ne peux pas. »

Je me penchai et, le saisissant d'une poigne ferme, me mis à le secouer. « Greg ! Greg ! » Je le forçai à se lever. Il avait le visage rouge, barbouillé de larmes. « Vous devez m'aider, Greg. Je n'ai personne. Je suis complètement seule.

— Je ne peux pas. Je ne peux pas. Le fumier de salopard ! Je ne peux pas. Où est mon verre ?

— Vous l'avez fait tomber.

— J'ai besoin de boire un coup.

— Non.

— J'ai besoin de boire un coup. »

Greg s'éloigna en trébuchant dans l'allée et rentra dans la maison. J'attendis quelque temps, prenant de profondes inspirations pour me calmer. J'avais le cœur qui battait la chamade. Il me fallut quelques minutes pour revenir à la normale. En pénétrant dans la cuisine au sous-sol, j'entendis un terrible fracas, puis des cris qui venaient de l'étage, des bruits de verre brisé. Je m'élançai dans l'escalier de pierre. Dans le salon, il y avait une mêlée, un attroupement au sol. Des meubles gisaient, renversés, un rideau avait été arraché. La pièce retentissait de cris et de hurlements. Au

285

début je ne pus même pas distinguer qui se bagarrait, mais je vis bientôt qu'on séparait Greg de quelqu'un. C'était Adam, les mains relevées contre son visage. Je courus vers lui.

« Fumier de salopard ! criait Greg. Fumier de salopard ! » Il regarda autour de lui pour reprendre son équilibre et s'enfuit de la pièce comme un fou. La porte d'entrée claqua. Il était parti.

Des expressions incrédules se lisaient sur les visages. Je regardai Adam. Une profonde balafre lui barrait la joue. Son œil commençait déjà à enfler. Il avait les yeux braqués sur moi. « Oh, Adam, dis-je en me précipitant à ses côtés.

— Qu'est-ce qui s'est passé ? » demanda quelqu'un. C'était Deborah. « Alice, tu as parlé avec lui. Qu'est-ce qui lui a pris ? »

Je balayai du regard les visages autour de moi, les amis d'Adam, ses collègues, ses compagnons, tous empreints de la même attente, du même ahurissement, de la même révolte devant l'attaque inattendue. Je haussai les épaules. « Il était ivre, déclarai-je. Il a sans doute craqué. Toute cette histoire a fini par le briser. » Je revins vers Adam. « Laisse-moi nettoyer tout ça, mon amour. »

36

C'ÉTAIT une piscine du genre de celles que j'avais fréquentées dans mon enfance, agrémentée de cabines de douche humides carrelées de vert, avec un bassin à deux niveaux dans lequel flottaient de vieux pansements et de petits agrégats de cheveux. Des pancartes enjoignaient le public de ne pas courir, de ne pas plonger, de ne pas fumer ni incommoder les baigneuses. Des drapeaux fatigués pendaient sous les néons qui bringuebalaient. Dans le vestiaire commun, on trouvait des femmes de toutes les formes et de toutes les tailles. On aurait dit un dessin tiré d'un livre d'enfant, illustrant les différences physiques entre les humains : fesses rebondies contre seins flasques striés de veines apparentes, cages thoraciques décharnées et épaules osseuses. Je m'examinai dans le miroir terni avant d'enfiler mon maillot de bain. Une fois de plus, je m'alarmai de me trouver l'air si mal en point. Comment avais-je pu ne pas le remarquer plus tôt ? Puis je mis mon bonnet de bain et mes lunettes, que je serrai au point de me faire saillir les yeux. Je m'avançai vers le bassin d'un pas martial. Cinquante longueurs, c'est la distance que je m'étais fixée.

Cela faisait des mois que je n'avais pas nagé. Je me sentais les jambes alourdies, que ce soit dans les moulinets de brasse ou les battements du crawl. La poitrine me cuisait. De l'eau s'infiltrait dans mes lunettes et me piquait les yeux. Un homme sur le dos, dont les bras effectuaient des rotations dignes d'une scie mécanique, me frappa en plein ventre avant de me crier dessus. Je nageai en comptant les longueurs, perçant l'eau turquoise derrière mes lunettes. Quel ennui : une dans un sens, une dans l'autre, une dans un sens, une dans l'autre. Je compris pourquoi j'avais abandonné auparavant. Mais après environ vingt longueurs, je commençai à trouver un rythme presque méditatif. Au lieu de compter entre deux respirations, je me mis à réfléchir. Plus de façon désordonnée cette fois, mais doucement, calmement. Je savais que je courais un grand danger, sans personne pour me venir en aide. Greg avait été ma dernière chance en la matière. J'étais seule à présent. Je sentais les muscles de mes bras tirer à chaque mouvement.

Si absurde que cela paraisse, j'éprouvai presque du soulagement. J'étais seule mais il me semblait que, pour la première fois depuis des mois, j'étais de nouveau moi-même. Après une telle passion, après tant de rage et de terreur, après cette vertigineuse perte de contrôle, j'étais lucide, comme tirée d'un rêve fiévreux. J'étais Alice Loudon. Je m'étais perdue, mais enfin je me retrouvais. Quarante-deux, quarante-trois, quarante-quatre. À mesure que j'accumulais les allers et retours, en m'efforçant d'éviter tous les hommes qui nageaient le crawl, j'établis un plan. Les nœuds se dénouèrent entre mes épaules.

De retour au vestiaire, je me frottai avec vigueur, j'enfilai mes vêtements sans les mouiller sur le sol couvert de flaques, puis je me maquillai devant la glace. Une femme à côté de moi s'affairait elle aussi avec son eye-liner et son mascara. Nous échangeâmes un sourire, entre femmes qui s'armaient pour affronter le monde extérieur. Je me séchai les cheveux puis les attachai en arrière de façon qu'aucune mèche ne s'échappe pour me barrer le visage. J'allais bientôt me les couper, me faire une nouvelle tête. Adam aimait mes cheveux. Parfois il se plongeait le visage dedans comme un noyé. Elle me paraissait bien loin à présent cette obscurité extatique et anihilante. Je me ferais couper les cheveux court chez le coiffeur pour ne plus devoir trimbaler cette voluptueuse auréole avec moi.

Je ne retournai pas immédiatement au bureau. Je me rendis dans un restaurant italien à quelques pas de la piscine. Je commandai un verre de vin rouge, une bouteille d'eau gazeuse et une « salade de la mer » accompagnée de pain frotté à l'ail. Je sortis de mon sac le bloc de papier à lettre que j'avais acheté ce matin, ainsi qu'un stylo. En haut de la feuille, j'inscrivis en majuscules épaisses : « À QUI DE

DROIT », que je soulignai d'un double trait. Le serveur posa mon verre de vin devant moi. J'y trempai mes lèvres avec précaution. Dorénavant, je devais garder la tête froide. « Si on me retrouve morte, écrivis-je, ou si je disparais sans laisser de traces, c'est que j'ai été assassinée par mon mari, Adam Tallis. »

La salade de la mer arriva avec le pain à l'ail. Armé d'un gigantesque moulin à poivre, le serveur en versa une généreuse rasade sur l'assiette. Je piquai ma fourchette dans la matière caoutchouteuse d'un anneau de calamar que je glissai entre mes lèvres. Je le mâchai vigoureusement avant de le rincer avec une gorgée d'eau.

J'écrivis tout ce que je savais, d'une écriture nette, dans le style le plus rationnel possible. J'expliquai la mort d'Adèle, précisant que sa dernière lettre adressée à Adam, rédigée juste avant sa disparition, se trouvait dans mon tiroir à lingerie, sous mes dessous. Je parlai de la sœur d'Adèle, Tara, qui avait harcelé Adam avec autant de désespoir que de détermination, et qu'on avait repêchée dans un canal d'East London. Je décrivis même l'assassinat de Sherpa. Bizarrement, ce fut plus l'évocation du chat que des femmes disparues qui me fit prendre la plus juste mesure du péril que j'encourais. Je me remémorai son cadavre, éventré dans la baignoire. Durant une minute je sentis mes entrailles se contracter. Je grignotai du pain croustillant accompagné de quelques gorgées supplémentaires pour m'apaiser. Puis je repris l'analyse de ce qui s'était effectivement passé sur la montagne. Je décrivis comment Françoise avait rejeté Adam, j'évoquai le système de rampes apparemment inattaquable que Greg avait mis au point, je repris les derniers mots de l'Allemand. J'établis un croquis aussi précis que possible, à partir de l'article de *Guy*, agrémenté de flèches et de lignes pointillées satisfaisantes. J'ajoutai l'adresse de Greg, auprès de qui il serait possible de confirmer l'exactitude de mes propos.

Sur une feuille séparée je rédigeai un testament très sommaire. Je laissais toutes mes économies à mes parents. Je léguais mes bijoux au bébé de Pauline si c'était une fille, à Pauline elle-même si c'était un garçon. Jake héritait de mes deux tableaux, mon frère de mes quelques livres. Cela devrait faire l'affaire. Je n'avais pas grand-chose à distribuer de toute façon. Je songeai à mes légataires, mais avec détachement. Quand je repensais à ma vie avec Jake, je n'éprouvais aucune pointe de regret. Elle semblait simplement si éloignée, inscrite dans un autre univers où je n'étais pas la même. Je ne voulais pas retrouver ce monde d'autrefois, pas même aujourd'hui. Je ne savais pas ce que je voulais. Si je n'arrivais pas à me projeter en avant, à envisager l'avenir, c'était peut-être parce qu'il m'importait peu. J'étais coincée dans un présent désastreux. Il me fallait y aller un pied après l'autre, me sortir du danger à petits pas. Je ne voulais pas mourir.

Je pliai les documents, les glissai dans l'enveloppe avant de la cacheter, puis la fourrai dans mon sac. Je finis mon assiette avec méthode, sans laisser une goutte de vin rouge. Je commandai une part de tarte au citron en guise de dessert. Elle était crémeuse et acide à souhait. Puis je pris un double express. Après avoir payé l'addition je sortis mon portable tout neuf pour appeler Claudia. Je lui déclarai que j'avais été retardée et que je ne serais pas de retour avant une heure. Si Adam appelait, elle devait lui dire que j'étais à un déjeuner d'affaires. Je quittai le restaurant et hélai un taxi.

Sylvie était en rendez-vous avec un client. Son assistant me dit qu'elle avait un après-midi très chargé.

« Pourriez-vous lui dire qu'Alice voudrait la voir pour un problème urgent, que ça ne prendra que quelques minutes. »

J'attendis dans le hall en feuilletant les magazines féminins de l'année passée. J'appris comment perdre du poids, avoir des orgasmes en série et préparer un gâteau aux carottes. Après environ vingt minutes une femme aux yeux rougis sortit du bureau de Sylvie. Je m'y faufilai.

« Alice. » Elle me prit dans ses bras puis s'écarta pour me regarder. « Veinarde, ce que tu es mince ! Navrée de t'avoir fait attendre. Je suis accaparée depuis le déjeuner par une divorcée hystérique.

— Je n'en ai pas pour longtemps. Je sais que tu es très occupée. Je veux te demander un service. Un truc très simple.

— Bien sûr, je t'en prie. Comment va ton superbe époux ?

290

— C'est la raison pour laquelle je suis là, dis-je en m'asseyant en face d'elle, séparée par son grand bureau en désordre.

— Il y a quelque chose qui cloche ?

— En un sens.

— Tu ne veux pas divorcer, quand même ?

— C'est juste un petit service. Je veux que tu gardes quelque chose pour moi. » Je sortis l'enveloppe scellée du sac. Je la posai devant elle. « Je sais que ça risque de te paraître ridiculement mélo, mais si je meurs ou si je disparais, je veux que tu donnes ça à la police. »

J'étais très gênée. Il régnait un silence absolu dans le bureau. Sylvie restait silencieuse. Une expression vide se lisait sur son visage. « Enfin, Alice, c'est une blague ?

— Non. Ça t'ennuie ? »

La sonnerie du téléphone retentit mais elle ne décrocha pas. Nous attendîmes qu'elle cesse.

« Non, répondit-elle d'une voix absente. Il n'y a pas de raison.

— Parfait. » Je me levai. Je pris mon sac. « Dis bonjour à l'Équipe pour moi. Dis-leur qu'ils me manquent. Ils n'ont pas arrêté de me manquer, même si je ne m'en suis pas tout de suite rendu compte. »

Sylvie ne bougea pas, le regard rivé sur moi. Au moment où j'atteignis la porte, elle bondit pour me rattraper. Elle posa la main sur mon épaule.

« Alice, qu'est-ce qui ne va pas ?

— Désolée, Sylvie. » Je lui embrassai la joue. « Peut-être un autre jour. Prends soin de toi. Et merci d'être mon amie. Ça aide.

— Alice », répéta-t-elle en désespoir de cause. Mais j'étais partie.

Je fus de retour au bureau à quatre heures. Je passai une heure à mettre le département marketing au courant de la situation, puis une demi-heure avec les services financiers à défendre mes prévisions budgétaires. Ils finirent par reculer quand il devint évident que je n'allais pas bouger d'un iota. Je traitai à toute vitesse les documents accumulés sur mon bureau, puis je partis plus tôt que d'habitude. Adam était en bas, ainsi que je m'y étais attendue. Il ne lisait pas le journal, le spectacle de la rue le laissait indifférent, il ne regardait pas sa montre. Il restait parfaitement immobile, tel un soldat au garde-à-vous, son regard patient fixé sur les portes. Cela faisait probablement une heure qu'il était là.

Quand il me vit il ne sourit pas, mais il me prit mon sac puis m'entoura de ses bras pour m'examiner. « Tu sens l'eau de Javel.

— Je suis allée à la piscine.

— Et le parfum.

— C'est toi qui me l'as offert.

— Tu es belle aujourd'hui, mon amour. Si pimpante et si belle. Je n'arrive pas à croire que tu sois ma femme. »

Il m'embrassa, un long baiser rude, et je lui rendis la pareille, serrée contre lui. Mon corps me paraissait fait de quelque matériau lourd et inerte qui ne frémirait plus jamais de désir. Je fermai les yeux, incapable de supporter son regard accroché au mien avec une telle intensité, ce regard qui ne me quittait pas une seconde. Que voyait-il donc ? Que savait-il ?

« Je t'emmène dîner ce soir, dit-il. Mais avant ça nous allons rentrer pour que je puisse te faire l'amour.

— Tu as tout prévu, répondis-je, soumise et souriante entre ses bras refermés.

— Tout à fait. Jusqu'au dernier détail, mon Alice. »

37

Je n'avais pas protesté quand il s'était emparé de ma pla-
quette métallisée et qu'il avait commencé à faire tomber
les petits comprimés jaunes dans les toilettes, un par un.
Si quelqu'un m'avait dit, six mois plus tôt, que je laisserais
mon amant, que dis-je, mon mari, se débarrasser de mes
pilules contraceptives sans mon consentement, je lui aurais
ri au nez. Il avait jeté la dernière puis m'avait pris la main
pour m'emmener, sans un mot, jusqu'à la chambre. Il
m'avait fait l'amour très doucement, m'obligeant à le regarder dans les yeux. Et je n'avais rien dit. Mais j'étais restée
absorbée par des calculs frénétiques. Il ne savait sans doute
pas que la pilule conserve son effet quelque temps, et
qu'ensuite j'aurais dépassé le seuil critique pour ce mois-ci.
À mon avis, il n'y avait pas de risque que je tombe enceinte
pendant les deux semaines à venir. J'avais du temps devant
moi. Pourtant j'avais la sensation qu'il m'introduisait un
enfant dans le ventre et que je me contentais de rester là à
le recevoir, sans même protester. Je compris combien
j'avais toujours manqué d'imagination à propos des
femmes battues ou mariées à des alcooliques. Le désastre
s'infiltre en silence, telle une lame de fond qui s'abattrait
soudain sur une plage touristique. On ne l'aperçoit que
trop tard, au moment où on ne peut plus rien faire, où il
est impossible de résister, et elle vous enveloppe pour vous
emmener au loin. À dire la vérité, ce n'était sans doute pas
le seul domaine où j'avais manqué d'imagination. L'essentiel de ma vie s'était déroulé sans la plus petite tragédie,
sans que je me préoccupe de savoir comment les gens
vivaient, quelles étaient leurs souffrances.

En repensant aux derniers mois écoulés, j'éprouvai un nouveau sursaut de honte en constatant avec quelle facilité j'avais laissé tomber une existence appréciée de longue date : ma famille, mes amis, mes centres d'intérêt, ma conscience du monde. Jake m'avait accusée d'avoir coupé tous les ponts, ce qui donnait à mon attitude une apparence aventureuse acceptable. Mais c'étaient aussi des gens que j'avais abandonnés. Maintenant, il fallait que je remette mes affaires en ordre, ou du moins que j'amorce un geste de réconciliation envers ceux que j'avais pu heurter. J'écrivis une lettre à mes parents pour m'excuser de ne pas avoir été très présente ces derniers temps. Cependant ils devaient toujours garder à l'esprit que je les aimais profondément. J'envoyai une carte postale à mon frère, que je n'étais pas retournée voir depuis un an, m'efforçant de paraître pleine d'entrain et d'affection. J'appelai Pauline et laissai un message sur son répondeur dans lequel je lui demandais comment se déroulait sa grossesse. Je lui dis que j'aurais aimé la voir bientôt et qu'elle me manquait. J'envoyai une carte d'anniversaire à Clive, en retard. Puis, après avoir pris une profonde inspiration, j'appelai Mike. Il me parut plus résigné qu'amer, et relativement content d'avoir de mes nouvelles. Il partait en vacances en compagnie de sa femme et de son jeune fils le lendemain, dans une maison en Bretagne. Cela faisait des mois qu'il n'avait pas pris de congés. Je faisais mes adieux à tout le monde, mais ils ne pouvaient pas le savoir.

J'avais détruit mon ancien univers sans regrets ; à présent il me fallait trouver le moyen de faire s'écrouler le nouveau, afin de pouvoir m'en échapper. Il y avait encore des moments, même s'ils se faisaient plus rares tous les jours, où il me paraissait impossible de croire qu'il ne s'agissait pas d'un rêve. J'avais épousé un meurtrier, un magnifique assassin aux yeux bleus. Si jamais il découvrait ce que je savais, il me tuerait moi aussi, cela ne faisait aucun doute. Si je tentais de m'enfuir, il me tuerait de même. Il me retrouverait pour m'éliminer.

Ce soir-là, j'avais décidé d'aller à une conférence présentant les derniers résultats d'études menées sur la relation entre les traitements contre la stérilité et le cancer des

294

ovaires, en partie parce qu'elle avait une relation indirecte avec mon travail, également parce que l'intervenant était un ami, mais surtout parce que cela me permettait de passer du temps loin d'Adam. Il m'attendait sans doute à la porte de Drakon et, bien sûr, je ne pouvais pas l'empêcher de m'accompagner s'il insistait. Mais pour une fois nous serions tous les deux dans mon univers, un univers rassurant de recherche scientifique, d'empirisme, un refuge temporaire. Je n'aurais pas à le regarder, ni à lui parler, ni à me retrouver vaincue par sa force, à gémir de transports feints.

Adam ne m'attendait pas dehors. J'en ressentis un soulagement si intense qu'il m'emplit d'exaltation. Mon pas se fit immédiatement plus léger, mon esprit plus lucide. Tout paraissait changé du fait de son absence, il n'était pas là à me regarder sortir, à me fixer de ce regard insistant et sombre que je ne parvenais plus à déchiffrer. Trahissait-il la haine ou l'amour, la passion ou l'intention criminelle ? Avec Adam l'un et l'autre avaient toujours été si intimement liés. Une fois de plus je repensai, avec un frisson de pure répugnance à présent, mêlé de honte cuisante, à la violence de notre nuit de noces dans le Lake District. Je me sentais piégée dans un long lendemain gris.

Je me rendis à pied jusqu'à la salle de conférence, ce qui me prit environ un quart d'heure. En tournant dans la rue de l'institut, je l'aperçus qui attendait, un bouquet de roses jaunes à la main. Les femmes lui coulaient des regards envieux au passage mais il n'y prêtait aucune attention. Il n'avait d'yeux que pour moi. Il m'attendait, mais il pensait me voir arriver dans la direction opposée. Je stoppai net et reculai dans l'entrée la plus proche, gagnée par une soudaine nausée. Je n'arriverais jamais à m'éloigner de lui. Il avait une longueur d'avance sur moi, toujours à m'attendre, à me toucher, à m'attirer contre lui. Il ne me laissait jamais respirer. Il était trop fort pour moi. J'attendis que la panique s'éloigne puis, attentive à ne pas me faire voir, je fis demi-tour et me mis à dévaler la rue en courant jusqu'au coin. Là je hélai un taxi.

« Et où elle va, la demoiselle ? »

Où aller ? Où pouvais-je me rendre ? Je ne pouvais m'enfuir parce qu'alors il comprendrait que je savais tout. Je haussai les épaules, vaincue par le désespoir, et donnai au chauffeur l'adresse de la maison. De ma prison. Je savais que je ne pouvais pas continuer à vivre de la sorte. C'était une horreur toute physique qui m'avait submergée au moment où j'avais vu Adam. Combien de temps pourrais-je faire semblant de l'aimer, combien de temps encore pourrais-je prétendre que ses caresses me comblaient de plaisir, que je n'avais pas vraiment peur en sa présence ? Mon corps se révoltait. Mais je ne voyais pas d'autre solution.

Quand j'arrivai à la porte, le téléphone sonnait.

« Allô.

— Alice ? » C'était Sylvie, qui semblait contrariée. « Je ne pensais pas te trouver là.

— Alors pourquoi appelais-tu ?

— En fait, je voulais parler à Adam. C'est un peu embarrassant. »

Un froid moite m'envahit soudain. J'avais le cœur au bord des lèvres. « À Adam ? Et pourquoi donc ? »

Un silence répondit à ma question.

« Sylvie ?

— D'accord. Écoute, je n'étais pas censée t'en parler, je veux dire, c'est lui qui devait le faire, mais puisqu'on en est là... » Je l'entendis sortir une cigarette de son paquet. Puis elle reprit. « Ce qu'il y a, et je sais que tu vas prendre ça comme une trahison, mais un jour tu verras que c'était un geste d'amitié, c'est que j'ai lu la lettre. Et je l'ai montrée à Adam. C'est-à-dire, il s'est présenté chez moi sans crier gare, et je ne savais pas quoi faire, mais je lui ai montrée parce que j'ai pensé que tu faisais une dépression, enfin je ne sais pas. Ce que tu dis est délirant, complètement délirant, tu as perdu la boule. Tu dois bien t'en rendre compte, j'en suis sûre. Alors je ne savais pas quoi faire, et je l'ai montrée à Adam. Allô ? Tu es toujours là ?

— À Adam. » Je ne reconnus pas ma propre voix tant elle me parvint plate, sans expression. Je réfléchissais à toute vitesse. Je n'avais plus de temps à présent. Plus une minute.

« Oui, il a réagi de façon extraordinaire, absolument extraordinaire. Il était très peiné bien sûr. Dieu ce qu'il a pu souffrir ! Il pleurait en lisant la lettre et il n'arrêtait pas de répéter ton nom. Mais il ne t'en veut pas, tu dois bien le comprendre. Et il a peur que tu commettes une bêtise, tu comprends. C'est la dernière chose qu'il m'a dite. Il m'a dit qu'il craignait que, dans ton état, tu te fasses du mal.

— As-tu la moindre idée de ce que tu viens de faire ?

— Enfin, Alice, écoute... »

Je raccrochai le téléphone en dépit de ses prières. Je restai quelques secondes sans bouger, paralysée. La pièce me paraissait très froide et silencieuse. Je percevais le moindre bruit, le craquement d'une latte de plancher quand je changeais de jambe d'appui, un murmure dans les canalisations, le soupir imperceptible du vent dehors. C'était donc ça. Le jour où on retrouverait mon corps, Adam avait déjà exprimé ses craintes que je ne me fasse du mal. Je me précipitai vers la chambre. J'ouvris le tiroir où j'avais caché les lettres d'Adèle ainsi que le brouillon du faux qu'Adam s'était adressé. Ils n'y étaient plus. Je courus jusqu'à la porte. J'entendis ses pas, encore loin, au pied du haut escalier.

J'étais fichue. Notre appartement se trouvait au dernier étage. Je balayai la pièce du regard, consciente qu'il n'y avait aucune issue, aucun recoin où me cacher. J'envisageai d'appeler la police, mais je n'aurais pas même le temps de composer le numéro. Je courus dans la salle de bains, j'ouvris la douche en grand, qui se mit à éclabousser les carreaux avec fracas. Puis, après avoir tiré le rideau de douche qui grinça légèrement et quitté la pièce en laissant la porte entrouverte, je me précipitai dans le salon, m'emparai de mes clés avant de foncer dans la minuscule cuisine. Je restai là derrière la porte ouverte, à peine cachée. L'exemplaire de *Guy* était à portée de main sur le plan de travail. Je m'en saisis. C'était déjà ça.

Il entra, refermant la porte de l'appartement derrière lui. Mon cœur tambourinait dans ma poitrine, à tel point que je n'arrivais pas à croire qu'il ne l'entende pas. Je me rappelai soudain qu'il portait un bouquet de fleurs. Il allait commencer par entrer dans la cuisine pour les mettre dans l'eau. Oh, mon Dieu ! Par pitié ! Par pitié ! Mon souffle s'échappait par halètements désordonnés qui me déchiraient la poitrine. Je laissai échapper un petit sanglot râpeux. Je ne pus me retenir.

Mais soudain, comme par miracle, ma peur s'éloigna. Il ne me restait plus qu'une espèce de curiosité, comme si je devenais spectatrice de ma propre chute. On dit que les gens qui se noient voient défiler leur vie devant eux au moment de mourir. À présent, durant ces quelques secondes d'attente, mon esprit se repassa les images de ma liaison avec Adam. Une liaison si courte, à dire vrai, et qui pourtant avait réduit à néant tout ce que j'avais vécu jusque-là. Comme étrangère à moi-même, je regardai les images se succéder, notre premier échange de regards, entre deux trottoirs d'une rue bondée, notre première étreinte, si fiévreuse qu'elle m'apparaissait presque comique maintenant, le jour de notre mariage, moi si heureuse que j'aurais voulu mourir. Puis je revis Adam, la main levée, Adam armé d'une ceinture à boucle, Adam les mains serrées autour de mon cou. Ces images conduisaient toutes à la minute présente, à l'instant proche où je verrais Adam m'assassiner. Mais je n'avais plus peur. Je me sentais presque en paix. Il y avait si longtemps que je ne m'étais sentie aussi calme.

Je l'entendis traverser la pièce. Passer devant la porte de la cuisine. Se diriger vers la salle de bains, vers la douche qui coulait à flots. Je posai la main sur la clé toute neuve que je saisis entre le pouce et l'index, en position. Je bandai chaque muscle de mon corps, prête à m'élancer.

« Alice ! appela-t-il. Alice ! »

Maintenant. Je bondis hors de la cuisine, traversai le couloir, et ouvris la porte d'un coup.

« Alice ! »

Il était là, il avançait vers moi, les fleurs jaunes écrasées contre sa poitrine. Je vis son visage, son magnifique visage d'assassin.

Je refermai la porte derrière moi. Je plongeai la lourde clé dans la serrure et lui donnai un tour frénétique. Allez, par pitié ! Allez ! Elle tourna dans le mécanisme, je la retirai et me précipitai aveuglément dans les escaliers. Au moment où je m'y engageai, je l'entendis frapper contre la porte. Il était fort, Dieu sait s'il était assez fort pour la réduire en miettes. Il n'avait eu aucune difficulté la première fois, quand il l'avait forcée pour venir massacrer Sherpa.

Je ne m'arrêtai pas dans ma course, descendant les marches deux par deux. À un moment mes genoux me lâchèrent et je me tordis la cheville. Mais il n'arrivait pas. Les coups se faisaient moins audibles. La nouvelle serrure tenait le choc. Si je me sortais de cette histoire, c'est avec une satisfaction amère que je pourrais me dire qu'il s'était piégé le jour où il avait défoncé la porte pour aller assassiner notre chat.

Je me trouvai à présent sur le trottoir. Je courus jusqu'au boulevard. Ce n'est qu'une fois en haut de la rue que je tournai la tête pour voir s'il me suivait. Était-ce lui, cette silhouette qui me courait après là-bas au loin ? Je traversai la rue à toute vitesse, zigzaguant entre les voitures, évitant une bicyclette. J'aperçus le visage courroucé du cycliste qui dut faire une embardée pour m'éviter. Un point de côté me lacérait le ventre mais je ne ralentis pas. S'il me rattrapait, je me mettrais à crier et à hurler, mais les gens penseraient juste que j'étais folle. Personne ne se mêle jamais des querelles domestiques de toute façon. Je crus entendre quelqu'un crier mon nom, mais peut-être n'était-ce qu'un effet de mon imagination trop tendue.

Je savais dans quelle direction j'allais. J'y étais presque. Plus que quelques mètres. Si seulement je pouvais y arriver à temps. J'aperçus la lumière bleue, une camionnette numérotée garée devant l'entrée. Je rassemblai mes dernières forces pour me jeter sur la porte, avant de piler, sans la moindre dignité, devant le bureau d'accueil. Un policier levait vers moi un visage las.

« Oui ? » dit-il en levant son stylo. Je me mis à rire.

38

Assise dans un couloir, j'attendais, attentive à ce qui se passait autour de moi. Cependant j'avais l'impression de n'avoir pas les bonnes clés pour comprendre. Des gens en uniforme ou en civil s'affairaient dans tous les sens, des téléphones sonnaient. Peut-être était-ce parce que j'avais une vision excessivement dramatisée de ce qu'était la vie dans un commissariat du centre de Londres. J'aurais sans doute voulu voir des flics ramener une cohorte de maquereaux, prostituées et voleurs pour les coffrer. Ou peut-être avais-je imaginé qu'on m'emmènerait moi dans une salle spéciale, derrière une vitre sans tain, pour subir les interrogatoires serrés du bon et du méchant flic. En tout cas, il ne m'était pas venu à l'idée que j'aurais à attendre sans but, assise sur une chaise en plastique dans le couloir, gênant le passage, comme quelqu'un qui se serait présenté dans un service d'urgences avec une blessure trop légère pour mériter un traitement rapide.

Dans des circonstances ordinaires, j'aurais été intriguée par ces fragments de drames que j'apercevais, mais pour l'instant j'étais loin de ces préoccupations. Je me demandais ce qu'Adam était en train de penser et de faire dehors. Il me fallait élaborer un plan. Il était presque certain que la personne à qui j'allais parler me prendrait pour une folle et me rendrait au monde effrayant qui s'étendait au-delà de la cloison de Plexiglas à l'entrée du commissariat, et à ce qui m'y attendait. J'éprouvais le sentiment désagréable qu'accuser mon mari de sept meurtres était sept fois moins convaincant que de l'accuser d'un seul, ce qui était déjà en soi fort peu plausible.

Mon désir le plus cher eût été de trouver une figure paternelle ou maternelle qui me dirait qu'elle me croyait, qu'elle allait maintenant s'en occuper et que tous mes ennuis étaient finis. Mais c'était on ne peut plus improbable. Je devais me maîtriser. Je me souvins d'un jour, alors que j'étais encore adolescente, où j'étais rentrée ivre d'une soirée. Je m'étais forcée à imiter les manières d'une personne sobre. Mais je m'étais tellement appliquée à me promener autour du canapé et des chaises sans les bousculer, je m'étais montrée d'une sobriété si excessive, que ma mère m'avait immédiatement demandé ce que j'avais fait comme bêtise. Il faut dire que je devais sentir l'alcool à plein nez. Il fallait que je me débrouille mieux cette fois-ci. Je devais absolument les convaincre. Après tout, j'avais bien réussi avec Greg, même si ça ne m'avait pas servi à grand-chose. Il n'était pas nécessaire de les convaincre de bout en bout. Il fallait juste que j'éveille suffisamment leur intérêt pour leur donner envie d'ouvrir une enquête. Je ne pouvais pas repartir dehors, dans le monde où Adam m'attendait.

Pour la première fois depuis des années, mes parents me manquaient terriblement. Pas mes parents tels qu'ils étaient à présent, plus âgés, moins sûrs d'eux, impassibles dans leur détermination et volontairement aveugles à l'amertume et à l'horreur du monde. Non, je les voulais tels qu'ils m'apparaissaient quand j'étais petite, avant d'apprendre à me méfier d'eux, deux grandes silhouettes solides qui m'indiquaient où était le bien et le mal, qui me protégeaient contre les coups, qui me guidaient. Je revoyais ma mère occupée à recoudre des boutons sur les chemises, assise dans le gros fauteuil sous la fenêtre. Combien elle me semblait compétente et rassurante ! Je revoyais mon père découper le rôti le dimanche après-midi, si méticuleux à mesure qu'il écartait les tranches de bœuf rose. Je me revoyais assise entre eux, grandissant sous leur protection. Comment cette petite fille sensée, avec son appareil dentaire et ses socquettes sages, avait-elle pu devenir cette femme qui attendait dans un commissariat, craignant pour sa vie ? Je voulais redevenir cette petite fille, celle qu'on pouvait sauver.

La femme policier qui m'avait conduite ici revint accompagnée d'un homme entre deux âges dont les manches de

chemise étaient relevées. Elle avait l'air d'une écolière partie chercher un professeur exaspéré. Je me dis qu'elle avait
dû faire le tour des bureaux en quête de quelqu'un qui
n'était ni au téléphone ni occupé à remplir des formulaires,
et cet homme avait accepté de sortir dans le couloir une
seconde, de préférence pour me demander de partir. Son
regard tomba sur moi. Je me demandai si je devais me lever.
Il ressemblait un peu à mon père, ce qui m'emplit les yeux
de larmes. Je tentai de les retenir de toutes mes forces. Je
devais donner l'apparence du calme.

« Mademoiselle... ?

— Loudon. Alice Loudon.

— J'ai cru comprendre que vous aviez des informations
à nous soumettre.

— Oui, répondis-je.

— Eh bien ? »

Je jetai un coup d'œil autour de moi. « Vous voulez que
nous parlions ici ? »

L'homme fronça les sourcils. « Désolé mon petit, mais
nous sommes à court de place pour le moment. Si ce n'est
pas trop vous demander.

— D'accord. » Je serrai les poings entre mes genoux afin
qu'il ne les voie pas trembler. Je m'éclaircis la gorge ; je ne
voulais pas que ma voix fléchisse. « Une dénommée Tara
Blanchard a été retrouvée assassinée dans un canal il y a de
ça quelques semaines. Êtes-vous au courant ? » L'inspecteur
fit non de la tête. Des gens passaient en nous bousculant,
mais je poursuivis. « Je sais qui l'a tuée. »

L'inspecteur leva une main pour m'interrompre. « Un
instant, ma belle. Le mieux serait que j'aille me renseigner
pour savoir quel commissariat s'occupe de cette affaire et
que je leur passe un coup de fil, comme ça vous pourrez
aller leur raconter tout ça. D'accord ?

— Non. Je suis venue ici parce que je suis en danger.
L'homme qui a tué Tara Blanchard est mon mari. »

J'avais pensé que cette déclaration provoquerait une
réaction, ne serait-ce qu'un sourire incrédule, mais rien ne
vint.

« Votre mari ? reprit l'inspecteur en croisant le regard de
la femme policier. Et qu'est-ce qui vous fait croire ça ?

— Je crois que Tara Blanchard le faisait chanter, ou du moins le harcelait, et c'est pour cette raison qu'il l'a tuée.

— Elle le harcelait ?

— Nous n'arrêtions pas de recevoir des coups de téléphone, en pleine nuit, au petit matin. Et puis des lettres de menace également. »

Aucune réaction ne se peignait sur son visage. Allait-il devoir se mettre en peine de comprendre ce que je lui racontais ? Cela n'avait sans doute rien d'un programme très engageant. Je me retournai. Je ne pouvais pas continuer dans cet environnement. Ce que j'avais à dire aurait peut-être l'air plus convaincant dans un cadre plus formel.

« Je suis désolée, Mr... ? Je ne connais pas votre nom.

— Byrne. Inspecteur principal Byrne.

— Eh bien, ne pourrions-nous pas parler de tout ça dans un endroit plus calme ? J'ai du mal à m'exprimer dans un couloir. »

Il émit un soupir las en signe d'impatience. « Il n'y a pas une salle de libre. Vous pouvez venir parler à mon bureau si vous préférez. »

Je hochai la tête et Byrne me montra le chemin. Au passage, il me prit un café. Je l'acceptai bien que je n'en eusse nulle envie. N'importe quoi du moment que j'aie l'illusion qu'une relation de confiance s'établissait.

« Eh bien, vous vous rappelez où nous en étions ? demanda-t-il en s'asseyant à son bureau en face de moi.

— Nous avons reçu ces lettres de menace.

— De la part de la femme assassinée ?

— C'est cela. Tara Blanchard.

— Les a-t-elle signées ?

— Non, mais après sa mort je suis allée à son appartement et j'ai retrouvé des articles de journaux concernant mon mari dans ses poubelles. »

Byrne eut l'air surpris, pour ne pas dire alarmé. « Vous avez fouillé ses poubelles ?

— Oui.

— De quoi parlaient ces articles ?

— Mon mari, Adam Tallis, est un alpiniste célèbre. Il s'est trouvé impliqué dans une terrible catastrophe sur un sommet de l'Himalaya l'année dernière, qui a causé la mort de cinq personnes. C'est un héros en quelque sorte. Quoi qu'il en soit, le problème c'est que nous avons reçu une autre lettre après la mort de Tara Blanchard. Et ce n'était pas tout. La lettre s'accompagnait d'une effraction dans notre appartement. Notre chat a été tué.

— Vous avez signalé l'effraction ?

— Oui. Deux agents de ce commissariat sont venus.

— Eh bien, voilà un début », déclara Byrne d'une voix lasse. Là-dessus il ajouta, comme s'il ne valait même pas la peine de s'y arrêter : « Mais si ça s'est passé après la mort de cette femme...

— Précisément. C'était impossible. Seulement il y a quelques jours, je rangeais l'appartement, et j'ai trouvé une enveloppe froissée derrière le bureau. Dessus, on voyait clairement qu'Adam s'était entraîné à forger le message qu'on avait trouvé cette fois-là.

— Ce qui signifie ?

— Ce qui signifie qu'Adam tentait de briser tous les liens qui existaient entre les messages et cette femme.

— Je peux voir cette lettre ? »

C'était le moment que j'avais redouté. « Adam a découvert que je le soupçonnais. Quand je suis rentrée à l'appartement aujourd'hui, elle avait disparu.

— Comment a-t-il eu vent de vos soupçons ?

— J'ai tout consigné dans une lettre cachetée que j'avais confiée à une amie à moi, au cas où il m'arrive quelque chose. Mais elle l'a lue. Et elle l'a montrée à Adam. »

Byrne esquissa un sourire qu'il retint rapidement. « Elle agissait peut-être dans votre intérêt. Peut-être voulait-elle vous venir en aide.

— Je n'en doute pas. Mais c'est le contraire qu'elle a fait. Elle m'a mise en danger.

— Le problème, Mrs., euh...

— Alice Loudon.

— Le problème est que le crime est un délit très grave. » Il me parlait comme à une écolière à qui il apprendrait les règles de sécurité dans la rue. « Et parce que c'est un délit si grave, nous avons besoin de preuves, pas simplement de soupçons. Il n'est pas rare que des gens en viennent à soupçonner des connaissances. Parce qu'ils ont eu des mots avec elles, ils les croient coupables de choses et d'autres. Le mieux est de régler ces divergences d'opinion. »

Je sentais bien que son attention s'éloignait de mon cas. Il fallait que je continue.

« Vous ne m'avez pas laissée finir. La raison pour laquelle Tara harcelait Adam, c'est, je crois, qu'elle le soupçonnait d'avoir tué sa sœur, Adèle.

— Alors maintenant c'est le tour de la sœur ? »

Byrne avait levé un sourcil incrédule. La situation empirait. Je pressai les mains contre le bureau, pour échapper au sentiment que le sol se dérobait sous mes pieds. Je tentai de ne pas penser à Adam qui faisait le guet à l'extérieur du commissariat. Il était sûrement là à m'attendre, immobile, ses yeux bleus rivés à la porte par laquelle j'allais sortir. Je connaissais son expression quand il attendait quelque chose qu'il désirait : une expression patiente, totalement concentrée sur sa cible.

« Adèle Blanchard était mariée, elle habitait à Corrick. Il s'agit d'un village dans les Midlands, tout près de Birmingham. Son mari et elle pratiquaient la randonnée ainsi que l'alpinisme. Ils faisaient partie d'un groupe d'amis, parmi lesquels se trouvait Adam. Elle a eu une liaison avec Adam qu'elle a rompue en janvier 1990. Quelques semaines plus tard elle disparaissait.

— Et vous pensez que votre mari l'a tuée ?

— Nous n'étions pas mariés à l'époque. Nous ne nous sommes rencontrés que l'année dernière.

— Y a-t-il la moindre raison de penser qu'il ait tué cette autre femme ?

— Adèle Blanchard a rejeté Adam et elle est morte. Il y a une autre femme avec qui il avait eu une longue liaison. Un médecin amateur d'alpinisme nommée Françoise Colet.

— Et où se trouve-t-elle ? demanda Byrne non sans quelque sarcasme.

— Elle est morte sur cette montagne au Népal l'année dernière.

— Et j'imagine que votre mari l'a tuée elle aussi.

— Oui.

— Oh, je vous en prie !

— Attendez, permettez-moi de vous raconter toute l'histoire. » À présent il me prenait pour une folle.

« Écoutez, madame, je suis très occupé. J'ai tout ça... »

305

Il désigna d'un geste vague les piles de paperasse sur son bureau.

« Je sais que c'est difficile », dis-je en essayant de contenir la sensation de panique qui m'envahissait, comme une inondation sur le point de m'engloutir tout entière. J'avais la voix haletante. « Je vous suis très reconnaissante d'avoir bien voulu m'écouter. Si vous pouvez m'accorder encore quelques minutes supplémentaires, je vous aurais tout dit. Après quoi, si vous me le demandez, je sortirai et vous pourrez tout oublier. »

Son visage s'éclaira d'un soulagement visible. C'était à l'évidence la chose la plus encourageante qu'il m'entendait dire depuis le début de l'entretien.

« D'accord, répondit-il. Mais soyez brève.

— Je vous le promets. » Ce qui bien sûr se révéla mensonger. J'avais le magazine avec moi, et en tenant compte de toutes les questions, les répétitions et les explications que je dus fournir, mon récit dura presque une heure. Je lui racontai par le menu les détails de l'expédition, les dispositions concernant les rampes de corde en couleur, la présence de l'Allemand Tomas Benn qui ne parlait pas un mot d'anglais, le chaos provoqué par la tempête, les différents allers et retours qu'avait effectués Adam alors que Greg et Claude étaient hors de combat. Je dissertai sans fin, radotant dans l'espoir de voir s'éloigner la sentence qui pesait sur mes épaules. Tant qu'il m'écoutait, je restais en vie. Comme je lui fournissais les ultimes détails, qui tombaient dans un silence agacé, les lèvres de Byrne s'animèrent d'un lent sourire. J'avais enfin réussi à capter son attention. « Ainsi, conclus-je, la seule explication possible est qu'Adam s'est délibérément arrangé pour que le groupe dans lequel se trouvait Françoise descende par le mauvais côté de l'arête des Gémeaux. »

Byrne me gratifia d'un franc sourire. « *Gelb* ? reprit-il. Vous dites que ça signifie jaune en allemand ?

— C'est exact.

— Ça se tient. Vous méritez au moins ce compliment. Ça se tient.

— Alors vous me croyez ? »

Il haussa les épaules. « Je n'en dirais pas tant. C'est

possible. Ils ont peut-être aussi mal entendu. Mais peut-être qu'il appelait effectivement à l'aide.

— Mais je vous ai dit que ce n'était pas possible.

— Ça ne fait rien. Cette histoire est du ressort des autorités népalaises, si c'est bien là que se trouve votre montagne.

— Mais là n'est pas le problème. J'ai mis en lumière un motif psychologique récurrent. Vous ne voyez donc pas que, sur la base de ce que je vous ai dit, il y aurait de quoi ouvrir une enquête au sujet des deux autres meurtres ? »

Byrne se trouvait à présent coincé, au pied du mur. Il se fit un long silence, durant lequel il réfléchit à ce que je lui avais révélé et à la manière de me répondre. Je m'agrippai à son bureau de peur de m'écrouler.

« Non », finit-il par lâcher. Je commençai à protester mais il poursuivit. « Miss Loudon, vous ne pouvez pas nier que je vous ai fait la politesse de vous écouter jusqu'au bout. La seule recommandation que je puisse vous faire est de vous adresser aux brigades concernées. Mais à moins d'avoir un élément concret à leur proposer, je ne crois pas qu'elles puissent faire quoi que ce soit.

— Ça n'a plus d'importance. » Ma voix était éteinte, vidée de toute expression. Et à la vérité, ça n'avait effectivement plus la moindre importance. Il n'y avait plus rien à faire.

« Que voulez-vous dire ?

— Adam sait tout à présent. C'était ma dernière chance. Vous avez raison, bien sûr. Je n'ai pas le commencement d'une preuve. Je sais, c'est tout. Je connais Adam. » J'allais me lever, dire au revoir, mais, sur une impulsion, je me penchai en avant et saisis la main de Byrne. Il eut l'air surpris. « Quel est votre prénom ?

— Bob, répondit-il, mal à l'aise.

— Si, dans les semaines à venir, vous apprenez que je me suis suicidée, que je suis tombée d'un train ou que je me suis noyée, ce ne sont pas les preuves de mon comportement irrationnel qui manqueront. Il sera alors facile de conclure que j'ai mis fin à mes jours à un moment où je me trouvais dans une phase de déséquilibre mental ou de dépression, où un accident me pendait au nez. Mais ça ne sera pas vrai. Je veux vivre. Vous comprenez ? »

Il ôta délicatement ma main de la sienne. « Il ne va rien vous arriver. Parlez-en avec votre mari. Vous êtes en mesure de tout arranger.

— Mais... »

À ce moment-là nous fûmes interrompus. Un policier en uniforme fit signe à l'inspecteur Byrne de le rejoindre dans le couloir. Je les vis discuter à voix basse, ponctuant leur échange de coups d'œil dans ma direction. Byrne le remercia d'un hochement de tête. L'homme repartit dans l'autre sens. Il se rassit à son bureau, le visage empreint d'une grande solennité.

« Votre mari vous attend à l'accueil.

— Vous m'en direz tant, rétorquai-je avec amertume.

— Non, reprit Byrne d'une voix douce. Ce n'est pas ce que vous croyez. Il est en compagnie d'un médecin. Il veut vous aider.

— Un médecin ?

— J'ai cru comprendre que vous avez traversé une période de grand stress. Vous avez agi de façon irrationnelle. Je crois me souvenir que vous vous seriez fait passer pour une journaliste, ce genre de chose. Vous voyez un inconvénient à ce que je les fasse entrer ?

— Je m'en fiche. » J'avais perdu. À quoi bon me battre. Byrne décrocha le téléphone.

Le médecin en question était Deborah. Tous deux pénétrèrent dans le bureau minable quasi auréolés de gloire, grands et bronzés au milieu de l'assemblée pâlotte d'inspecteurs et de secrétaires au teint brouillé. Deborah esquissa un sourire timide au moment où elle croisa mon regard. Je ne répondis pas.

« Alice, dit-elle. Nous sommes là pour t'aider. Tout va bien se passer. » Elle adressa un signe de tête à Adam avant de se tourner vers Byrne. « C'est vous l'officier en charge du dossier ? »

La question le surprit. « C'est à moi que vous devez vous adresser », répondit-il avec précaution.

Deborah lui parla d'une voix calme, réconfortante, comme si Byrne était lui aussi un de ses patients. « Je suis médecin généraliste. En vertu du paragraphe quatre de la loi de 83 sur les désordres psychiques, je demande une prise en charge médicale d'urgence pour Alice Loudon. Après consultation avec son mari, Mr. Tallis ici présent, j'ai acquis la conviction qu'une hospitalisation d'urgence s'impose dans son cas afin qu'elle puisse subir les évaluations nécessaires, dans son propre intérêt.

— Tu veux m'interner ? »

Deborah posa un regard quelque peu fuyant sur un carnet qu'elle tenait à la main. « Ce n'est pas exactement ça. Tu ne dois pas l'envisager ainsi. Nous ne voulons que ton bien. »

Je levai les yeux vers Adam. Il arborait une expression douce, presque tendre. « Mon Alice chérie. » C'est tout ce qu'il dit.

Byrne paraissait embarrassé. « C'est un peu exagéré, mais...

— Il s'agit d'un problème médical, trancha Deborah d'une voix ferme. Quoi qu'il en soit, cela ne concerne que l'évaluation psychiatrique. Tant que rien n'est fixé, je demande à ce qu'Alice Loudon soit placée sous la garde de son mari. »

Adam tendit la main qu'il me posa sur la joue, si tendrement. « Mon plus cher amour », dit-il. Je le regardai. Il avait baissé vers moi ses yeux bleus comme l'azur. Ses cheveux longs paraissaient coiffés par le vent. Il avait les lèvres entrouvertes, comme pour se mettre à parler ou en préparation d'un baiser. Je levai la main pour toucher le collier qu'il m'avait donné, il y a si longtemps, aux premiers jours de notre amour. On aurait dit qu'il n'y avait que nous dans la pièce, tant le reste se perdait dans un brouillard sonore. Peut-être m'étais-je trompée de bout en bout. Soudain j'eus la tentation presque irrésistible de m'abandonner à tous ces gens qui voulaient m'aider, tous ces gens qui m'aimaient vraiment.

« Je suis désolée », m'entendis-je murmurer d'une voix à peine audible.

Adam se pencha pour me prendre dans ses bras. Je perçus l'odeur de sa sueur, je sentis sa joue rugueuse contre la mienne.

« L'amour est une drôle d'histoire, continuai-je. Comment peut-on tuer quelqu'un qu'on aime ?

— Alice, mon amour, souffla-t-il à mon oreille, la main dans mes cheveux. Est-ce que je ne t'ai pas promis que je veillerais toujours sur toi ? Pour toute l'éternité. »

Il me tenait serré contre lui et c'était merveilleux. Pour toute l'éternité. C'était bien ainsi que j'avais envisagé notre histoire. Peut-être était-ce encore possible. Peut-être pouvions-nous revenir en arrière, faire comme s'il n'avait jamais tué personne, comme si je ne l'avais jamais appris. Je sentis les larmes me baigner les joues. La promesse de toujours veiller sur moi, pour l'éternité. Un instant et une promesse. Quand avais-je entendu ces mots ? Ils évoquaient quelque chose, comme un vague souvenir flou. Tout à coup il prit forme, tout m'apparut clairement. Je fis un pas en arrière, me dégageant de ses bras. Je le fixai sans détour.

« Je sais », déclarai-je.

Je tournai la tête. La même inquiétude se lisait sur les visages de Byrne, Deborah et Adam. Pensaient-ils que j'avais fini par passer de l'autre côté pour de bon ? Peu m'importait. J'avais retrouvé la maîtrise, j'avais de nouveau l'esprit clair. Ce n'était pas moi qui étais folle.

« Je sais où Adam l'a cachée. Je sais où Adam a enterré Adèle Blanchard.

— Qu'est-ce que vous racontez ? » demanda Byrne.

Je regardai Adam. Il me rendit un regard calme, imperturbable. Puis je fouillai les poches de mon manteau, j'en sortis mon portefeuille. Je l'ouvris, j'en retirai une carte d'abonnement, plusieurs reçus, quelques pièces de monnaie étrangère, et enfin ce que je cherchais : mon portrait par Adam à l'instant où il me demandait de l'épouser. Je tendis la photographie à Byrne qui la prit et l'examina, perplexe.

« Attention, dis-je. C'est la seule preuve. C'est là qu'Adèle est enterrée. »

Je tournai la tête vers Adam. Il ne détourna pas les yeux, pas même à ce moment, mais je savais ce qu'il pensait. C'était son génie propre, cette capacité à prendre des décisions dans un moment de crise. Qu'était-il en train de planifier derrière ce beau visage ?

Byrne se tourna pour montrer la photographie à Adam. « Qu'est-ce que c'est que ça ? Où a-t-elle été prise ? »

Adam lui répondit avec un sourire à la fois incrédule et

gêné. « Je ne sais pas exactement. Je l'ai prise lors d'une randonnée quelconque. » Il se tourna à nouveau vers moi.

À cet instant je compris que j'avais vu juste.

« Non, coupai-je. Ce n'était pas une vague randonnée. Adam m'a emmenée jusqu'à ce lieu particulier. Il m'a déclaré qu'on l'avait déjà abandonné par le passé. Mais à présent, dans ce lieu particulier, il voulait me demander de l'épouser. Un instant et une promesse. Nous nous sommes fait vœu de fidélité mutuelle sur le cadavre d'Adèle Blanchard.

— Adèle Blanchard ? demanda Adam. De qui parles-tu ? » Il se rapprocha si près de moi que je sentis ses yeux me scruter. Il cherchait à évaluer ce que je savais. « Tout cela est délirant. Je ne me rappelle même pas dans quel coin nous nous trouvions. Et toi ? Tu ne t'en souviens pas non plus, je me trompe, ma chérie ? Tu avais dormi pendant tout le trajet. Tu ne sais pas où ça se trouve. »

Je posai les yeux sur la photo, secouée d'une terreur soudaine. Il avait raison. Je ne m'en souvenais plus. Je fixai l'herbe, si verte, tellement tentante et pourtant si loin. Adèle, où es-tu ? Où se trouve ton corps trahi, brisé, perdu ? Soudain cela me revint. Les souvenirs affluèrent, intacts, vifs, comme si l'on venait d'ouvrir un rideau qui jusque-là cachait la vue. J'entendis une voix — celle d'Adam — qui disait : « J'y suis. J'y suis. » Il m'avait raconté une histoire ce jour-là, et à présent elle me revenait. Pendant quelques instants ma panique disparut. Je me souvenais. Je n'avais rien oublié. Je savais où aller.

« À Saint Eadmund's.

— Quoi ? s'exclamèrent Adam et Byrne de concert.

— Saint Eadmund's, avec un *a*. Adèle Blanchard était institutrice à l'école primaire de Saint Eadmund's, près de Corrick. Il y a aussi une église. Emmenez-moi à l'église de Saint Eadmund's et je vous montrerai le chemin. »

Byrne se tourna vers Adam, puis revint à moi. Il ne savait pas quelle décision prendre, mais il réfléchissait. Je me rapprochai d'Adam au point que nos visages se touchaient presque. Je plongeai les yeux dans son regard si bleu, si clair. Je n'y trouvai pas la moindre étincelle d'inquiétude. Il était magnifique. Pour la première fois sans doute j'eus la révélation de l'homme qu'il était en montagne, capable de sauver ou de prendre une vie. Je levai la main droite, je la posai sur sa joue comme il avait touché la mienne. Il frémit très légèrement. Je devais lui dire quelque chose. Quoi qu'il advienne par la suite, je n'aurais jamais d'autre occasion.

« Je comprends que tu as tué Adèle et Françoise parce que en un sens, si terrible soit-il, tu les aimais. Et j'imagine que Tara représentait une menace pour toi. Sa sœur lui avait-elle dit quelque chose ? Savait-elle ? Ou n'étaient-ce que des soupçons ? Mais les autres ? Pete. Carrie. Tomas. Alexis. Quand tu es reparti une nouvelle fois dans la tempête, as-tu carrément poussé Françoise dans le vide ? Est-ce que quelqu'un t'avait vu ? Ou était-ce simplement plus simple comme ça ? » J'attendis. Il ne répondit pas. « Tu ne le diras jamais, pas vrai ? Tu refuses d'en répondre à de simples mortels.

— Tout cela est ridicule, dit Adam. Alice a besoin d'aide. Je peux légalement la prendre sous ma responsabilité.

— Vous devez consigner ce que je viens de dire, déclarai-je à Byrne. Je viens de vous révéler l'existence d'un meurtre. J'ai identifié l'endroit où se trouvait le cadavre. Vous êtes dans l'obligation d'ouvrir une enquête. »

Le regard de Byrne naviguait entre nous deux. Puis son visage se détendit. Il esquissa un sourire sardonique. Il soupira. « D'accord. » Puis il se tourna vers Adam. « Ne craignez rien, monsieur. Nous prendrons soin de votre femme.

— Adieu, murmurai-je. Adieu, Adam. »

Il me sourit, un sourire si doux qu'on aurait dit un petit garçon, habité d'un espoir terrifiant. Mais il ne dit rien. Il se contenta de me regarder m'éloigner, mais je ne tournai pas la tête.

39

L'AGENT Mayer avait l'air d'une gamine de seize ans. Ses cheveux bruns coupés au carré entouraient un visage rond piqueté d'une légère acné. J'étais assise à l'arrière de la voiture — un véhicule banalisé bleu et non la voiture de police que j'avais espérée —, le regard rivé sur l'arrière de sa nuque ronde, à l'endroit où elle émergeait d'un col blanc empesé. Je lisais dans la raideur de ce cou une désapprobation sourde. Plus tôt, sa poignée de main molle et son regard peu profond avaient trahi l'indifférence à mon égard.

Elle n'avait pas cherché à me parler, sauf au début du trajet pour me demander d'attacher ma ceinture de sécurité, « s'il vous plaît ». Je lui savais gré de ce silence. Je m'étais appuyée contre le plastique frais de la portière, le regard perdu dans la circulation londonienne, n'accrochant presque rien. La matinée était claire, à tel point que la lumière me donna la migraine. Mais fermer les yeux n'arrangea rien, parce que alors des images commencèrent à surgir derrière mes paupières. Particulièrement le visage d'Adam, la dernière fois que je l'avais vu. J'avais mal dans tout le corps, un corps qui me semblait creux. J'avais l'impression de pouvoir sentir chaque partie de mon être séparément, mon cœur, mes entrailles, mes poumons, mes reins douloureux, le sang qui ruait dans mes veines, les tintements de cloches dans ma tête.

De temps à autre, la radio de l'agent Mayer s'animait de crépitements et elle se mettait à parler dans la voiture, égrenant dans un langage étrange lieux de rendez-vous et heures d'arrivée. À l'extérieur de cette voiture s'organisait la vie réelle, ordinaire, des gens qui accomplissaient leurs tâches quotidiennes, tantôt irrités, ennuyés, heureux, indifférents, joyeux ou las. Des gens qui songeaient à leur travail, à ce qu'ils allaient faire pour le dîner ce soir, à ce que leur fille avait dit au petit déjeuner ce matin, ou encore à un homme qui les attirait, au fait qu'ils devraient se faire couper les cheveux, à combien ils souffraient du dos. J'avais du mal à imaginer que j'avais pu faire partie de cet univers, de cette vie-là. Obscurément, comme dans un rêve à demi oublié, je repensai à des soirées au Vine avec l'Équipe. Nous y avions discuté, nuit après nuit, comme si le temps n'avait aucune importance, comme si nous avions la vie devant nous. Peut-on dire que j'étais heureuse à l'époque ? Je ne savais plus. J'avais du mal à revoir le visage de Jake à présent, ou en tout cas son visage à l'époque où je vivais avec lui, son visage amoureux, celui qu'il me présentait quand nous étions au lit. Le visage d'Adam s'interposait, son regard fixe. Il s'était intercalé de force entre moi et le monde extérieur, me cachant la vue de façon à ce que je n'aie plus que lui devant les yeux.

J'avais été la moitié d'un couple, Alice et Jake, puis Alice et Adam. À présent j'étais Alice tout court. Alice toute seule. Je n'avais plus personne pour me dire quelle tête j'avais, me demander comment je me sentais. Plus personne avec qui faire des projets ou échanger des idées, plus personne pour me protéger, ou me perdre. Si je survivais à cela, je serais seule. Je regardai mes mains, inertes sur mes genoux. J'écoutai ma respiration, calme et silencieuse. Peut-être n'y survivrais-je pas. Avant Adam, je n'avais jamais eu aussi peur de la mort, en grande partie parce que la mort m'avait toujours paru si loin, réservée à quelque vieille mémère aux cheveux blancs qui n'avait rien à voir avec moi. Qui se soucierait de ma disparition, me demandai-je ? Mes parents me pleureraient, bien sûr. Mes amis ? En un sens, même si pour eux j'avais déjà disparu le jour où j'avais quitté Jake et mon ancienne existence. Ils secoueraient tristement la tête en évoquant mon cas, comme une curiosité. « La pauvre », murmureraient-ils. Adam éprouverait du chagrin, cependant ; oui, je lui manquerais. Il pleurerait sur ma mort, de vraies larmes de douleur. Il ne m'oublierait jamais, il porterait éternellement mon deuil. Comme c'était étrange. Je réprimai un sourire.

Je sortis à nouveau la photo de ma poche pour la regarder. Je m'y revoyais, si heureuse du miracle de ma nouvelle vie qu'on aurait dit une folle. Il y avait un buisson d'aubépine derrière moi, et puis de l'herbe et le ciel, c'était tout. Et si je n'arrivais pas à me souvenir ? Je tentai de refaire le chemin depuis l'église, mais à mesure que je me creusais la mémoire, je sentis un vide complet m'envahir. Je ne parvenais même pas à visualiser l'édifice. Je tentai de m'empêcher d'y penser, de peur que les dernières bribes de souvenir ne s'échappent définitivement. Je reposai les yeux sur la photographie. J'entendis ma propre voix s'élever. « Pour l'éternité », avais-je déclaré. Qu'avait répondu Adam ? Je ne m'en souvenais plus, mais je me rappelais qu'il avait pleuré. J'avais senti ses larmes contre ma peau. L'espace d'un instant je manquai de fondre en larmes moi-même, assise dans cette voiture de police glacée, en route pour découvrir si j'allais le vaincre ou perdre contre lui, vivre ou tomber sous ses coups. Adam était mon ennemi à présent mais il m'avait aimée, quel que soit le sens qu'il donnât à ce verbe. Et moi aussi, je l'avais aimé. Durant une minute désastreuse, je fus tentée de demander à l'agent Mayer de faire demi-tour, de me ramener à la maison. Tout cela n'était qu'une affreuse erreur, une folle aberration.

Je me secouai, je me remis à regarder par la fenêtre, loin de la photo. Nous avions quitté l'autoroute à présent, nous traversions un petit village gris. Je n'avais aucun souvenir de ce trajet. Oh, mon Dieu, peut-être qu'il ne me reviendrait absolument rien ! Le cou de l'agent Mayer restait impassible. Je fermai à nouveau les yeux. J'avais si peur que le calme me gagna, une quiétude nauséeuse, glacée. Ma colonne me semblait fine et friable à chaque mouvement que je tentais ; j'avais les doigts gelés, raides.

« Nous y voilà. »

La voiture s'arrêta au pied de l'église de Saint Eadmund's, un bâtiment gris trapu. Une pancarte à l'extérieur annonçait fièrement que les fondations de cette église avaient plus de mille ans. Je constatai avec soulagement qu'elle se rappelait à mon souvenir. Mais c'était ici que le test commençait. L'agent Mayer sortit de la voiture et vint m'ouvrir la porte. Au moment où je descendais, je vis que trois personnes nous attendaient. Une autre femme, un peu plus âgée que Mayer, vêtue d'un pantalon large et d'une épaisse veste de mouton, ainsi que deux hommes en vareuses jaunes, du type de celles que portent souvent les ouvriers du bâtiment. Ils étaient armés de pelles. Malgré mes pieds mal assurés, je m'efforçai d'avancer d'un pas vif, comme si je savais exactement où j'allais.

C'est tout juste s'ils me gratifièrent d'un regard comme nous approchions. Les deux hommes discutaient ensemble. Ils levèrent les yeux dans ma direction puis se replongèrent dans leur conversation. La femme s'avança. Elle se présenta comme l'inspecteur Paget, puis attrapa Mayer par le coude pour la tirer à l'écart.

« Nous devrions avoir fini d'ici une heure ou deux », l'entendis-je dire. Personne ne croyait un mot de mon histoire. Je regardai mes pieds. Je portais des bottines à talons ridicules, totalement inadaptées à une excursion dans la lande et les champs boueux. Je savais dans quelle direction nous devions partir. J'allais simplement continuer sur la route, après l'église. C'était la partie facile. C'est la suite qui le serait moins. Je surpris les deux hommes à me regarder, mais quand je tournai la tête dans leur direction ils baissèrent les yeux, comme si ma présence les gênait. J'étais la folle. Je ramenai mes cheveux derrière mes oreilles, puis je boutonnai ma veste jusqu'en haut.

Les deux femmes réapparurent, l'air décidé.

« Très bien, Mrs. Tallis, dit l'inspecteur avec un petit hochement de tête. Si vous voulez bien nous montrer le chemin. »

J'avais la sensation qu'une boule m'obstruait la gorge. Je commençai à avancer dans l'allée. Un pied devant l'autre, clic clac, dans l'allée silencieuse. Un souvenir d'enfance s'éleva en moi sous la forme d'une comptine : « Une, deux, j'avais une jolie maison ; une, deux, je l'ai quittée d'un bond ; une, deux, et me voilà vagabond. » L'inspecteur Paget marchait à mes côtés, les trois autres suivaient un peu en arrière. Je ne saisissais pas ce qu'ils se disaient, même si souvent j'entendais des rires. J'avais les jambes lourdes, deux barres de plomb. La route se déroulait devant mes yeux, sans fin, sans caractère. Était-ce ma dernière promenade ?

« C'est encore loin ? » demanda l'inspecteur Paget.

Je n'en avais pas la moindre idée. Mais, après un tournant, la route bifurquait, et j'aperçus un monument aux morts coiffé d'un aigle ébréché.

« C'est là, dis-je en tentant de ne pas laisser transparaître mon soulagement. C'est par là que nous sommes passés. »

L'inspecteur Paget dut percevoir la surprise dans ma voix, à en croire le regard intrigué qu'elle m'adressa.

« C'est bien ça », repris-je, car même si je n'avais eu aucun souvenir du monument, à présent que nous y étions tout me revenait clairement.

Je les conduisis jusqu'à l'allée étroite, qui ressemblait plus à un chemin. Mes jambes me paraissaient plus légères à présent. Mon corps me montrait le chemin. À un moment nous allions tomber sur un sentier. Je jetai des regards anxieux à droite et à gauche, m'arrêtant pour scruter les broussailles, au cas où la végétation l'aurait recouvert depuis mon dernier passage. Je sentais croître l'impatience des autres. À un moment je vis l'agent Mayer échanger un regard avec un des hommes, un jeune homme au long cou épais, et hausser les épaules.

« C'est quelque part par ici », dis-je.

Quelques minutes plus tard, je me rétractai. « Nous avons dû le dépasser. » Nous nous arrêtâmes au milieu du chemin pendant que je tergiversais. Là-dessus l'inspecteur Paget suggéra, avec amabilité : « Je crois qu'il y a une bifurcation un peu plus loin. Que diriez-vous d'aller voir ? »

C'était l'entrée du sentier. Je faillis la prendre dans mes bras de gratitude avant de m'y enfoncer dans un petit trot mal assuré, la police à mes trousses. Des broussailles s'accrochaient à nos vêtements, des branches épineuses nous fouettaient les jambes, mais je n'en avais cure. C'était bien le chemin que nous avions suivi. Cette fois-ci, je n'eus aucune hésitation. Je quittai le sentier pour m'enfoncer dans les bois, parce que je venais de voir un bouleau argenté que j'avais reconnu, le tronc blanc et droit au milieu des hêtres. Nous gravîmes tant bien que mal un petit escarpement. Quand Adam et moi étions venus, il m'avait pris la main pour m'éviter de glisser sur le tapis humide de feuilles mortes. Nous passâmes au milieu d'une marée de jonquilles. J'entendis l'agent Mayer s'exclamer de ravissement, comme si nous étions en promenade.

Une fois au sommet de la côte, les arbres cédaient la place à une sorte de lande. J'entendis la voix d'Adam ressurgir du passé, comme s'il était à mes côtés : « Un bout de prairie à l'écart d'un sentier lui-même à l'écart d'un chemin éloigné de la route. »

À présent, soudain, je ne savais plus où aller. Il y avait eu un buisson d'aubépine, mais il était invisible de l'endroit où je me trouvais. Je fis quelques pas incertains, puis m'arrêtai pour jeter autour de moi un regard désespéré. L'inspecteur Paget me rejoignit sans un mot. Elle resta là à attendre. Je sortis la photo de ma poche. « C'est ça que nous cherchons.

— Un buisson. » Si le timbre de sa voix ne trahissait aucune émotion, son regard en disait long. Nous étions entourés de buissons.

Je fermai les yeux pour tenter de retrouver mes souvenirs. Tout à coup cela me revint. « Regarde avec mes yeux », avait-il dit. Puis nous avions admiré l'église au-dessous, et les champs. « Regarde avec mes yeux. »

C'est bien ce que j'avais l'impression de faire, aujourd'hui que je m'efforçais de le suivre à la trace. D'une foulée trébuchante, je suivis le contour de la lande jusqu'à ce que j'aperçoive, par une percée de la végétation, l'endroit d'où nous venions. Voilà l'église de Saint Eadmund's, avec les deux voitures garées en contrebas. Là, la table de verdure. Et ici le buisson d'aubépine. Je me postai devant, comme je l'avais fait ce jour-là. Debout sur cette terre spongieuse, je priai pour que le corps d'une jeune femme repose sous mes pieds.

« Ici, dis-je à l'inspecteur Paget. C'est ici qu'il faut creuser. »

Elle fit signe aux deux hommes de s'approcher et leur répéta ce que je venais de dire. « C'est ici qu'il faut creuser. »

Je m'écartai de l'endroit que je venais de désigner et ils se mirent au travail. Le sol était dur, rendant leur tâche difficile. Bientôt, des gouttelettes de sueur perlèrent sur leur front. Je tentais de respirer avec calme. À chaque coup de pelle, je m'attendais à voir apparaître quelque chose. Mais rien. Ils creusèrent jusqu'à se retrouver avec un trou assez profond. Rien. Ils finirent par s'arrêter, levèrent les yeux vers l'inspecteur Paget, qui à son tour se tourna vers moi.

« Elle est là. Je le sais. Attendez. »

De nouveau je fermai les yeux pour tenter de me souvenir. Je sortis la photo, puis j'examinai le buisson.

« Dites-moi exactement où je dois me placer », commandai-je à l'inspecteur Paget après lui avoir fourré le cliché dans les mains et m'être remise devant le buisson.

Elle me lança un regard las, puis haussa les épaules. Je me tenais exactement dans la même position que celle que j'avais adoptée pour Adam, la fixant comme si elle allait elle-même me prendre en photo. Elle me regarda, les yeux plissés.

« Avancez un peu. »

Je fis un pas en avant.

« C'est ça.

— Creusez ici », dis-je aux deux hommes.

Ils se remirent à creuser. Nous attendîmes en silence, un silence ponctué par le crissement sourd des pelles et la respiration laborieuse des deux hommes. Rien. Il n'y avait rien, rien d'autre qu'une terre rouge et rugueuse et des petits cailloux.

Ils s'interrompirent pour me regarder. « Je vous en prie, dis-je, la voix rauque. Je vous en prie, creusez encore un peu. » Je me tournai vers l'inspecteur Paget. Je lui posai la main sur le bras. « S'il vous plaît. »

Elle réfléchit longtemps, les sourcils froncés, avant de parler. « Nous pourrions passer la semaine à fouiller ici. Nous avons creusé là où vous nous avez demandé de le faire et nous n'avons rien trouvé. Il est temps de plier bagage.

— Je vous en conjure. » J'avais la voix cassée. « Je vous en prie. » C'était pour ma vie que je les implorais.

Elle émit un profond soupir. « D'accord. » Elle regarda sa montre. « Mais pas plus de vingt minutes. »

Elle fit signe aux deux hommes, qui repartirent vers le trou non sans force grommellements et grimaces sarcastiques. J'allai m'asseoir plus loin. Je regardai la vallée. Les herbes ondoyaient au vent comme la mer.

Soudain, derrière moi, j'entendis un murmure. Je me précipitai. Les hommes s'étaient arrêtés de creuser. À genoux devant le trou, ils écartaient la terre à la main. Je m'accroupis à leurs côtés. La terre était soudain plus sombre à cet endroit. Et j'aperçus une main, une main squelettique dont les os émergeaient du sol comme pour nous faire signe.

« C'est elle ! criai-je. C'est Adèle ! Vous voyez ? Oh, mais vous voyez ? » Et je commençai à fouiller le sol de mes mains, à arracher les mottes de terre, même si j'y voyais à peine. Je voulais tenir les os, les bercer, tenir la tête entre mes mains, à présent qu'elle apparaissait, un horrible crâne grimaçant. J'aurais voulu passer mes doigts dans les orbites évidées.

« Ne touchez à rien ! s'exclama l'inspecteur Paget en me tirant en arrière.

— Mais il le faut ! hurlai-je. C'est elle. J'avais raison. Elle est là. » Et ça aurait pu être moi, aurais-je voulu ajouter. Si nous ne l'avions pas trouvée, c'est moi qui aurais pris place dans ce trou.

« Il s'agit de preuves, Mrs. Tallis, reprit-elle avec fermeté.

— C'est Adèle, répétai-je. C'est Adèle, et c'est Adam qui l'a assassinée.

— Rien ne nous permet d'établir son identité. Il va falloir faire des tests, pratiquer une identification. »

Je regardai le bras, la main, la tête qui sortaient du sol. Toute la tension retombait, je me sentais maintenant totalement épuisée, emplie d'une immense tristesse.

« Pauvre fille, murmurai-je. Pauvre femme. Oh mon Dieu ! Oh mon Dieu, mon Dieu ! »

L'inspecteur Paget me tendit un grand mouchoir en papier déplié. Je me rendis alors compte que je pleurais.

« Il y a quelque chose autour du cou, inspecteur », dit l'homme mince.

Je portai la main à mon propre cou.

Il tenait en l'air un bout de lacet noirci. « Je crois que c'est un collier.

— Oui, dis-je. Oui, il le lui a donné. »

Ils se tournèrent tous vers moi, m'observant cette fois avec attention.

« Regardez. » Je défis mon propre collier, argenté,

brillant, que je déposai à côté de son homologue noirci. « Adam m'a donné ça, en gage de son amour pour moi, de son amour immortel. » J'effleurai du doigt la spirale argentée. « Vous trouverez la même chose sur le sien.

— Elle a raison », remarqua l'inspecteur Paget. L'autre spirale était noire, maculée de terre, mais tout à fait visible. Un long silence s'ensuivit. Tous avaient les yeux braqués sur moi, tandis que je regardais le trou dans lequel gisait son corps.

« Comment l'avez-vous appelée ? finit par demander l'inspecteur Paget.

— Adèle Blanchard. » J'avalai avec difficulté. « C'était la maîtresse d'Adam. Et je pense... » Je me remis à sangloter, seulement cette fois ce n'était plus sur mon sort. C'était sa mort à elle que je pleurais, et puis aussi celle de Tara, celle de Françoise. « Je pense que c'était une femme tout à fait charmante. Une jeune femme adorable. Oh, je suis désolée, tellement, tellement désolée. » J'enfouis le visage dans mes mains couvertes de boue, pour m'aveugler. Les larmes s'échappaient entre mes doigts.

L'agent Mayer passa un bras autour de mes épaules. « Nous allons vous ramener chez vous. »

Mais où était-ce à présent ?

L'inspecteur principal Byrne et une de ses subordonnées insistèrent pour me raccompagner jusqu'à l'appartement, bien que je les eusse assurés qu'Adam n'y serait pas. Je voulais seulement prendre mes affaires et partir. Ils déclarèrent qu'il leur fallait de toute façon vérifier qu'il n'y avait personne, même si leurs appels étaient déjà restés sans réponse. Ils avaient essayé de mettre la main sur Mr. Tallis.

Je ne savais pas où j'allais trouver refuge, mais je me gardai de le leur dire. Plus tard, on allait me demander un témoignage, j'aurais des papiers à signer en trois exemplaires, des avocats à consulter. Plus tard, il me faudrait affronter mon passé et envisager mon avenir, tenter de me sortir de l'épouvantable naufrage de mon existence. Mais pas maintenant. Maintenant, je me contentais d'avancer à petits pas comateux, en m'efforçant de placer les mots dans le bon ordre, jusqu'à ce qu'on me laisse seule quelque part, que je puisse dormir. J'étais si fatiguée que je me sentais capable de m'endormir debout.

L'inspecteur principal Byrne me hissa dans les escaliers jusqu'à la porte de l'appartement. Inutile, elle pendait sur ses gonds, après qu'Adam l'eut défoncée. Mes genoux se dérobèrent sous moi mais Byrne me rattrapa par le coude. Nous entrâmes, suivis par sa subordonnée.

« Je ne peux pas ! » m'exclamai-je. Je m'arrêtai brusquement dans le couloir. « Je ne peux pas. Je ne peux pas rentrer. C'est impossible. Je ne peux pas.

— Vous n'êtes pas obligée », répondit-il. Il se tourna vers la femme. « Vous voulez bien aller lui chercher quelques vêtements propres ?

— Mon sac. C'est vraiment tout ce dont j'ai besoin. J'ai de l'argent dedans. Je ne veux rien d'autre.

— Et rapportez-lui aussi son sac.

— Il est dans le salon. » Je crus que j'allais vomir.

« Vous avez de la famille pour vous accueillir ? me demanda-t-il dans l'intervalle.

— Je ne sais pas, répondis-je d'une voix faible.

— Monsieur, je peux vous parler un instant ? » C'était la femme policier, le visage grave. Il s'était passé quelque chose.

« Qu'est-ce que...

— Monsieur. »

Alors je compris. La certitude me traversa comme une vague de sensation pure.

Avant qu'ils puissent m'arrêter je m'étais précipitée dans le salon. Mon bel Adam était là, à pivoter lentement au bout de la corde. Je vis qu'il s'était servi d'une corde d'escalade. Une corde jaune. Une chaise renversée gisait par terre. Il était pieds nus. J'effleurai très doucement son pied mutilé, puis j'y posai un baiser, comme je l'avais fait la première fois. Il était froid. Il portait son vieux jean et un T-shirt délavé. Je levai les yeux vers son visage bouffi, détruit.

« Tu m'aurais tuée, dis-je, le visage tourné vers lui.

— Miss Loudon, dit Byrne à côté de moi.

— Il m'aurait tuée, lui répétai-je, sans quitter des yeux Adam, mon plus cher amour. Il l'aurait fait.

— Miss Loudon, venez à présent. C'est fini. »

Adam avait laissé un mot. Ce n'était pas une confession à proprement parler, ni un message d'explication. C'était une lettre d'amour. « Mon Alice, avait-il écrit. Te voir, ce fut t'adorer. Tu as été mon meilleur et mon dernier amour. Je suis désolé qu'il ait fallu y mettre un terme. L'éternité était encore trop courte. »

40

Un soir, quelques semaines plus tard, une fois l'agitation retombée, les obsèques passées, quelqu'un frappa à ma porte. Je descendis. C'était Deborah, arborant une tenue chic inhabituelle pour elle, en jupe et en veste sombre. Elle avait l'air fatiguée, après une journée à l'hôpital. Nous nous regardâmes sans sourire. « J'aurais dû te faire signe plus tôt », finit-elle par dire.

Je m'écartai de la porte pour lui laisser le passage. Nous montâmes les escaliers. « Je t'ai apporté deux choses. D'abord ceci. » Elle sortit une bouteille de scotch d'un sac en plastique. « Et puis ça. » Elle déplia une feuille de journal qu'elle me tendit. C'était une nécrologie d'Adam. Elle avait été rédigée par Klaus, pour un journal que je n'avais pas l'habitude de lire. « J'ai pensé que ça pourrait t'intéresser.

— Entre. »

Je pris la bouteille de whisky, deux verres, et l'article, et nous nous dirigeâmes vers le salon. Je nous servis un verre à chacune. Comme toute Nord-Américaine digne de ce nom, Deborah retourna chercher des glaçons à la cuisine. Je regardai la coupure.

Au-dessus de l'article lui-même, qui s'étendait sur quatre colonnes, se trouvait une photo d'Adam que je n'avais jamais vue auparavant. Il était bronzé, le crâne nu, devant une montagne. Il souriait à l'objectif. J'avais si peu eu l'occasion de le voir sourire, l'air décontracté. Dans mon souvenir il était toujours grave, intense. Derrière lui s'étalait une chaîne de montagnes semblable au dessin des vagues sur une estampe japonaise, saisies au sommet de leur perfection arrêtée. C'est ce que j'avais toujours trouvé difficile à comprendre. Quand on voyait les photographies prises d'en haut, tout semblait si limpide, si magnifique. Mais ce qu'ils m'avaient raconté tous, Deborah, Greg, Klaus, et Adam bien sûr, c'était tout ce qu'en vérité, une fois là-haut, on ne pouvait pas saisir dans un cliché : l'incroyable froid, le combat pour respirer, le vent qui menaçait de vous emporter au loin, le bruit, la lenteur et la lourdeur qui vous prenaient le cerveau comme le corps et, par-dessus tout, le sentiment d'hostilité, le sentiment d'avoir pénétré un monde au-delà de l'humain, où l'on n'accédait que brièvement, dans l'espoir de survivre à l'assaut des éléments ainsi qu'à sa propre dégénérescence physiologique et psychologique. J'examinai le visage d'Adam en me demandant à qui il souriait. Dans la cuisine j'entendis un tintement de glaçons.

Le texte de Klaus me fit d'abord tiquer, la première fois que je le parcourus en vitesse. Son texte tenait en partie de l'hommage personnel rendu à son ami, tout en s'efforçant de remplir les obligations professionnelles de l'exercice. Puis je le relus mot à mot.

L'alpiniste Adam Tallis, qui a récemment mis fin à ses jours, devait sa notoriété au comportement héroïque dont il a fait preuve durant une désastreuse tempête survenue sur le Chungawat, un des sommets de la chaîne himalayenne. Mal à l'aise sous le feu des projecteurs, il n'avait aucunement recherché cette célébrité, mais n'y avait rien perdu de son charme et de son charisme.

Adam était issu d'une famille de militaires contre laquelle il s'était rebellé (son père a participé à la première vague du débarquement en Normandie en 1944). Né en 1964, il fit ses études secondaires à Eton, où il passa des jours malheureux. En effet, Adam refusa toujours de se soumettre à toute forme d'autorité ou d'institution qu'il considérait médiocre. Il quitta définitivement l'école à l'âge de seize ans, après quoi il entreprit littéralement de traverser l'Europe, de visiter le continent.

Ensuite, Klaus faisait un résumé concis des débuts de carrière d'Adam tels qu'il les avait détaillés dans son livre, ainsi que des événements du Chungawat. Il avait intégré la correction établie dans l'article de *Guy*. C'était à présent Tomas Benn qui lançait des appels à l'aide poignants avant de sombrer dans le coma. Cela conduisait au point culminant de son article :

Dans ses appels à l'aide, trop tardifs, Tomas s'en remettait à une forme d'humanité qu'incarnait Adam Tallis. On a dit, surtout ces dernières années, que les considérations morales habituelles cessent de valoir à l'approche des plus hauts sommets. Ce point de vue brutal a peut-être été encouragé par la nouvelle vague des expéditions commerciales, dans laquelle le responsable se doit d'obliger le client qui l'a payé, qui, lui, attend des guides professionnels qu'ils lui assurent la sécurité absolue. Adam lui-même avait émis de sérieuses réserves à l'encontre de ces « courses à l'esbroufe » grâce auxquelles des aventuriers sans expérience mais prospères se font hisser sur des voies jusque-là réservées à l'élite des alpinistes.

Pourtant, et c'est ici un homme qui a été sauvé par Adam Tallis qui s'exprime, au milieu de cette tempête épouvantable, il s'est montré à la hauteur de la grande tradition d'entraide née sur les versants des Alpes et de l'Himalaya. On aurait pu croire que les pressions du marché avaient réussi à conquérir ce monde raréfié au-dessus de huit mille mètres d'altitude. Mais on avait oublié d'en informer les dieux de la montagne qui président aux destinées du Chungawat. C'est Adam Tallis qui a montré que, au bord du gouffre, il existe des passions plus profondes, des valeurs plus fondamentales.

De retour du Chungawat, Adam n'est pas resté inactif. Cet homme qui avait toujours été gouverné par de puissantes pulsions a rencontré et épousé Alice Loudon. [...]

Deborah était rentrée dans la pièce. Elle s'assit à côté de moi en sirotant son whisky, tout en observant mon expression tandis que je poursuivais ma lecture :

une charmante jeune scientifique très spirituelle sans aucune expérience de la montagne. Tous les deux étaient passionnément amoureux, de sorte que les amis d'Adam eurent l'impression que ce perpétuel vagabond avait enfin trouvé le pôle de stabilité qu'il avait toujours recherché. Il est peut-être révélateur que l'expédition qu'il envisageait de faire sur l'Everest l'année suivante n'avait pas pour but d'en escalader le sommet, mais d'en nettoyer les voies, ce qu'on peut comprendre comme une réparation envers des divinités trop longtemps défiées et insultées.

Cependant cette expédition n'aura pas lieu. Qui connaît les tourments internes d'un être ? Qui sait quelle force pousse les hommes et les femmes à chercher leur accomplissement sur le sommet du monde ? Peut-être les événements du Chungawat l'avaient plus profondément marqué que ses amis eux-mêmes l'avaient cru. À nos yeux, il paraissait plus heureux et plus calme qu'il ne l'avait jamais été, même si ses dernières semaines nous l'avions trouvé nerveux, irritable, récalcitrant. Je ne peux m'empêcher de penser que nous n'avons pas été là pour lui comme il l'avait été pour nous. Peut-être la chute des plus forts est-elle plus terrible, plus irréversible. J'ai perdu un ami. Alice a perdu un époux. Le monde a perdu un exemple d'héroïsme rare.

Je reposai la coupure à côté de moi, la photographie face contre terre afin de ne pas voir son visage. Je me mouchai. Puis j'avalai quelques gorgées de whisky qui enflammèrent au passage ma gorge douloureuse. Je me demandai si je retrouverais jamais l'impression de normalité. Deborah posa une main hésitante sur mon épaule. Je lui adressai un demi-sourire. « Ça va, dis-je.

— Ça t'ennuie ? demanda-t-elle. Tu ne veux pas que tout le monde sache ? » La question me semblait venir de très loin.

« Pas tout le monde, finis-je par répondre. Il y a une ou deux personnes que je dois aller voir, des gens à qui j'ai menti, que j'ai trompés. Ils ont droit à la vérité. Je le fais sans doute autant pour moi que pour eux. Pour le reste, ça n'a plus d'importance. Vraiment plus d'importance. »

Deborah se pencha pour trinquer avec moi. « Chère Alice, dit-elle d'une voix tendue et formelle. Je te dis cela parce que je cite une lettre que je n'ai pas arrêté de t'écrire avant de la déchirer. Chère Alice, si on ne m'avait pas retenue contre moi-même, j'aurais été responsable de ton enlèvement, et Dieu sait de quoi d'autre. Je suis tellement, tellement désolée. Je peux t'inviter à dîner ? »

Je hochai la tête, en réponse aussi à la question qu'elle ne m'avait pas posée. « Je ferais mieux de me changer. Pour être à la hauteur. J'ai eu une journée éprouvante au bureau.

— Oh oui, je suis au courant. Félicitations. »

Un quart d'heure plus tard nous marchions sur le boulevard, bras dessus, bras dessous. La soirée était chaude. Pour la première fois, je parvenais vraiment à croire que l'été finirait par arriver, avec la chaleur, les longues soirées et les matinées fraîches. Nous gardions le silence. J'avais l'impression d'être vide de mots, vide de pensées. Nous marchions d'un pas tranquille, en rythme. Deborah m'amena à un nouveau restaurant italien dont elle avait entendu parler. Elle commanda des pâtes, une salade et une bouteille de vin rouge onéreux. Pour atténuer son sentiment de culpabilité, affirma-t-elle. Les serveurs, de beaux jeunes hommes bruns, se montrèrent très attentionnés. Quand Deborah sortit une cigarette de son paquet il y en eut deux pour se précipiter, un briquet à la main. Puis elle me regarda dans les yeux. « Où en est la police ?

— J'ai passé la dernière semaine en compagnie d'inspecteurs de différents commissariats. Je leur ai raconté à peu près la même chose que ce que je venais de dire à l'inspecteur avant que tu arrives avec Adam. » Elle fit la grimace. « Mais cette fois-ci, ils m'ont écoutée et ils ont posé des questions. Ils se sont montrés assez contents de toute cette histoire. « Nous n'avons pas d'autre suspect en vue », je crois que ce sont les mots qu'ils ont employés. L'inspecteur principal Byrne, celui que tu as rencontré, s'est montré charmant avec moi. Je crois qu'il se sent assez coupable. »

Un serveur s'approcha pour installer un seau à glace. Le bruit doux d'un bouchon se fit entendre derrière une serviette. « Avec les compliments du monsieur. »

Nous nous retournâmes. Deux jeunes hommes en costume levaient leur verre dans notre direction, un sourire aux lèvres.

« Mais enfin qu'est-ce que c'est que ce cirque ! protesta Deborah à voix haute. Qui sont ces crétins ? Ils mériteraient que j'aille les doucher avec leur bouteille. Bon sang, je suis navrée, Alice. C'est la dernière chose dont tu avais besoin.

— Non, ce n'est pas grave. » Je versai le champagne fumant dans nos verres, puis j'attendis que la mousse retombe. « Ces peccadilles n'ont plus d'importance à présent. Des imbéciles qui te tournent autour comme des mouches, des batailles idiotes, des colères de rien, ça n'en

vaut pas la peine. La vie est trop courte. Tu ne crois pas ? »
Je fis tinter mon verre contre le sien. « À l'amitié. »

Et elle de répondre : « Ça marche. »

Deborah me raccompagna à la maison. Je ne l'invitai pas
à monter. Nous nous dîmes au revoir sur le perron. Je grim-
pai l'escalier jusqu'à l'appartement que j'allais quitter la
semaine suivante. Ce week-end, je m'emploierais à empaqueter mes quelques affaires, puis je déciderais que faire
avec celles d'Adam. Elles traînaient encore dans les pièces.
Ses T-shirts et ses pulls élimés conservaient toujours son
odeur, de sorte que si je fermais les yeux je pouvais croire
qu'il se trouvait encore dans la pièce à me regarder. Et aussi
son blouson de cuir qui semblait avoir retenu la forme de
ses épaules, son sac à dos bourré d'équipement pour l'escalade, les photos qu'il avait prises de moi au Polaroïd. Seules
ses précieuses chaussures d'escalade râpées n'y étaient plus.
Klaus, ce cher Klaus, le visage bouffi de larmes, les avait
déposées sur son cercueil. Des chaussures en guise de
fleurs. Ainsi, il ne laissait pas grand-chose derrière lui. Il
avait toujours voyagé léger.

J'avais cru, tout de suite après la découverte, que je n'aurais pas la force de demeurer ne serait-ce qu'une heure
dans l'appartement, pas même une minute. Mais en définitive, j'éprouvais une difficulté perverse à le quitter. Cependant, lundi j'allais claquer la porte flambant neuve, fermer
les deux verrous, et rendre les clés à l'agent. Les mains
encombrées de valises et d'objets divers, je monterais dans
un taxi pour me rendre à mon nouveau chez-moi, un studio
confortable à deux pas du bureau, agrémenté d'un petit
patio. Il n'y manquait rien, ni machine à laver, ni micro-
ondes, ni chauffage central, ni moquette épaisse. Pauline
m'avait dit un jour, après avoir traversé les pires moments
d'abattement choqué, que si l'on se comportait comme si
tout allait bien, cela finissait par arriver. C'est en pratiquant
les gestes de survie qu'on parvient à s'en tirer. L'eau trouve
le chemin des fossés que l'on a creusés. Du coup, j'allais
acheter une voiture. Peut-être prendre un chat. J'allais
recommencer à apprendre le français et m'acheter des
vêtements. J'allais arriver au bureau en avance chaque
matin, sûre de m'appliquer à la tâche. J'allais revoir mes

anciens amis. Une existence s'épanouirait sur ces terrains préparés, une existence pas désagréable, à vrai dire. Les gens qui me verraient ne devineraient jamais que tout cela n'avait pas grande importance, que je me sentais aussi creuse, vide et triste que le ciel.

Je ne retrouverais plus jamais la femme que j'avais été autrefois. Avant lui. La plupart des gens ne s'en rendraient jamais compte. Jake, heureux en compagnie de sa nouvelle amie, n'en saurait rien. Quand il repenserait à la fin de notre aventure, il reverrait un épisode douloureux, confus et embarrassé, mais comme un souvenir flou qui perdrait petit à petit tout pouvoir de le faire souffrir, si ce n'était pas déjà fait. Pauline, si avancée dans sa grossesse, n'en saurait rien non plus. Elle m'avait demandé, très timidement, si j'accepterais d'être la marraine de son enfant ; je l'avais embrassée sur les deux joues en lui disant que, même si je ne croyais pas en Dieu, j'en serais très fière. Clive, qui continuait à sauter d'une liaison à l'autre, penserait à moi comme à une femme qui avait connu le véritable amour romantique ; il me demanderait des conseils à chaque fois qu'il voudrait sortir avec une femme ou la quitter. Et je ne dirais jamais rien à ma famille, ni à la sienne, pas plus qu'à Klaus ou à la communauté des alpinistes, ou à personne au bureau.

À leurs yeux, j'étais la veuve tragique d'un héros mort trop jeune, de ses propres mains. Ils employaient avec moi les mêmes chuchotements respectueux et compassés qu'ils utilisaient sans doute à mon sujet. Sylvie savait, bien sûr, mais je ne pouvais pas lui en parler. Pauvre Sylvie, qui avait cru agir pour le mieux. Elle était venue aux obsèques. À la fin, dans un murmure affolé, elle avait imploré mon pardon. Je lui avais dit que je lui pardonnais — que pouvais-je faire d'autre ? — avant de me détourner pour continuer la conversation avec quelqu'un d'autre.

J'étais fatiguée, mais je n'avais pas envie de dormir. Je me fis une tasse de thé que je bus dans un des quarts métalliques d'Adam, que j'avais vu pendre à son sac à dos lors de notre excursion dans le Lake District pour notre lune de miel, par cette nuit noire pleine d'étoiles. Je m'assis sur le canapé dans ma chemise de nuit, les jambes repliées sous moi, et me mis à penser à lui. Je me remémorai la première fois que j'avais posé les yeux sur lui, sur le trottoir d'en face, et son regard, son regard qui m'avait agrippée, ramenée jusqu'à lui. Je songeai à la dernière fois, au commissariat, quand il m'avait souri avec une telle tendresse, en me relâchant. Il avait dû comprendre que c'était la fin. Nous ne nous étions jamais dit au revoir. Notre histoire avait commencé dans l'émerveillement pour s'achever dans la terreur. Et puis maintenant cette solitude immense.

Quelques jours plus tôt, Clive m'avait donné rendez-vous pour le déjeuner. Après de multiples formules de commisération et de soutien, il m'avait demandé : « Comment un homme pourra-t-il jamais se mesurer à lui ? »

Personne ne le pourra jamais. Adam avait assassiné sept personnes. Il m'aurait tuée tout en versant des larmes sur mon corps. Chaque fois que je repensais à la façon dont il me regardait, avec un amour si intensément braqué sur moi, ou chaque fois que je revoyais en esprit son cadavre qui se balançait lentement au bout de la corde jaune, me venait aussi l'image d'un violeur et d'un meurtrier. Mon Adam.

Mais, au-delà de tout cela, je me rappelais encore son visage charmant, la façon dont il m'avait tenue dans ses bras, dont il avait plongé son regard dans le mien, dont il avait prononcé mon nom, si tendrement. Je ne voulais pas oublier qu'un homme m'avait tant aimée, si profondément. C'est toi que je veux, avait-il dit, rien que toi. Personne ne m'aimerait plus jamais ainsi.

Je me levai pour aller ouvrir la fenêtre. Un joyeux groupe de jeunes gens éméchés passait dans la rue, éclairé par le réverbère. L'un d'eux leva la tête. M'apercevant à la fenêtre, il m'envoya un baiser. Je lui répondis d'un geste de la main et d'un sourire avant de me détourner. Oh, quelle triste histoire nous avons vécue, mon amour, mon cœur.

L'amour fou,
un sujet qui nous tient à cœur...

Il existe un trouble psychologique grave, connu sous le nom de « syndrome de Clérambault ». L'individu, homme ou femme, qui en est atteint, tombe désespérément amoureux, de manière instantanée, de quelqu'un rencontré au bureau ou dans une soirée, ou juste croisé dans la rue. Il commence alors à poursuivre sans relâche l'objet de sa passion, sans qu'aucun obstacle ou motif de découragement puisse l'en détourner. Autant dire que les conséquences peuvent se révéler tragiques et que la personne qui manifeste ce syndrome exige un traitement médical et une psychothérapie adaptés.

© Irène Barki

Mais, à cette simple description, on sent bien que la frontière est terriblement mince entre cette pathologie grave et dévastatrice et le phénomène que nous appelons « tomber amoureux ». Voyez l'importance que ce phénomène occupe dans notre culture, souvenez-vous des innombrables histoires de coup de foudre, d'amour au premier regard, dont nous avons été abreuvés depuis l'enfance. Et, parmi ces histoires, songez à toutes celles qui reposent sur la persévérance de celui qui aime, sur son refus d'admettre que son amour est impossible. Pensez à l'amoureux éconduit qui poursuit une femme réticente, chante sous ses fenêtres, la harcèle jusqu'à ce qu'elle cède et avoue son amour en retour. Quelle est la différence entre un amoureux « normal » et un fou ? L'amoureux « normal » sait-il quand il doit renoncer ? Et que se passe-t-il quand le fou rencontre une femme qui l'aime aussi ?

© Irène Barki

Nous avons longuement discuté de cette similarité entre l'amour et la folie, de cette sorte de folie que constitue l'amour. La fascination que ce sujet exerçait sur nous tenait en partie à des raisons qui nous étaient personnelles. Nous nous étions rencontrés, étions tombés amoureux l'un de l'autre, nous étions

336

mariés dans un laps de temps si court que nous-même — sans parler de notre entourage — ne finissions pas de nous en étonner. Nous sommes des gens raisonnables. Comment avions-nous pu nous laisser aller à agir ainsi ? Objectivement, cela paraissait fou, et en même temps tellement juste.

© Irène Barki

Certains prétendent que nous ne tomberions pas amoureux
si les contes, les romans et le cinéma ne nous avaient pas
appris à le faire. Un enseignement que j'ai tiré des grandes
histoires d'amour est l'importance de céder à la folie. La plupart du temps, nous sommes amenés à faire des choix précis
et rationnels, qu'il s'agisse d'acheter une chaîne stéréo, de
préparer un repas, d'installer des étagères. Mais lorsqu'il s'agit
des quelques décisions véritablement importantes de notre
vie, d'ordre professionnel ou amoureux, nous devrions nous
autoriser un peu de folie. Comment voulez-vous qu'à vingt
ans, nous sachions ce qui nous rendra heureux jusqu'à la fin
de nos jours ? Dans leur quête de l'âme sœur, les amoureux
du *Songe d'une nuit d'été*, de Shakespeare, quittent la ville pour
s'enfoncer dans la forêt, sous l'influence de philtres d'amour
et guidés par des fées. Mais cette folie délibérée et temporaire
n'est pas une véritable folie. On finit par en émerger pour
revenir à la réalité. Tout comme les amoureux de Shakespeare
retournent à la ville à la fin de la pièce. La sombre forêt oni-
rique n'est pas un monde où l'on peut vraiment vivre.

C'est l'un des paradoxes auxquels on est confronté lorsqu'on tombe amoureux : on cesse d'avoir un comportement

« normal », alors qu'il faut continuer à vivre dans nos communautés civilisées aux règles compliquées. On traverse une période où l'on est complètement absorbé par l'autre, où l'on croit que rien ni personne ne peut être plus important. Puis, à moins d'être vraiment fou, il nous faut revenir à la réalité, se remettre au travail, reprendre la vie en société, payer des impôts, revoir ses amis.

Mais, dans notre moment de folie, nous nous dévoilons à quelqu'un que, selon toute probabilité, nous connaissons à peine. Nous prenons des décisions qui engagent le reste de notre vie, notamment celle de faire un enfant, alors que nous ne disposons pas d'informations suffisantes. Bien sûr, la décision que nous prenons est la bonne. Car comment pourrions-nous jamais en savoir suffisamment sur la personne que nous aimons pour être certains que nous serions heureux de passer avec elle le restant de nos jours ? On se contente de deviner. Mais imaginez ce qui peut se passer si nous nous trompons.

© Irène Barki

Ensemble, nous avons passé des heures à débattre de ce sujet et, étant ce que nous sommes, nous avons pensé qu'il y avait là une bonne idée de roman. Nous savons tous ce que c'est que de tomber soudainement amoureux — ou nous pouvons l'imaginer —, de larguer les amarres pour suivre une

339

passion et vivre une aventure insensée. Il nous est arrivé à tous de fantasmer sur quelqu'un qui incarne toute l'aventure et l'imprévu qui manquent à notre vie de tous les jours. Pour notre héroïne, Alice Loudon, le mystère et le danger qui entourent son amant, Adam Tallis, constituent l'essence même de son attirance envers lui. C'est un alpiniste de renom, un homme qui vit pour le risque et l'héroïsme gratuits qui, dans la majorité des cas, sont absents de la vie moderne. Lorsque nous avons conçu le personnage d'Adam, nous avons pensé en faire un reporter ou un photographe de guerre. Mais, en y réfléchissant, nous nous sommes dit qu'il n'y avait rien de plus vain, de plus gratuit, et en même temps de plus symbolique, que mettre sa vie en péril pour grimper au sommet d'une montagne et en redescendre une fois arrivé en haut.

Nous comprenons tous l'attirance que peut exercer un mystérieux inconnu, un homme qui a des secrets. Mais que se passe-t-il quand on ne peut pas résister à l'envie de percer ces secrets, contre son gré ? C'est sur cette question que repose l'histoire de *Feu de glace*, une histoire qui, je l'espère, effraiera nos lecteurs autant qu'elle nous a effrayés.

NICCI ET SEAN FRENCH

Cet ouvrage a été réalisé
par Nord Compo
Villeneuve-d'Ascq

Aubin Imprimeur
LIGUGÉ, POITIERS